Mannelijk naakt

ISBN 90 6074 858 1

1e druk september 1993
2e druk december 1993

© 1993 by Amanda Filipacchi
Oorspronkelijke titel: *Nude Men*
Published by arrangement with Viking Penguin
Voor de Nederlandse vertaling:
© 1993 by Uitgeverij Anthos, Baarn
Vertaling: Anneke Goddijn-Bok
Omslagontwerp: Robert Nix
Omslagillustratie: Alike Dalkmann
Foto auteur: Jerry Bauer

Verspreiding voor België:
Uitgeverij Westland nv, Schoten

AMANDA FILIPACCHI
MANNELIJK NAAKT

VERTAALD DOOR ANNEKE GODDIJN-BOK

ANTHOS

Voor mijn ouders, Sondra en Daniel

DANKBETUIGING

Ik ben veel dank verschuldigd aan Sondra Peterson, Nan Graham, Melanie Jackson en Alice Quinn voor hun goede raad en enthousiasme.

Ook bedank ik Courtney Hodell, Giancarlo Bonacina, Hal Fessenden, Edmond Levy, Frederic Tuten, Richard Locke, Robert Towers, Peter J. Smith, Michael Kaye en al mijn andere vrienden.

Et surtout Minou.

O gij, die van elf tot negentig
in sterfelijke harten regeert...

1

Ik ben een man zonder veel genoegens in het leven, een man wiens weinige genoegens klein zijn, maar een man voor wie die kleine genoegens heel belangrijk zijn. Een ervan is eten. Een andere lezen. Weer een andere lezen tijdens het eten.

Ik werk bij *Screen*, een tijdschrift over films en beroemdheden, hier in Manhattan. Tussen de middag ga ik naar een kleine coffeeshop die verder weg is dan de meeste andere voor de hand liggende lunchgelegenheden. Het is er ook duurder, minder goed en minder opwindend, maar het heeft één gigantisch voordeel. Er komt niemand die ik ken.

Kort geleden heb ik een andere coffeeshop ontdekt. Die is nog verder weg, maar de verlichting is er beter om bij te lezen. De kans dat er iemand komt die ik ken, is nog kleiner. Of groter. Nou ja. U begrijpt wat ik bedoel.

Het was een uitputtende ochtend op mijn werk. Ik voel aankomen dat ik vanmiddag een van mijn hoofdpijnaanvallen zal krijgen. Ik snak naar eten en literatuur. Terwijl ik het kantoorgebouw uitloop om te gaan lunchen, probeer ik uit te maken of ik de fut heb om de extra afstand af te leggen naar mijn nieuwe, goed verlichte coffeeshop, of dat ik genoegen neem met de slechter verlichte coffeeshop die dichterbij is. Ik kies voor licht. Na zo'n ochtend verdien ik een perfecte, uiterst aangename maaltijd. Bovendien wil ik heel duidelijk kunnen zien wat er met Lily Bart gaat gebeuren in *The House of Mirth*.

Het restaurant heet Grandma Julie's, en de gezelligheid is navenant. Ik weet zeker dat iedereen zich een beetje zal generen om ergens binnen te lopen waar het Oma wat-dan-ook heet, maar als je eenmaal binnen bent, doen de warmte, het smaakvolle en de pure professionaliteit je je gêne vergeten.

De zaak zit vol vandaag. Ik vraag de serveerster hoelang het duurt voor er een tafeltje vrijkomt. Twee minuten, zegt ze. Ik wacht, bedenkend dat mijn lunch niet in het water valt als ik echt binnen twee minuten een tafeltje krijg. Er komt een vrouw de coffeeshop binnen, die achter me in de rij gaat staan. Ze is achter in de dertig en ziet er heel aardig uit, normaal. Twee minuten later zegt de serveerster dat er een tafeltje vrij is.

De vrouw achter me tikt me aan en vraagt: 'Bent u alleen?' 'Ja,' zeg ik.

'Heeft u er bezwaar tegen om de tafel met me te delen?'

Ik probeer me voor te stellen hoe ik zal lunchen terwijl ik tegenover een vreemde zit. Het zou afschuwelijk zijn. Haar blik zou op me rusten terwijl ik las. Misschien zou ze zelfs willen praten: 'Wat bent u aan het lezen? Werkt u hier in de buurt? Het is vandaag abnormaal koud, maar ze zeggen dat het tegen de avond warmer wordt. Wat is het hier rumoerig. Ik had een tonijnsalade besteld, geen eiersalade. Dit mag ik niet hebben; ik heb een hoog cholesterolgehalte.'

Mijn eerste opwelling is te mompelen: 'Nee, dat maakt niet uit', en de deur uit te rennen naar mijn oude coffeeshop.

Wat ik echter zeg, heel duidelijk, maar met een lichte grimas om de klap te verzachten, is: 'Liever niet.'

De vrouw en de serveerster kijken me verbaasder aan dan ik had verwacht. Ik probeer een rechtvaardiging te bedenken voor mijn reactie en kom met: 'Ik... móet alleen eten. Maar gaat u maar eerst, als u wilt.' Ik wijs op het vrijgekomen tafeltje.

'Nee, nee, gaat uw gang,' zegt ze, en raakt mijn arm aan met een vertrouwder gebaar dan me lief is.

Ik ga zitten, met mijn rug naar de vrouw die ik net heb afgewezen, zodat ze me niet kan gadeslaan. Ze heeft mijn lunch bedorven. Hoewel ik alleen zit, zal ik me niet op mijn roman kunnen concentreren, omdat ik me een schoft voel. Nooit eerder in mijn leven heb ik zoiets gedaan. Ik eet mijn kaastosti, niet tot lezen in staat, woedend, zonder oogcontact met iemand te maken. Hoe durft dat mens! Om me op te monteren bestel ik gelatinepudding.

Ik werp een heimelijke blik op de klanten om me heen. Ik ben benieuwd waar dat mens terecht is gekomen. Ik kijk naar de mensen die aan de bar zitten. Ze zitten allemaal met hun rug naar me toe, op één na, aan het eind. Ze zit naar me toegekeerd, met haar benen over elkaar geslagen, haar elleboog rustend op de bar, en ze kijkt me strak aan, licht glimlachend. Even denk ik dat ze de door mij afgewezen vrouw is, maar als ik nog eens kijk, zie ik dat ze het duidelijk niet is. Deze vrouw is mooi, sexy, achter in de twintig. Ze heeft een heel volle bovenlip, waardoor ze er wat pruilerig en nukkig uitziet, een uitdrukking die ik gewoonweg aanbid bij vrouwen. Zoals bij de actrice Isabelle Adjani, mijn fantasievrouw.

Ze lijkt me het vrouwelijke type, het romantische type, het type van de Schone Slaapster, met blond haar, het type waarover mijn vriendin venijnig zou zeggen dat ze er overwerkt uitziet, omdat ze toevallig een leuk gezicht heeft en lachrimpels aan weerskanten van haar mond.

Ik ben er niet helemaal zeker van dat ze naar me kijkt. Mijn gezichtsvermogen is niet zo ontzettend goed, dus zou ik er, hoewel haar volle bovenlip me is opgevallen, naast kunnen zitten wat de richting die haar pupillen uitkijken betreft. Ze zou uit het raam naast het mijne kunnen staren. Of ze zou naar de zakenman aan het tafeltje voor me kunnen kijken, of naar de secretaresse achter me.

Ik besluit toch maar een risico te nemen. Ik weet niet waarom. Dat is niets voor mij. Misschien moet ik, nadat ik voor het eerst in mijn leven een vrouw ronduit heb afgewezen, er ook ronduit een accepteren. Ik schraap elk greintje moed in mijn lichaam bij elkaar en glimlach naar haar, min of meer onbewust mijn bovenlip wat naar voren stekend zodat we iets gemeen hebben.

Ze rekent af en komt naar me toe. Haar buik stoot zacht tegen de rand van de tafel terwijl ze op de stoel tegenover me schuift en mijn drie groene, vierkante gelatinepuddinkjes doet schommelen.

Ik pijnig net mijn hersens af op zoek naar iets wat ik kan zeggen, als zij zegt: 'Je mond bevalt me wel.'

'Dat gevoel is wederzijds,' antwoord ik op een James Bond-toon. Ik sta versteld over het geluk dat ze iets over mijn mond zei, waardoor ik de gelegenheid kreeg met deze ongelooflijk verleidelijke reactie te komen, die alles overtreft wat ik ooit in films heb gehoord.

Tot mijn grote teleurstelling lijkt ze zich te ergeren aan mijn reactie. 'Zo bedoelde ik het niet,' zegt ze. 'Ik observeer gezichten van mensen, en jouw mond is gewoon esthetisch bevredigend.'

'Dat gevoel is wederzijds,' wil ik antwoorden, maar ik durf het niet. 'Dank je,' zeg ik dus maar.

Met mijn lepel schep ik een grote, groene gelatinepudding op, maar door het trillen van mijn hand schommelt die zo dat hij, halverwege mijn mond, terugvalt op het bord.

'Je had hem in tweeën moeten snijden,' zegt de vrouw. 'Hij is te groot.'

Ik probeer uit te dokteren of er een erotische insinuatie schuilgaat in die opmerking, maar ik weet het niet zeker.

'Ja, dat had ik moeten doen,' zeg ik, en leg mijn lepel neer.

Voor het eerst sinds ze is gaan zitten, glimlacht ze. Ze wijst op het boek dat naast mijn elleboog ligt en vraagt: 'Wat ben je aan het lezen?'

'*The House of Mirth.*'

'Is het goed?'

'Ja, ontzettend goed. Ken je het?'

Ze schudt haar hoofd en vraagt: 'Werk je hier in de buurt?'

'Ja, niet al te ver hiervandaan. Jij ook?'

'Min of meer. Wat doe je voor werk?' vraagt ze.

'Het is niet erg interessant, vrees ik. Ik werk bij het tijdschrift *Screen*. Ik trek gegevens na.'

'*Screen* ken ik. Ik heb het een paar keer gekocht. Het is een erg leuk blad.'

'Dank je. Dat hoor ik nu geloof ik te zeggen. Wat voor werk doe jij?'

'Ik schilder.'

'O! Wat leuk. Is er op het moment ergens een expositie van je werk?'

'Ja.' Ze wacht even. 'Ik werk thuis.'

'Dat moet voor een schilder de beste plek zijn om te werken,' zeg ik, een beetje van mijn stuk gebracht door haar plotselinge verandering van onderwerp. 'Wat voor soort schilderijen maak je?'

'Mensen. Ik schilder mensen.'

'Ik ben dol op mensen. Ik bedoel: op schilderijen van mensen. Zijn ze abstract?'

'Nee. Nou ja, alles is in zekere zin abstract. Maar nee, mijn mensen zijn niet strikt abstract.'

'Dus je schildert mensen. Daarom zei je dat je gezichten van mensen observeert. Omdat je ze schildert.'

'Ja, dat klopt,' zegt ze.

'Wat voor soort mensen schilder je?'

'Ik schilder eigenlijk geen bepaald "soort", tenzij je mannen een soort noemt. Ik schilder mannen.'

'Wat voor soort mannen?'

'Ik schilder niet echt een bepaald "soort" mannen, tenzij naakt een soort is. Is een naakte man een bepaald soort man? Bepaalde soorten mannen zijn vrijwel nooit naakt. Dan heb je anderen, die ook een soort vormen, het soort dat níet vrijwel nooit naakt is. Tot welke soort behoor jij?'

Ik staar naar het transparante groen dat haast onmerkbaar

tussen ons in staat te wiebelen. Ik vraag me af of er een erotische insinuatie schuilgaat in haar vraag.

'Dat is niet zo makkelijk te zeggen,' antwoord ik. 'Daar ben ik zelf nooit uitgekomen. Is je werk ergens te zien, of had ik je dat al gevraagd?'

'Mijn werk is te zien in *Playgirl*. Bijna achterin. Ze plaatsen er twee. Soms maar één, afgedrukt over twee pagina's. Mijn werk staat er al zes jaar in.'

Ik steek mijn lepel in een groen, vierkant gelatinepuddinkje en breng die naar mijn mond. 'Zo, je schildert dus mannelijk naakt,' zeg ik, en druk de groene zoetigheid tussen mijn tong en verhemelte tot moes.

'Ja. En je mond bevalt me, dus ik vroeg me af... of je voor me zou willen poseren.'

Ik lach haar toe en hoop dat er geen gelatine tussen mijn tanden zit. 'Ik voel me gevleid, maar een mond geeft niet zo'n goed beeld van het naakte lichaam.'

'Een mond geeft een heel goed beeld. Een mond verraadt heel wat. Wil je het doen?'

Ze werpt me een van die pruilerige, nukkige blikken toe en welft haar bovenlip meer dan ooit. Haar gelijkenis met Isabelle Adjani in *The Story of Adele H.* is frappant. Ik smelt weg. Op dit moment zou ik alles willen doen voor de eigenares van deze bovenlip. Ik ben meestal erg verlegen, maar deze vrouw lijkt me zo'n goede vangst en ik voel me zo tot haar aangetrokken, dat ik denk dat ik ermee instem voor haar te poseren. Dan kom ik in elk geval bij haar thuis, en als ik dan op het laatste moment de moed verlies, kan ik altijd nog van gedachten veranderen over het poseren.

'Wil je dat ik naakt voor je poseer?' vraag ik.

'Ja, inderdaad. Ik zag je immers daarvandaan helemaal zitten, weet je nog?' Ze wijst naar de bar. 'Ik betaal je dertig dollar per uur als je dat goed vindt. Dat is het standaardtarief. Maar als je meer wilt, valt dat te bespreken.'

Haar woorden maken dat ik in elkaar krimp. Ik wil geen professionele relatie met haar, alleen een romantische. Ik had meteen ja moeten zeggen, voor ze over geld begon.

'Ik zou graag voor je poseren,' zeg ik.

'Ik weet het. Daar ben ik blij om,' antwoordt ze. Haar stem klinkt zacht, en ze kijkt tactvol en sereen. Ze grabbelt in haar tas.

'Wanneer zou je kunnen?' vraagt ze, terwijl ze me haar kaartje geeft.

'Wanneer je maar wilt. Wanneer kun jij?'

'Wat dacht je van zaterdagmiddag om zes uur?'

'Uitstekend,' zeg ik, dolblij dat ze zo'n laat tijdstip kiest.

'Mag ik je kaartje?'

Ik spring overeind, klop op mijn zakken en zeg: 'Die heb ik nu niet bij me, maar hier, als je het niet erg vindt, dit voldoet net zo goed.' Ik schrijf mijn naam, adres en telefoonnummer op het papieren servetje dat onder mijn puddingbordje ligt. Ik geef haar het servet, dat ze met duim en wijsvinger aanpakt, pink in de lucht. Ik meen een licht snobisme te bespeuren, maar ben er niet zeker van.

Ze leest het hardop voor: 'Meneer Jeremy Acidophilus.' Het 'meneer' was een toevoeging van haar. Ze blijft peinzend naar mijn naam op het servetje staren. Ik weet wat er gaat volgen. Ze zegt: 'Acidophilus, net als in de yoghurtcultuur?'

Daar gaan we. Een van de grote tragedies in mijn leven. 'Ja, als in de yoghurtcultuur,' antwoord ik.

'Zit daar een verhaal achter?'

Hoewel een eerlijk antwoord zou luiden: 'Niet dat ik weet', besluit ik, misschien omdat ik een beetje masochistisch ben, te antwoorden: 'Toen mijn vader jong was, zag hij het woord op een yoghurtverpakking en vond dat het erg geleerd en interessant klonk. Hij heeft het als naam aangenomen.' Dit is een leugen die ik een paar jaar geleden heb verzonnen, maar ik heb nog nooit het lef gehad hem tegenover iemand te gebruiken. Het gewaagdste dat ik soms doe, als mensen vragen hoe ik heet, is zo'n James Bond-toon aanslaan en antwoorden: 'Acidophilus. Jeremy Acidophilus.' De waarheid over mijn naam is dat er geen anekdote over bestaat, zelfs geen gerucht. Sommige mensen heten Bazooka, anderen Fender; waarom zouden er geen mensen zijn die Acidophilus heten?

Ze vouwt het servet in vieren en kijkt me met een klein lachje aan. Spottend? Misschien. Speels? Waarschijnlijker. Ze stopt het servetje in haar handtas en staat op, waarbij ze weer met haar buik tegen de tafelrand stoot, iets harder dit keer. De uit tweeëneenhalve blokjes bestaande gelatinepudding danst eendrachtig.

'Nu, meneer Actieve Yoghurt Cultuur, meneer de Vriendelijke Bacterie, het was leuk u te ontmoeten,' zegt ze, en schudt mijn hand met kleine, harde vingers die toch niet ruw zijn.

Ze loopt naar de deur. Ik draai me niet om om haar na te kijken. Ik ben niet het type dat naar het achterwerk van een vrouw kijkt; niet dat ik dat niet wíl, maar ik ben bang dat iemand zal zien dat ik het doe. Op het allerlaatste moment kijk ik echter toch om, en vlak voordat ze achter de deur verdwijnt, zie ik het. Het is een leuk kontje, klein maar niet té, met twee rondingen of bollingen, of hoe je dat ook noemt, die zich duidelijk zichtbaar onder de stof van haar rok aftekenen. Ik heb pas gehoord dat sommige vrouwen plastische chirurgie ondergaan om de stand van hun billen zo te laten veranderen dat ze iets verder uit elkaar staan. Dat schijnt een betere contour te geven, mooier af te tekenen. Ik kan me daar wel iets bij voorstellen, maar ik vind het een beetje al te pietluttig. Maar goed, ik ben blij te kunnen zeggen dat mijn nieuwe vrouw zo'n ingreep nooit nodig zal hebben.

Ik staar tevreden naar mijn tweeëneenhalve blokjes groenigheid. Ik eet ze niet op.

Dat was nog eens een prettige ontmoeting. Ik kijk heel vrijmoedig de zaak rond. Niet een besmuikt draaien van het hoofd, niets stiekems. Flink, onbevangen draaien van het hoofd. Waar is mijn afgewezen vrouw? Ik ben haar eeuwig dankbaar. Als zij er niet was geweest, had ik nooit de behoefte gevoeld of de moed gehad om de glimlach van mijn nieuwe vrouw te beantwoorden. Dan had ik mijn ogen van bedrog beticht. Ik had mijn neus in mijn boek begraven, mijn boek zelfs als schild omhooggehouden tegen de aantrekkingskracht van haar volle bovenlip.

Ik reken af, sta op, en neem alle gezichten op terwijl ik naar de deur loop. Ik zou haar willen vinden om haar in het langslopen toe te knikken en een glimlach toe te werpen. Ze is er niet. Ik verlaat Grandma Julie's. Ik denk dat ik voortaan het extra stuk zal lopen. Wie weet deel ik zelfs wel mijn tafeltje met een vreemde.

2

Ik ga terug naar kantoor met mijn tas in de ene hand en mijn puddinglepel in de andere. Ik zou een gelatinepuddinkje als souvenir hebben meegenomen als dat praktisch was, maar dat was het duidelijk niet, daarom besloot ik de lepel mee te pikken. Over straat lopen met die roestvrijstalen lepel stevig in mijn hand geklemd, geeft me het gevoel dat ik Dumbo de olifant ben, die zijn veer vasthoudt en vliegt.

Mijn puddingtoverveer voert me regelrecht naar een krantenkiosk. Ik zie de *Playgirl*, sla hem open op de één na laatste pagina en wordt geconfronteerd met een mooi portret van een mooie naakte man, het soort man waarvan ik me kan voorstellen dat het me tot flikker zou kunnen bekeren, als ik te bekeren viel. Het is gesigneerd met Lady Henrietta. Ze heeft me in ieder geval de waarheid verteld over het schilderen van naakte mannen. Maar wat ze nu werkelijk met me aan wil, dat is een geheel andere vraag. Het lijkt erop dat ik me hoe dan ook alleen maar gevleid kan voelen. Als ze me wil schilderen, voel ik me gevleid doordat ze me aantrekkelijk genoeg vindt. Als ze alleen met me naar bed wil, voel ik me nog gevleider. Ik koop het tijdschrift.

Teruglopend naar kantoor ben ik me bewust van mijn naakte lichaam onder mijn kleren. Ik voel de stof overal tegen mijn huid wrijven. Ik ben me bewust van de algehele naaktheid in de wereld, van de lichamen van mensen die tegen hun kleren wrijven. Ik voel me sexy. Maar dan jaagt een herinnering me schrik aan: de herinnering aan hoe mijn lichaam er, vanochtend nog, uitzag in de spiegel. Misschien was het niet zo erg. Misschien heeft de spiegel me bedrogen met een weinig vleiende optische illusie. Ik wil me de kleren van het lijf rukken, voor een etalageruit gaan staan en mijn spiegelbeeld bestuderen om te zien of ik een vergissing heb begaan door erin toe te stemmen voor de schilderes van mannelijk naakt te poseren. Ik ruk me de kleren niet van het lijf. Het enige wat ik doe, is tijdens het lopen vanuit mijn ooghoeken gluren om in een etalageruit mijn spiegelbeeld op te vangen. Het enige wat ik opvang, weerspiegeld in de ruit van een schoenenzaak, is de glans van mijn lepel die strak naast me meereist.

Maar nu in ernst, waarom is die vrouw in godsnaam met me komen praten? Misschien is ze excentriek, een beetje extravagant. Misschien pikt ze wel voortdurend vreemden van straat op om god-weet-wat mee te doen – een krankzinnige. Misschien is ze gewoon brutaal en schaamt ze zich er niet voor om op potentiële modellen af te stappen en haar interesse duidelijk kenbaar te maken. Wat het dan ook is, het is een feit dat ik nu geobsedeerd ben door mijn lichaam, door de geschiktheid ervan of het gebrek daaraan.

Inmiddels sterft u natuurlijk van nieuwsgierigheid naar hoe ik eruitzie. En zodra u dat weet, zult u uw verschijning gaan vergelijken met de mijne, om te beoordelen of u ook kans maakt om op een dag te worden aangesproken door een schepsel dat even aantrekkelijk is als degene die mij in de middagpauze aansprak.

Laat me u voorlopig de moeite besparen zulke vernederende vergelijkingen te maken, en alleen zeggen: ja, u maakt een kans, en nee, ik wil op het moment geen beschrijving van mijn aantrekkelijkheid of het ontbreken daarvan geven. Ik wil u alleen wel zeggen dat ik niet dik ben.

Op kantoor gekomen ga ik in het halfduister achter mijn

bureau zitten, staar met nietsziende ogen naar de dikke, ronde deurknop, en blaas langzaam mijn wangen op, trek mijn kin in – waardoor er een miezerig klein onderkinnetje ontstaat –, spreid mijn tien vingers, doe mijn armen wijd, spreid mijn dijen en zet mijn buik uit. O, en ik laat ook mijn oogleden wat zakken, omdat het vet om mijn ogen zou verhinderen dat ik ze helemaal opendeed. Nu heb ik alle reden om zenuwachtig te zijn over naakt poseren.

Ik laat me leeglopen: ik zuig mijn wangen in, strek mijn nek, laat mijn buik leeglopen, laat mijn armen zakken, doe mijn ogen open, en sluit mijn dijen en vingers. Nu heb ik geen reden meer om zenuwachtig te zijn over naakt poseren.

Ik laat me opzwellen. Nu wel.

Ik loop leeg. Nu niet.

Grappig.

Nu wel. Nu niet.

Ik ben dapper vanmiddag. Ik doe dingen die ik normaal niet zou durven, zoals mijn stoel ronddraaien naar mijn computer en typen: 'Ik ben níet dik. Als ik dik was, zou ik reden hebben om zenuwachtig te zijn over naakt poseren. Ik ben níet dik. Dat ben ik nietttttttttt.'

Ik kijk zonder met mijn ogen te knipperen naar de woorden op het scherm. De regels vervagen. Ik verkeer in een trance, zwelg in gedachten over Lady Henrietta en over het heerlijke feit dat ik niet dik ben. U begint wellicht te vermoeden dat ik misschien ooit dik ben geweest. Nee. De reden dat ik zo blij ben dat ik niet dik ben, is dat ik moet proberen érgens blij over te zijn, en ik heb niet veel om blij over te zijn. Ik zou net zo goed opgetogen kunnen zijn over het fantastische feit dat ik niet kaal ben, of dat ik twee armen heb.

Ik word uit mijn dagdroom gewekt door Annie, de zesentwintigjarige redactie-assistente, die getrouwd is. Ze zegt tegen me: 'Charlotte is aan de telefoon.'

Mijn vriendin, Charlotte, belt me elke dag op mijn werk. Ik heb haar gezegd dat ze me niet moet bellen. Niet elke dag. Zelfs niet elke week. Het is gênant. Ze doet het toch. Nu weet

Annie, en alle anderen, dat ik een vriendin heb die Charlotte heet, die me elke dag op mijn werk opbelt.

Ik neem de telefoon aan en hoor haar korrelige hüttenkaas-stem. 'Ik zat me af te vragen wat je vanavond zou willen eten, schat.'

'Hüttenkaas,' mompel ik afwezig.

'Wat?'

'O! Wat ik zou willen eten? Ik moet vanavond overwerken. En dan heb ik thuis nogal wat werk liggen. Ik ben gewoonweg bekaf. Ik denk niet dat ik vanavond in staat ben naar je toe te komen. Dat vind je toch niet erg, hè?'

'Wat jammer nou. Ik had nog wel gedacht dat we er een extra leuke avond van konden maken.'

Hüttenkaas, hüttenkaas.

Ze heeft het over vrijen. Dat gebruikt ze altijd als lokmiddel als ik er niet enthousiast over ben haar te zien.

'O, nu spijt het me extra dat ik niet naar je toe kan komen,' zeg ik. 'Maar dat doen we wel een andere avond.'

'Je bedoelt morgenavond, toch?'

'Natuurlijk bedoel ik dat.'

'Oké. Tot ziens, flubbertje van me.'

'Dag, schattebout,' fluister ik, omdat ik niet wil dat Annie me hoort.

'Droom maar lekker, ik spreek je later nog. Ik hou van je.' Ze laat een vette smakzoen horen.

'Ik ook, ik ook van jou.'

Ik hang op en ga naar mijn baas, de hoofdresearcher, in de hoop dat hij iets na te trekken heeft.

'Nee, ik heb op het moment niets,' zegt hij. 'Maar misschien heeft Annie wel wat archiefwerk voor je.'

Natuurlijk, Annie zal, zoals gewoonlijk, wel wat archiefwerk voor me hebben. Ik ben negenentwintig, ik trek feiten na, maar misschien heeft Annie wel archiefwerk voor me. Feiten natrekken, dát is mijn werk. Ik ben geen archiefmedewerker, ik ben geen redactie-assistent. Ik ben iets meer dan dat, wat normaal is, want daar heb ik heel wat jaren voor gezwoegd; ik heb me opgewerkt. Ik trek feiten na, en hoop schrijver te worden. Ik zou journalist willen worden, schrijver van tijdschriftartikelen, interviewer. De glamourmensen over wie ik artikelen zou schrijven, zouden me dan kennen, mijn vrienden worden, en zouden misschien zelfs met me trouwen.

Toen ik drie jaar geleden met mijn verifieerwerk voor dit tijdschrift begon, heb ik mijn superieuren laten weten dat ik het ontzettend leuk zou vinden af en toe kleine stukjes te schrijven. Natuurlijk, zeiden ze. Het enige wat ze me tot dusver hebben laten doen, is een kort, onbenullig verhaal over het jongetje dat meespeelde in *Sjakie en de chocoladefabriek*. Dat was een jaar geleden. Daarna niets meer. De andere feitencheckers, en zelfs de redactie-assistenten, zitten de hele tijd stukjes te schrijven. Ik, daarentegen, archiveer. Uren achter elkaar archiveer ik. Bergen ervan geven ze me. Soms als ik aan het archiveren ben, moet ik bijna huilen. Ik krijg tranen van woede in mijn ogen. Waarom, zo vraag ik me af, moet ik dit doen? Waarom ben ik de enige? Ze weten dat ik wil schrijven. Hoe vaak moet ik het nog zeggen?

Ik loop naar Annie en blijf voor haar bureau staan. 'Hoi, Annie. Is er nog archiefwerk?'

'Als er archiefwerk is, ligt dat zoals gewoonlijk op de archiefkasten, Jeremy,' zegt ze zonder op te kijken.

Neerbuigend! Mensen op het werk doen vaak neerbuigend tegen me, vooral de eenvoudige redactie-assistenten. Ik moet niet doen alsof ik niet weet waarom, net zomin als ik niet moet doen alsof ik niet weet waarom ik geen artikelen te schrijven krijg. Het is omdat ik een slapjanus ben. Ik ben een slappe vent. Alles aan mij riekt naar slapheid en onderdanigheid. Mensen op het werk hebben altijd neerbuigend tegen me gedaan. Ze praten overdreven zelfverzekerd tegen me. Als ze in een groepje bij elkaar staan te praten, en ik kom langs, dan zegt een van hen bijvoorbeeld heel luid: 'Hallo, Jeremy!'

'O, hallo,' antwoord ik opgewekt, en doe alsof ik een normaal iemand ben die niet merkte dat ze hem spottend luid begroetten. Dan weer denk ik dat ze me misschien bespotten omdat ik niet vaak genoeg hallo tegen hen zeg.

Ik probeer een nieuwe manier van optreden te verzinnen, een manier waardoor mensen me misschien meer gaan respecteren. Op een dag kwam ik bijvoorbeeld binnen en praatte heel hard tegen iedereen.

Ik zei heel hard: 'Hallo, Annie!' Toen ging ik naar John, de hoofdresearcher, en zei: 'Hallo, John! Heb je vandaag iets voor me te verifiëren?' Heel hard.

Het is me niet opgevallen dat hun respect voor me ook maar iets is toegenomen.

Bij een andere gelegenheid probeerde ik een nieuwe techniek, die eruit bestond niet te doen alsof ik hen aardig vond, niet te doen alsof ik mijn werk leuk vond, en niet te doen alsof ik in een goede bui was. Ik besloot zelfs mijn mogelijke woede niet te verbergen.

'Hallo, Jeremy,' zei Annie.

'O, dag,' reageerde ik. Ik ging aan mijn bureau zitten, nam alle tijd, at een banaan, en liep toen langzaam naar het kantoor van de hoofdresearcher. 'Ik ben er,' zei ik nors.

'Hallo, Jeremy,' zei de hoofdresearcher. 'Ik heb op het moment niets te verifiëren, maar misschien heeft Annie wel wat archiefwerk voor je.'

Ik liep zonder iets te zeggen zijn kantoor uit, ging terug naar mijn bureau, at nog een banaan en vroeg Annie: 'Heb je wat?'

'Ja, er is zelfs heel veel vandaag. Ik heb het op de archiefkasten gelegd.'

Een andere keer heb ik de techniek van het heel erg aardig doen tegen iedereen uitgeprobeerd.

'Hallo, Annie,' zei ik lief, opgewekt, teder. 'Hoe gaat het met je?'

'Goed.'

'Als er werk is waar je hulp bij nodig hebt, hoef je het maar te zeggen, dan help ik je een handje.'

'Nee, dank je. Alleen de stapel op de archiefkasten.'

'Natuurlijk doe ik dat, maar ik moet eerst even naar John om te vragen of hij hulp nodig heeft bij het verifiëren.'

'Hallo, John,' zeg ik. 'Hoe gaat het ermee vandaag?'

'Goed, dank je, Jeremy.'

'Ik hoop dat je niet omkomt in het werk. Is er iets te verifiëren of iets anders waarmee ik je kan helpen?'

'Nee, dank je,' antwoordde hij, zonder dat hij zijn aandacht erbij had, omdat hij achter de computer zat te werken. 'Alles loopt prima. Vraag Annie maar wat archiefwerk.'

Ik ben geen vervelend mens. Ik heb nooit vervelend gedaan tegen een van deze mensen. Ik krijg een gevoel van hulpeloosheid, het gevoel dat ik alles heb geprobeerd maar niet ben geslaagd. Tranen van woede springen me in de ogen. Ik ben boos, wanhopig, bitter. Ik ben een bittere citroen. Een kleffe, bittere citroen. Half verrot. Ik wil extreme dingen doen. Ik wil dingen zeggen die onovertroffen wreed of beledigend zijn. Ik wil zwelgen in de kwaadaardigheid ervan. Maar ik heb geen kwaadaardigheid om in te zwelgen.

Ik ga naar de archiefkasten, de monsters. Er ligt een berg knipsels bovenop. Sommige artikelen zijn maar één zin lang, drie bij drie centimeter, dus u kunt zich wel voorstellen hoeveel afzonderlijke artikelen een kleine berg kan omvatten.

De archiefkasten bestaan uit dertien enorme laden, waarvan er negen zijn gevuld met mappen over beroemdheden, twee met films en tv-shows, één met roddelrubrieken, en één met gemengd nieuws. In de negen laden met beroemdheden vind je Marilyn Monroe, Sylvester Stallone, prinses Di en de kinderen... Anders gezegd, alle acteurs, alle muziekgroepen, en alle royalty, een paar boksers, wat regisseurs en modellen, een of twee schrijvers van bestsellers, Bush en zijn familie en Clinton en zijn familie.

In de gemengde lade zitten vrachtladingen niet-gealfabetiseerd gemengd nieuws, zoals geurlijnen van beroemdheden, beroemdheden in de bak (of op zijn minst gearresteerd), geboorten, overlijdensberichten, huwelijken, echtscheidingen, echtparen, goede doelen van beroemdheden, sterfgevallen tijdens het filmen, Aspen, Oscars, muziektrofeeën, Emmy's, enzovoort. De mappen zijn voor het merendeel voorzien van etiketten met mijn handschrift erop, omdat ik natuurlijk meestal degene ben die hier iets archiveert.

Ik voel me sterk vanmiddag. Klaar voor een paar uur bergbeklimmen. Hoewel de berg knipsels ver boven mijn hoofd uitsteekt, voel ik me toch groter. In mijn broekzak zit immers mijn roestvrijstalen lepel, die zal fungeren als mijn roestvrijstalen klimijzer, en later mijn roestvrijstalen Dumbo-veer zal worden om me te laten wegvliegen van die kloteberg tot in de armen van mijn schilderes van mannelijk naakt.

Ik pak het eerste kleine knipseltje van de top van de berg. Om het me makkelijker te maken is de naam van de beroemdheid met een gele stift gemarkeerd, zodat ik niet een paar seconden verlies met uit te puzzelen over wie het artikel gaat. Bedankt voor het attente gebaar, Annie, of wie er dit keer verantwoordelijk voor was. De naam die is aangestreept is Madonna. De M-la is een van de prettigste, op een gemakkelijke hoogte zodat je niet hoeft te bukken. De map van Madonna is dik, stampvol, rommelig, puilt uit van de knipsels. Het valt niet mee om de kleine nieuwkomer ertussen te wurmen. Het lukt me.

Ik ben zo blij, blij, blij, en zo vrij. En waarom ook niet? Er zijn twee uur verstreken en ik heb mijn vingers minder vaak aan papier opengehaald dan anders. Eén keer per uur maar. Ik heb nu een artikel over Brooke Shields in mijn hand. Ik lees het, zoals ik altijd doe als ik een artikel over haar tegenkom. Ze was de mooiste vrouw die ik ooit had gezien. Voor ze mollig werd. Maar ík ben niet aangekomen. Ik ben niet dik.

Ik ben kwaad op mezelf. Het ergert me dat iedereen, ook ik, ervan uitgaat dat niemand dik wil zijn. Mensen nemen dat als vanzelfsprekend aan, wat ik beledigend en oneerlijk vind. Wat telt in het leven is voldoende energie hebben om te werken en te archiveren. De rest doet er eigenlijk niet toe. Dik, niet dik, kaal, niet kaal, oud, jong, man, vrouw, feitenchecker, schrijver, archiefmedewerker, wat doet het er allemaal toe?

Op de lange duur maken de verschillen geen verschil meer. Dat moet ik voor ogen houden. De verschillen maken geen verschil meer. Daar ben ik van overtuigd, ongeacht welk bewijs van het tegendeel u wellicht ooit tegenkomt.

Ik ga door met knipsels opbergen en kijk om de vijf minuten op mijn horloge. De tijd gaat zo langzaam. Ik dwing mezelf om wat een behoorlijke lange tijd lijkt niet op mijn horloge te kijken, in de hoop dat ik blij verrast zal zijn. Er moeten toch minstens veertig minuten verstreken zijn. Ik kijk, en er is pas een kwartier om.

De huid rond mijn nagels is rauw en bloederig, doordat ik telkens mijn vingers in overvolle mappen moet wringen. Goed zo. Goede straf. Straf waarvoor? Ik weet het niet precies. Misschien alleen omdat ik mezelf ben. Bloed maar raak. Hier, wurm je vingers in Michelle Pfeiffer. Dat is een krappe. Haal je huid maar verder open. Goed zo.

Om tien minuten voor zes ga ik naar het herentoilet. Mijn handen zien zwart van de drukinkt. Ik moet ze heel wat keren wassen om alle inkt eraf te krijgen. De hoofdresearcher komt binnenlopen en gaat een toilethokje in. Als hij naar buiten komt, sta ik nog steeds mijn handen te wassen.

Hij gaat aan de wasbak naast de mijne staan, wast zijn handen en zegt: 'Het is al die drukinkt zeker, Jeremy? Die is er moeilijk af te krijgen.'

3

K rols. Wat is krols? Elke dag, als ik van mijn werk naar huis loop, ben ik benieuwd of me thuis iets krols zal wachten. Vandaag is geen uitzondering. Terwijl ik de straat uitloop, vergeet ik Lady Henrietta, mijn naakte lichaam, alles behalve de vraag of ik thuis tekenen van krolsheid zal aantreffen. Om u de waarheid te zeggen weet ik niet precies wat ik kan verwachten of waar ik op moet letten, omdat ik eigenlijk niet weet wat krolsheid is. Ik leef al negenentwintig jaar, maar ben er nooit precies achtergekomen. Ik moet toegeven dat ik nooit de moeite heb genomen het in het woordenboek op te zoeken, maar ja, je zou toch denken dat ik inmiddels hier en daar wel stukjes van een definitie zou hebben opgepikt. Als de krolsheid niet snel inzet, ga ik met mijn poes naar de dierenarts. Gefopt!

'God, wat een lekker krols wijffie' is zo'n beetje alles wat ik ooit over krolsheid heb gehoord. Ik vermoed dat krolsheid te maken heeft met krachtige energie, levenslust. De vrouwen die zo worden aangeduid, lijken levenslustiger en gelukkiger te zijn dan wij arme lieden die niet krols zijn. Hun ogen schitteren en hun haar zwiept door de lucht. Maar ik kan het helemaal verkeerd hebben: misschien zijn die kenmerken wel toevalligheden.

Onderweg naar huis kom ik langs een dierenwinkel waar ik altijd naar binnen kijk. Ik controleer graag of een van de jonge poesjes die in de etalage te bewonderen zijn, mooier is dan mijn poes Minou, een blauw-crème Pers. Dat is nooit het geval. Mijn poes heeft een langharige, grijze vacht met een crèmekleurige hals, en een prachtig gedeukt gezichtje.

De etalage van de dierenwinkel is vandaag gevuld met louter Himalaya's, van die ordinaire katten die het lange haar van een Pers combineren met de tekening van een Siamees. Ze zijn zo saai, altijd hetzelfde, als klonen. Teleurgesteld door het gebrek aan concurrentie, neem ik niet eens de moeite te blijven staan.

Ineens zie ik een vrouw mijn kant uit rennen, dus begin ik haar tegemoet te rennen, want als een vrouw jouw kant uit rent, bestaat er een kans van één op honderd (of duizend of miljoen) dat ze je vanuit de verte heeft gezien, wég was van je uiterlijk, en er stante pede van overtuigd was dat jij de man van haar leven was en het in haar hoofd haalde zich in je armen te werpen. Het zou toch jammer zijn haar enthousiasme niet vanaf het allereerste begin te beantwoorden? Ik vind dat het jammer zou zijn. Dus hoewel het vandaag wat romantiek betreft een vrij redelijke dag was en ik geen reden heb om zo wanhopig te zijn, ren ik nu uit gewoonte met licht gespreide armen op de vrouw af, zodat áls ze op mij afrent, ik ook op haar afren, en we ons in elkaars armen kunnen storten en het allemaal ontzettend romantisch zal zijn. Anderzijds zijn mijn armen niet zo wijd gespreid dat het noodzakelijkerwijs iets betekent of me in verlegenheid brengt als ze toevallig op iemand afrent die achter me loopt, of op niemand in het bijzonder, wat meestal het geval is. Of eigenlijk altíjd het geval is.

Thuis zit Minou in een hoekje van de kamer. Dat is ongebruikelijk voor haar; meestal komt ze aanrennen om me bij de deur te begroeten. Ik hang mijn jas op, drink wat sinaasappelsap, ga naar de wc.

Wat is het voor weer buiten? vraagt Minou vanuit haar hoekje.

Mooi. Waarom zit je in dat hoekje? vraag ik.

Omdat ik dat leuk vind. Heb je in de etalage van de dierenwinkel nog katten gezien die mooier waren dan ik?

Nee. Alleen ordinaire Himalaya's. Voel je je wel goed? Ik heb je nog niet eerder in die hoek zien zitten, zeg ik, en bedenk dat het misschien het eerste symptoom van haar krolsheid is.

Ik voel me prima. Wat heb je daar voor lepel in je hand?

Ik kijk geschrokken naar mijn hand. Voor ik het kantoor verliet, had ik de lepel uit mijn broekzak gehaald en de hele weg naar huis in mijn hand gehouden, zelfs toen ik met open armen op de rennende vrouw afrende, en ik was vergeten hem neer te leggen toen ik mijn sinaasappelsap dronk en naar de wc ging.

U zou zich trouwens kunnen afvragen waarom mijn poes tegen me praat. Laat me u verzekeren dat ons gesprek waarschijnlijk niet echt plaatsvindt. Ik ben er vrijwel van overtuigd dat het alleen in mijn hoofd zit dat we met elkaar praten, maar de ene keer ben ik daar meer van overtuigd dan de andere. Ik ben me ervan bewust dat het niet helemaal normaal lijkt dat ik zoveel tijd besteed aan gesprekken met mijn poes (en ik geef toe dat ik er inderdaad veel tijd aan spendeer), maar ik kan het niet helpen.

Ik kan al haar gelaatsuitdrukkingen precies en feilloos aflezen. Elk gebaar van haar wordt door mij omgezet in bijbehorende zinnen waarvan ik de subtiele intonatie kan opvangen. Haar woorden vloeien zo ondubbelzinnig uit elk plukje van haar vacht dat zelfs mensen zich tegenover mij niet zo verstaanbaar kunnen maken. Wat zo boeiend en verslavend is, is dat haar taalgebruik duidelijk is. Wanneer ze zegt: Ik wil wat slagroom, weet ik zeker hoe ze zich precies uitdrukte. Ze zei niet: Ik zou graag wat slagroom willen, of: Toe, ik heb al heel lang geen slagroom meer gehad. Nee, ze zei: Ik wil wat slagroom. Ze lijkt zo overduidelijk tegen me te praten dat ik haar toch moeilijk niet kan antwoorden. Dat zou onbeleefd zijn.

Ik geloof dat ik meestal niet hardop tegen haar praat. Meestal 'denk' ik tegen haar, maar ik moet toegeven dat ik me er een paar keer op heb betrapt daadwerkelijk met heldere stem tegen haar te spreken, als tegen een menselijke vriend.

Ik probeer me wel te beheersen. Vaak door haar niet aan te kijken. Maar zelfs wanneer ik haar mijn rug heb toegekeerd, kan ik haar meestal nog 'horen'. Het is een heel expressieve poes. Zo onweerstaanbaar. Ik neem aan dat het daaraan ligt.

Ik heb het gevoel dat ze zou ophouden tegen me te praten als mijn leven ooit bevredigend werd.

Wat is dat voor een lepel die je in je hand houdt, Jeremy? herhaalt Minou.

Ik heb gelatinepudding gegeten tussen de middag. Dit is mijn dessertlepel. Kom je zelfs niet uit je hoekje om me gedag te zeggen?

Ik heb je gedag gezegd.

In de eerste plaats, nee, je hebt me niet gedag gezegd, je vroeg me wat voor weer het was. In de tweede plaats wil ik een van je meestal hartelijke begroetingen, zeg ik en loop op haar toe.

Nee, zegt ze, en kruipt verder weg in de hoek.

Nee? Op een halve meter afstand van haar blijf ik staan.

Alsjeblieft, Jeremy. Ik wil vandaag niet aangehaald worden. Ik ben er niet voor in de stemming.

(Zou dit krolsheid kunnen zijn?) Nouniou, heeft iets je van streek gemaakt? vraag ik haar, een van mijn vele koosnaampjes voor haar gebruikend, varianten op 'Minou', die als vanzelf bij me opkomen als ik haar heel lief vind: Ninou, Nounou, Niouniou, Nounette, Nouni, Nounina, Ninoute van me. Ik hurk voor haar neer.

Hè! Niet zo dichtbij. Achteruit jij, zegt ze.

Op dat moment dringt de verklaring voor haar gedrag via mijn neusgaten tot me door. O, Minou. Ik til haar op, licht haar staart op en bekijk haar achterste. Haar mooie, lange konthaar zit onder de poep.

Zet me neer, zegt ze, trappend met haar achterpoten.

Je hebt diarree gekregen van de slagroom die ik je vanmorgen als traktatie heb gegeven, is het niet?

Nee, het komt niet door de slagroom. Ik hou van slagroom. Je moet me slagroom blijven geven. Het noodlot heeft me diarree bezorgd.

Dit keer ga ik je konthaar afknippen. Ik zeg steeds dat ik het ga doen, maar ik doe het nooit, en dan gebeurt dit altijd.

Ik wil niet dat je mijn konthaar afknipt. Het is gênant om een kale kont te hebben.

Ik ga het niet afscheren, alleen knippen. Het is dat, of geen slagroom meer.

Ik wil per se slagroom.

Dat weet ik wel.

Ik voel haar verstrakken, omdat ze weet wat hier op volgt: het bad.

Jeremy, zegt ze, ik dacht zo dat we vandaag misschien niet hoeven doen wat we anders in deze situatie altijd doen.

Het spijt me, maar dat moet wel. Neem van mij aan dat ik het minstens zo vreselijk vind als jij. Het is een rotklus.

Nee, nee, nee, laat me uitspreken. Ik had bedacht dat we het gewoon konden laten opdrogen, dan zal ik het zelf schoonlikken.

Nee, dat is walgelijk. Ik ga het je niet zelf laten schoonlikken; je zou er misselijk van worden.

Welnee. Hoe denk je dat dieren in de vrije natuur dat doen?

Dieren in de vrije natuur hebben geen lang haar zoals jij. Jij bent geen natuurlijk dier, je bent een kunstmatig dier, door mensen geschapen. Je bent gefokt.

Ze kijkt me gekwetst aan, hoewel ze al van deze feiten op de hoogte was. Ik heb medelijden met haar. Om haar op te monteren voeg ik eraan toe: Je hebt zuiver bloed. Je bent een Pers. Ik draag haar naar de wasbak in de badkamer.

Ik waarschuw je, Jeremy: ik vergeef het je nooit als je die kraan opendraait.

Rustig nou maar. We hebben dit al zo vaak gedaan, en je weet dat het nooit pijn doet.

Ik waarschuw je, Jeremy, laat die kraan dicht. Ik waarschuw je, laat... laat... laat... Ahhhh! krijst ze.

Ik heb zojuist de kraan opengedraaid.

Tijdens het bad zegt ze niet veel, alleen scheldt ze af en toe op me. Haar lijfje is verstijfd en ze trilt. Ze heeft een haast nog grotere hekel aan de haardroger dan aan water; ik weet niet waarom. Het baden en drogen neemt twee uur in beslag. Daarna is ze veel rustiger en koestert geen wrok tegen me.

Ze zegt: Hoerrr wars hert opr jer werrrk?

Ik heb je al honderd keer gevraagd niet te spinnen terwijl je praat. Ik versta geen woord van wat je zegt.

Hoe was het op je werk? herhaalt ze.

Boeiend.

Vertel er eens warrt overrr, zegt ze, niet bij machte het spinnen helemaal achterwege te laten.

Ik heb in mijn lunchpauze een vrouw ontmoet die schildert. Ze wil dat ik voor haar poseer. Ik ga zaterdag naar haar toe. Wil je nu alsjeblieft ophouden met praten en gewoon gaan spinnen?

Ze gehoorzaamt me. Ik til haar op en druk haar kopje tegen mijn oor om het luide spinnen te horen dat ik zo geruststellend vind. Ik til haar wat hoger op en druk haar zij tegen mijn oor.

Ik houd haar zo een hele poos vast, en neem het gemurmel in me op, geniet van de genegenheid. Ze ruikt ook lekker, waardoor ik, als ik eindelijk de badkamer uit kom, harder getroffen word door het verschil in geur dan ooit. De vieze lucht is afkomstig van mijn walgelijke woning. Meestal let ik, uit gewoonte, niet op de smerigheid, maar nu valt het me op. De stank hangt in de hele kamer en wordt vermoedelijk veroorzaakt door de rottende, beschimmelde, verschrompelde, leeggegeten halve meloen die op een blad op de vloer bij de tv ligt. Op het gebied van rottend voedsel is er niets dat zo'n scherpe stank verspreidt als meloen. Ik kijk naar de vloer en zie dat er ook uitgedroogde avocadoschillen liggen, restanten van diepvriesmaaltijden, stapels vieze borden, lege yoghurtbekers, en zakdoekjes: overal liggen vieze, gebruikte zakdoekjes in het rond. Maar niets haalt het bij de rottende meloen.

Mijn flat heeft er altijd zo uitgezien. Meestal besluit ik eens per jaar om alles schoon te maken. Daar ben ik minstens een week mee bezig, en de netheid houdt hooguit twee weken stand. Maar over het algemeen maak ik er graag een nog grotere rotzooi van. Ik geniet ervan. Als ik naar de radiator wil om hem open of dicht te draaien, moet ik over massa's tijdschriften heenlopen, en daarbij hoor ik soms dat ik iets kapot trap. Ik neem niet eens de moeite onder het tijdschrift te kijken wat het was. Waarschijnlijk een cassettedoosje. Misschien ook iets waardevollers.

In andere aspecten van mijn leven ben ik net zo. Zoals met mijn lichaam. Ik spring slordig om met mijn lichaam. Ik neem geen enkele lichaamsbeweging. Nooit. Als ik naar de supermarkt ga, loop ik door de winkelpaden, pak alles wat me het meest ziek en lelijk maakt en me het snelst aan mijn einde zal helpen, zoals spek, chocoladerepen, eieren, roomboter, ijs, chips; ik pijnig mijn hersens af om nog ergere dingen te bedenken die ik kan kopen. En wanneer ik me heb volgepropt met dat gif, kijk ik onder mijn nagels en zie het bruin van chocolade, het oranje van chips met barbecuesmaak, en het zout en de vettigheid ervan, en denk: *mooi zo, nu voel ik me echt een mislukkeling.*

Onlangs heb ik geprobeerd erachter te komen waarom ik zo in elkaar zit, en ik heb een antwoord gevonden dat logisch lijkt. Het antwoord luidt dat het me in staat stelt er de volgende gedachten op na te houden: Geen wonder dat mijn leven een puinhoop is: ik lijk wel een mislukkeling. Geen wonder dat mijn sociale leven een puinhoop is en ik vrijwel niemand ken. Dat komt doordat mijn flat er zo walgelijk uitziet dat ik niemand bij me thuis kan uitnodigen. Geen wonder dat maar weinig mensen me aardig vinden: ik heb een bleek, mager, ongezond, slap lichaam dat mensen afstoot. Niet alleen dat, maar het voedsel dat ik eet, heeft zo'n gebrek aan voedingswaarde dat ik nooit de energie heb om iets te doen, en ik soms wegraak en een gevoel heb alsof ik ga flauwvallen. Halfdood.

De weinige keren dat ik heb geprobeerd in alle opzichten orde op zaken te stellen, werd ik depressiever dan ooit, omdat er geen reden meer was dat mijn leven zo vreselijk was, maar het toch was.

Ik kleed me uit en bekijk mezelf in de spiegel. Ik ben niet het type man dat zich naakt in de spiegel kan bekijken, schrikt en zegt: 'Ik heb mezelf zo lang niet bekeken dat mijn spiegelbeeld een schok voor me is. Ik wist niet dat ik zo oud, of dik, of mager, of wat dan ook was geworden.'

Ik weet heel goed hoe ik eruitzie, maar dit keer bekijk ik mezelf door háár ogen, de ogen van een schilderes van mannelijk naakt. Ik zie eruit als een worm. Als een luis. Als een... Hoe noem je die wormen die op lijken rondkruipen? Een... made. Ja, daar lijk ik op. Jeremy de made. Ik heb een bleek, slap, futloos, mager, en tegelijkertijd mollig lichaam. Ik zie op tegen het poseren.

Ik houd me voor om dikte te zien. Zie dikte in de spiegel. Ik zie het. Enorme buik, reet en dijen, onder de striae. Zie dikte. Je bent niet dik.

Ik ben van gemiddelde lengte, gemiddeld gewicht. Mijn ogen zijn poepkleurig. Mijn haar is poepkleurig. U weet wel, doorsnee. Mijn gezicht is het gewoonste gezicht ter wereld. Zodra je het ziet, ben je het weer vergeten.

Kan er in vier dagen nog iets aan dat madeachtige lijf van me worden gedaan? Vandaag is het dinsdag. Kan er verbetering intreden voor zaterdagmiddag zes uur? Een kleurtje. Ik kan wat kleur opdoen. Ik kan spieren opbouwen. Ik zou op dieet kunnen gaan. Ik kan steroïden innemen. Ik kan... Dat is alles wat ik zou kunnen doen. Nee, er is nog één ding. Ik ga naar mijn slaapkamer.

Ik heb een ivoren olifantje, dat ik in een grijs vilten etui op mijn nachtkastje bewaar. Als er ooit iets is wat ik erg graag wil, haal ik het witte olifantje te voorschijn, klem hem stevig in mijn hand en doe mijn wens. Ik ben het er volkomen mee eens dat het achterlijk klinkt; het is achterlijk, als je de bijzonderheden niet weet.

In tegenstelling tot normale mensen ben ik nooit mijn jeugdobsessie voor magie te boven gekomen. En daar heb ik een heel goede reden voor. Toen ik elf was, overkwam me iets wat kinderen niet zou moeten overkomen, omdat ze er geestelijk voorgoed door uit het lood kunnen raken.

Die zomer vond ik op het strand een ivoren olifantje in het zand. Er stak een gouden oogje uit zijn rug. Het was een hangertje. Ik was er behoorlijk blij mee.

Ik ging op een duin zitten en besloot het witte olifantje te testen op magische krachten, iets wat ik wel twintig keer per dag deed, met elk voorwerp dat ik toevallig tegenkwam, misschien wel omdat mijn moeder niet religieus was en ik niet religieus werd opgevoed. Het werd in feite licht ontmoedigd dat ik geïnteresseerd zou raken in religie. Ik herinner me dat ik haar, toen ik negen was, vroeg of ik met mijn vriendjes mee mocht naar de zondagsschool. Ze antwoordde: 'Wat krijg je liever: toestemming om naar zondagsschool te gaan of een gitaar?' Ik zei natuurlijk een gitaar, maar was toch een beetje teleurgesteld. Ik ben zelfs nooit gedoopt, maar ik beklaag me niet; ik vind het zo wel prettig. Ik denk echter dat de meeste mensen snakken naar geloof in het bovennatuurlijke in de een of andere vorm. Persoonlijk geloof ik liever in kleine voorwerpen dan in één groot wazig ding. Het is in ieder geval origineler.

Ondanks hun originaliteit slaagden mijn experimenten nooit, dus testte ik de voorwerpen gaandeweg mechanisch, zonder enige echte hoop, en zo ging ik ook die dag toen ik op het duin zat te werk. Ik wilde deze dwangmatige klus achter de rug hebben, dus hield ik het olifantje in mijn rechtervuist en dacht er weifelend bij: als je magische krachten bezit, wens ik dat ik een kwartje vind als ik mijn hand in het zand steek.

Lusteloos stak ik mijn linkerhand naast me in het zand, en vónd een kwartje. Ik bracht het naar mijn gezicht en staarde ernaar, terwijl een orkaan van koude rillingen door mijn lichaam joeg. En de gedachte die telkens weer door me heen ging, was: Ik wíst wel dat er magie bestond! Ik wíst het! Zie je nou wel, ik had gelijk, ik heb het altijd al geweten. En toen dacht ik: dit is ongelooflijk. Ik ga het niemand vertellen. Ik zal niet meteen een andere wens doen. Ik moet eerst bedenken wat ik ermee aan moet, hoe ik ermee moet omgaan. Ik wil het niet bederven.

Ik kon niet langer dan tien minuten wachten voor ik de volgende wens deed, om het olifantje opnieuw te testen. Ik weet niet meer wat mijn tweede wens was, maar hij werd niet vervuld, net zomin als alle latere wensen. Ik wenste ook iets met het kwartje in mijn hand, voor het geval het olifantje zijn krachten daarop had overgedragen. Maar dat was niet zo. Een paar maanden lang koesterde ik zowel het kwartje als het olifantje als iets heiligs, maar toen ben ik het kwartje uit het oog verloren. Ik weet niet wat ervan geworden is, maar het olifantje ben ik nooit kwijtgeraakt. Je kunt je toch niet voorstellen dat je zoiets zou kwijtraken!

Dat verklaart dus de blijvende psychische schade die ik opliep. Op het strand een kwartje in het zand vinden, precies daar waar je je vingers in het zand stak, nadat je de wens had uitgesproken dat je er een zou vinden, is zo'n gigantisch toeval, dat je er wel flink van in de war moet raken.

Het resultaat is dat ik na al die jaren het witte olifantje nog op mijn nachtkastje heb staan en vaak een wens doe voor ik ga slapen. Deze olifantswensen gaan nooit in vervulling, behalve misschien één op de vijftig keer, bij toeval, en dat zijn de makkelijke alledaagse wensen. Soms wens ik iets terwijl ik een ander merkwaardig voorwerp in mijn hand heb waar ik een voorliefde voor heb opgevat, in de hoop dat ik misschien op een andere bron van magie stuit, maar die wensen komen niet vaker uit dan de olifantswensen.

Nu, op dit moment, zit ik op mijn bed, haal het olifantje uit zijn grijs vilten etui, klem het stevig in mijn vuist, sluit mijn ogen en denk: als je magische krachten bezit, wens ik dat

Lady Henrietta me aantrekkelijk vindt als ik voor haar poseer. Ik wil zelfs dat ze me de mooiste man vindt die ze ooit heeft gezien, en ik wil dat ze verliefd op me wordt, als ze dat al niet is.

Ik haal diep adem, knijp in het olifantje en voeg eraan toe: alsjeblieft.

Ik doe mijn ogen open en stop het olifantje zorgvuldig terug in zijn etui.

Een wens uitspreken tegen het olifantje is emotioneel riskant, omdat het onvermijdelijk is dat je hoop een abnormaal hoge vlucht neemt, ongezond hoog, en als de wens niet uitkomt, wordt die hoop met meer pijn de grond in geboord dan wanneer je niet de hulp van bovennatuurlijke krachten had ingeroepen. Daarom moet je altijd proberen de wens als het ware terloops te doen en hem meteen erna vergeten, wat ik nu probeer te doen.

Bij een bruiningscentrum maak ik een afspraak voor acht uur vanavond. In de tussentijd doe ik opdruk-, buikspier- en strekoefeningen, en verzin nog een heleboel andere bewegingen en oefeningen. Ze zeggen dat God diegenen helpt die zichzelf helpen. In mijn geval zou ik, geloof ik, moeten zeggen dat het olifantje diegenen helpt die zichzelf helpen. Het zal me lukken, houd ik mezelf voor terwijl ik zweet, pijn lijd, mezelf tot het uiterste en nog verder drijf. Ik heb mezelf nog nooit zoveel pijn bezorgd. Dit is mijn nieuwe zelf, een zelf dat zich pijn kan bezorgen, dat pijn kan verdragen om een doel te bereiken, een doel dat liefde is, de liefde van Lady Henrietta, de schilderes van mannelijk naakt. Ik besluit tot zaterdag elke avond oefeningen te doen, dieet te houden en naar de zonnebank te gaan. Ik zal zelfs met Charlotte vrijen als ze dat wil. Als extra lichaamsbeweging.

'Kun je vanavond om half acht komen eten, schat?' vraagt Charlotte me de volgende dag op het werk door de telefoon.

'Nee, ik kan alleen later. Vanavond heb ik ook weer een

heleboel werk te doen. Is negen uur goed?' (Mijn bruiningsafspraak is om half acht gepland.)

'Tja, als je niet vroeger kunt, is dat wel goed. Wil je alsjeblieft een stropdas omdoen?'

'Waarom?'

'Omdat je weet hoe ik dat op prijs stel.'

'En jij weet wat een hekel ik eraan heb.'

'Voor deze ene keer. Het is een bijzondere avond.'

'Waarom?'

'Dat is een verrassing.'

'Ga je me niet vragen wat ik wil eten?' Ik hoop dat ze niet van plan is een zware maaltijd te bereiden die mijn dieet zal bederven.

'Nee.'

'Waarom niet?'

'Omdat vanavond een verrassing is.'

'Ik kan niets zwaars eten. Ik heb de laatste tijd wat last van mijn maag. Een van je lichte, gezonde maaltijden zou precies goed zijn.'

'O.' Ze klinkt teleurgesteld. 'Nou, het is niet al te overdreven.'

Voor ik het huis uitga op weg naar Charlotte, na mijn oefeningen en de zonnebank, schiet me te binnen dat ze wilde dat ik een stropdas omdeed. Ik sta aarzelend bij de deur. Ik heb er een hekel aan dat ze stropdassen leuk vindt en haar smaak aan me opdringt. Het benadrukt precies die kant van haar persoonlijkheid die ik niet kan uitstaan. Als ze van stropdassen houdt, moet ze iets beginnen met een bankier of een advocaat. Nee, ik doe geen stropdas om. Dat ben ik echt meer dan zat.

Bij Charlotte staat de tafel gedekt voor twee. Ze heeft kaarsen aangestoken en in het midden staan bloemen.

'Dat ziet er mooi uit,' zeg ik, als gewoonlijk, wanneer ik haar flat binnenkom.

Ze heeft zich licht opgemaakt, waardoor haar gezicht op een prettige manier uitkomt. Haar figuur heeft iets weg van een zoutzak. Haar taille vertoont geen noemenswaardige curve, en haar borsten al evenmin, maar het zou erger kunnen. Ze had dik kunnen zijn. Ik had dik kunnen zijn. Ik ben niet dik.

Ze heeft een keurige groene jurk aan die net een paar centimeter over de knie valt, parels om, en gezonde schoenen aan: pumps met een hakje van twee centimeter.

Charlotte heeft de merkwaardige gewoonte nooit op te kijken. Ze houdt haar hoofd altijd gebogen en gluurt je van onder haar wenkbrauwen aan. Misschien doet ze dit om de blik van een femme fatale te krijgen, de blik van een verleidster, of misschien is er op een dag toen ze opkeek iets in haar oog gevallen. Ik weet het niet. Ik weet alleen dat ik eens heb uitgeprobeerd hoe extreem deze afwijking van haar was. Ik vroeg haar omhoog te kijken naar de wolken, maar dat deed ze niet. Ik vroeg het haar een tweede keer, maar toen ging ze op een ander onderwerp over. Ik heb haar nooit gevraagd waarom ze deze gewoonte heeft, omdat het me eerlijk gezegd niet interesseert. Wat Charlotte aangaat, is er niets wat me erg interesseert. Niettemin is het nuttig deze afwijking te kennen en in gedachten te houden, want als ik ooit iets voor haar moet verbergen, zal ik het aan het plafond spijkeren.

Charlotte verwelkomt me met een glimlach, maar als ze mijn ontbrekende stropdas ziet, verbleekt haar glimlach.

'Je hebt geen stropdas om,' zegt ze.

'Nee, daar had ik geen zin in. Het spijt me. Misschien de volgende keer.'

'Maar ik had het je gevraagd,' zeurt ze.

'Ik had er echt geen zin in. Ik heb een zware dag gehad. Maak er alsjeblieft geen drama van.'

'Weet je dat ik ook een zware dag heb gehad? Maar ik heb de moeite genomen er een fantastische avond van te maken. Ik heb me opgedoft. Het enige wat ik jou heb gevraagd is bij me te komen eten, van het kaarslicht te genieten en een stropdas

om te doen. Ik heb zelfs niet van je verlangd op weg hiernaar-
toe iets voor het eten mee te nemen. Goed, laat maar, laten we
doen alsof dit niet gebeurd is. Laten we doen alsof je een
stropdas om hebt. Wil je iets drinken?' vraagt ze als een volmaakte gastvrouw.

'Nee, dank je,' zeg ik.

'O, ben je nu boos?'

'Nee hoor.'

Ze loopt naar het fornuis en zegt: 'Hoe was het op kantoor,
schat?'

Ik lig op mijn rug op haar bed en laat mijn benen over de
rand bungelen. 'Ik heb de hele dag lopen archiveren. Zeven
uur lang.'

'Wat afschuwelijk. Kun je daar niet iets aan doen?'

'Ik heb mijn hand negen keer opengehaald.'

'Ach, lieverd. Ik hoop dat je het goed gedesinfecteerd hebt.
Ik heb wel een desinfectiemiddel staan in het badkamerkastje
boven de wasbak. Je moet die sneetjes even gaan ontsmetten.
Baat het niet, dan schaadt het niet,' zegt ze, en draait de kip
om.

'Het is wel goed zo,' zeg ik.

'Is er nog nieuws in glamourland?' vraagt ze.

Ik denk even na. 'Andy Rooney zit flink in de problemen.
Hij heeft een racistische opmerking gemaakt of zoiets. Dat
heb ik wel twintig keer opgeborgen.'

'Wat nog meer?'

Ik denk nog even na. 'Prinses Stephanie heeft ruzie gehad
met haar vader over dat vriendje dat haar lijfwacht was. Ik ben
zijn naam vergeten. Dat heb ik maar vijf keer opgeborgen. De
gestolen schoenen van Marla Maples heb ik zo'n vijfentwintig
keer in het archief gestopt. De nieuwe Brady Bunch-show
heb ik wel vijftien keer gehad. Het feest van Liz Taylor dertig
keer. De...'

'Wil je kappertjes bij de kip of niet?' valt Charlotte me in de
rede.

'Ja,' antwoord ik afwezig. Ik staar naar het plafond, terwijl ik aan het archiveren denk, en de tranen springen me in de ogen. Ik zou er met Charlotte over kunnen praten. Ik zou haar kunnen vragen wat zij denkt dat ik op mijn werk moet doen of zeggen om te bewerkstelligen dat ze me geen archiefwerk meer geven. Charlotte is psychologe. Maar ze is een slapjanus, net als ik. Ze is hüttenkaas, help ik mezelf herinneren. Ze zou me een hüttenkaasachtig antwoord geven. Ik zeg niets. Ik voel me te depressief, te eenzaam. Ik denk aan Lady Henrietta, de schilderes van mannelijk naakt. Zelfs de gedachte aan haar en aan onze ontmoeting van zaterdag vrolijkt me niet meer op. Ik ben bang, zenuwachtig en gespannen. Waarom ben ik ermee akkoord gegaan voor haar te poseren? Het zal alleen maar vernedering met zich meebrengen, waarschijnlijk zelfs vreselijke schaamte. Misschien zelfs afwijzing, realiseer ik me met afgrijzen. Als Lady Henrietta, de schilderes van mannelijk naakt, mij, Jeremy de made, naakt ziet, kan ze wel pertinent weigeren me te schilderen en zeggen: 'Sorry, ik heb me vergist. Een mond geeft niet zo'n goede indruk van het naakte lichaam. Die geeft geen aanknopingspunten en suggesties. Het spijt me.' Wat moet ik daarop antwoorden? Moet ik zeggen: 'Nou, je mag mijn mond wel schilderen als je wilt'?

Ik sla mijn hand voor mijn ogen.

'Is er iets mis?' vraagt Charlotte.

Geschrokken trek ik mijn hand weg. 'Het is het archiefwerk,' lieg ik. 'Ik haat dat archiveren.'

'Arme schat. Daar moeten we over praten. We moeten iets verzinnen wat je kunt aanvoeren tegen die monsters die je uitbuiten. Maar nu is het eten klaar, dus ga nu maar even je handen wassen en kom dan als een braaf jongetje aan tafel.'

'Goed, mammie,' zeg ik, om haar een plezier te doen.

Ik ga zitten.

'Je bent vergeten je handen te wassen,' zegt ze.

'Nee, hoor.'

'Jawel. Je bent vergeten naar de badkamer te gaan om je handen te wassen. Je bent van bed opgestaan en regelrecht aan tafel komen zitten. Je bent zeker een beetje suf geworden van al dat archiefwerk, Jeremy. Kom, schiet op, ga even je handen wassen voor de kip koud wordt.'

'Charlotte, ik ben niet vergeten mijn handen te wassen. Ik heb het niet gedaan omdat ik er geen zin in had.'

'Je kunt niet eten zonder je handen te hebben gewassen.'

'Is dat iets nieuws van je? Je hebt het nooit eerder over handen wassen gehad.'

'Dat was omdat ik altijd dacht dat je dat wel deed.'

'Charlotte, ik moet iets opbiechten. Ik was nooit mijn handen als ik naar de wc ben geweest.'

Ze kijkt me een poosje in zwijgende verbazing aan en zegt dan langzaam: 'Dat is echt walgelijk.'

'Maar ik was mijn handen wél na het archiveren. Vergoedt dat iets?'

'Nee. Het is echt walgelijk,' zegt ze nog eens.

'Om je een plezier te doen zal ik mijn handen wassen.'

Ik sta op en ga mijn handen wassen. Ik kom terug en ga zitten. Ze staat er nog net zo en kijkt op de tafel neer.

'Wat is er?' vraag ik.

'Het is echt walgelijk, Jeremy. Ik weet niet of ik nu nog wel kan eten.'

'Maak je niet druk,' zeg ik, en geef klopjes op haar elleboog. 'Af en toe een beetje poep aan je handen betekent niet het einde van de wereld. Dat is gezond.'

'Het is abnormaal. Ik maak me zorgen over je, Jeremy,' zegt ze, langzaam hoofdschuddend.

'Nou, kom, laten we gaan eten,' zeg ik, en probeer op een ander onderwerp over te gaan. 'Kom zitten, liefje. De kip staat koud te worden.'

Nog altijd hoofdschuddend blijft ze staan.

'Voel je je wel in orde?' vraag ik.

'Nee, ik voel me helemaal niet in orde. Ik maak me zorgen over je, Jeremy.'

'Hoezo? Denk je dat ik een psychische afwijking heb?' grinnik ik.

Ze stopt met hoofdschudden en kijkt me aan zonder te antwoorden.

'Wat?' zeg ik verdedigend, met mijn mond vol kip. 'Denk je dat ik een psychische afwijking heb? Is dat wat je denkt?'

'Ja.'

'Omdat ik niet altijd mijn handen was?'

'Als je naar de wc bent geweest, Jeremy. Dat is een symptoom. Dat duidt ergens op.'

'Heb je liever dat ik wegga? Misschien moet ik gestraft worden om te genezen. Wil je me soms slaan?' zeg ik, ondeugend lachend om haar op haar gemak te stellen.

Ze kijkt me verdrietig aan. 'Er bestaat geen straf die jou kan genezen. Die kracht moet je in jezelf vinden.'

'Ik zal eraan werken. Laat ik je intussen iets vertellen. Laten we doen alsof. Laten we doen alsof ik die leuke blauwe stropdas om heb die jij zo mooi vindt. Ik mag wel uitkijken dat er geen jus op druipt... En laten we doen alsof ik altijd voor en na het toiletbezoek mijn handen was en dat mijn sneetjes drie keer met een desinfectiemiddel zijn behandeld. Ik heb zelfs het nagelborsteltje gebruikt. Kijk maar,' zeg ik en houd haar mijn handen voor. 'Je kunt nog zien dat ze rood zien rond de nagels.'

Ze gaat zitten en begint van haar kip te eten.

'Het is erg lekker,' zeg ik.

'Dank je,' antwoordt ze.

Na de kip zet ze het toetje op tafel, een grote, machtige citroen-chocoladecake. Dat is iets wat ze niet vaak voor me heeft gemaakt, omdat ze zegt dat het erg moeilijk en bewerkelijk is, maar ik moet toegeven dat haar chocoladecake de beste is die ik ooit heb gegeten.

'Wil jij hem aansnijden, of wil je dat ik het doe?' vraagt ze.

'Hij ziet er verrukkelijk uit, maar helaas denk ik dat het vanavond niet verstandig van me zou zijn om iets van die cake te eten. Ik ben op di... Ik heb last van mijn maag.'

'Ben je op dieet? Als je op dieet bent, zeg dat dan gewoon. Je hoeft niet te doen alsof je last van je maag hebt. Er is geen reden om je ervoor te schamen. We komen allemaal wel eens een beetje aan. En we moeten allemaal wel eens op dieet. Ben je op dieet?'

'Ja.'

'Nou, neem dan wat cake en ga morgen op dieet.'

'Ik ben gisteren begonnen.'

'Dan las je vanavond een pauze in, omdat ik speciaal voor jou deze bewerkelijke cake heb gemaakt. Dan ga je morgen weer lijnen.'

'Eerlijk gezegd heb ik ook last van mijn maag.'

'Wil je nu nog wat van die cake of niet?'

Ik aarzel, wetend dat het tot een enorme scène zal leiden als ik niet een stukje cake neem, maar dan besluit ik: nee, ik kan mijn voornemen om de made in mezelf te vernietigen niet verbreken.

'Ik vrees dat ik het beter niet kan doen,' zeg ik.

'Betekent dat nee?'

'Ja.'

'Wat ben jij een egoïst. Je zou je eens moeten laten nakijken.'

'Door jou?'

Ze antwoordt niet. We ruimen de tafel af.

Charlotte wil maar zelden vrijen. Ik vermoed dat ze gewoon niet zo'n seksueel ingesteld figuur is. Als we het doen, ligt ze er maar stijfjes bij. Ze zal wel denken dat dat de romantische manier is om het te doen, de Sneeuwwitje-manier, de vrouwelijke manier.

Ik neem dus aan dat ik een seksueel gefrustreerde vent ben. Vanavond doen we het niet, en dat is maar goed ook, omdat ik er toch geen zin in heb. Gedeprimeerd en met een leeg gevoel ga ik naar huis.

Die avond belt mijn moeder me op, iets wat ze gemiddeld één keer per week doet. Ze is eenenzeventig jaar en woont alleen in Mount Kisco, in Westchester County. Mijn vader was achtentwintig jaar ouder dan zij. Hij stierf van ouderdom toen ik vier was. Ik vermoed dat ze eenzaam is. Ze vraagt altijd wanneer ik bij haar op bezoek kom. Soms ga ik in het weekeinde naar haar toe, en neem mijn kat mee. Ze is dol op Minou en wil dat ik elk weekeinde kom, zodat ze ons kan zien.

Helaas vindt ze het ook leuk me te verrassen met een bezoek in de stad, eens in de zoveel maanden. Ze zegt: 'Er is niets gezonders ter wereld dan dat je moeder eens in de zoveel tijd onverwacht op bezoek komt.'

Haar laatste bezoek was twee weken geleden. Het speelde zich op de gebruikelijke manier af, als volgt:

De deurbel gaat. Ik verwacht niemand.

'Wie is daar?' vraag ik door de huistelefoon.

'Ik ben het.'

Ik herken mijn moeders stem.

'Mam?'

'Ja, Jeremy, ik ben het.'

'Wat kom jij hier doen?'

'Jou bezoeken.'

'Maar je hebt niet van tevoren gebeld.'

'Je weet dat ik dit prettiger vind.'

'Je kunt niet boven komen. Je had me eerst moeten bellen. Het spijt me.'

'Natuurlijk laat je me wel boven komen. Doe de deur open.'

'Nee, het spijt me, je had me moeten bellen. Dat heb ik je al eerder gezegd. Als je wilt, kom ik naar beneden, dan kunnen we ergens gaan koffie drinken.'

Denk je jezelf voor de gek te houden, Jeremy? Ze is niet geïnteresseerd in ergens koffie drinken. Na nog vijf minuten soebatten heb ik geen andere keus dan haar boven te laten komen. Soms, als ze beneden nog staat te soebatten, gaat er iemand het gebouw in of uit. De openstaande deur benuttend loopt ze naar binnen en vervolgt het soebatten voor de deur van mijn flat. Hoe het ook zij, uiteindelijk laat ik haar altijd binnen, tot mijn grote spijt, want zodra ze de rotzooi in mijn flat ziet, slaakt ze een luide gil.

Terwijl ze de trap op loopt, haast ik me de smerigste dingen in de kamer op te ruimen, wat bijna altijd oude, door de poes uitgebraakte haarballen blijken te zijn, die als kleine oranje worstjes in opgedroogde plasjes maagsap liggen. Meestal liggen er een stuk of vijf, die ik in koortsachtig tempo oppak, in de haast soms zelfs met mijn blote handen. Steevast zie ik er een over het hoofd, die mijn moeder steevast vindt, en hoewel ik ervan overtuigd ben dat ze precies weet wat het is, laat ze zich dan op haar handen en knieën vallen, bekijkt het van heel dichtbij en zegt: 'Wat is dát nou? Dat ziet er zielig uit. Of dood. Is het een muis? O, het zal wel een drukje zijn van je poes. Maar nee, het ruikt nergens naar.' Vervolgens kruipt ze naar de schimmelende, verrimpelde meloenresten en uitgedroogde avocadoschillen en zegt kreunend: 'O, gadverdamme, het is niet te geloven, wat stinkt dit, dit stinkt als de pest...' Enzovoort.

Godzijdank was haar laatste bezoek twee weken geleden, wat betekent dat ik zes weken rust hoor te hebben tot haar volgende bezoek.

Als we elkaar aan de telefoon hebben, zoals vanavond, is ze meestal draaglijk en blijft het er voornamelijk bij dat ze me vraagt wanneer we elkaar weer zien, hoewel ze het natuurlijk niet kan laten een paar kritische opmerkingen over me te maken en er een paar afgezaagde, drammerige vragen tussendoor te werpen, zoals: 'Hebben ze je nu al eens promotie gegeven?' 'Hoe is het met die schijnheilige juffrouw van je?' (Haar koosnaam voor Charlotte.) 'Heb je je flat al opgeruimd?' Maar die zijn de moeite niet waard om bij stil te blijven staan.

De volgende dag verrek ik van de spierpijn. Goed zo. Er is wat te merken van de oefeningen. De made is stervende. Het Lelijke Eendje verandert in een zwaan. Maar wanneer ik in de spiegel kijk, is Jeremy de made nog steeds aanwezig. Het geeft niet, houd ik me voor. Jíj mag dan denken dat er niets verandert, maar je hebt het bij het verkeerde eind. Er zijn enorme veranderingen, veranderingen die jouw ongeoefend oog misschien niet bespeurt, maar die het vakkundig oog van een schilderes van mannelijk naakt wel moeten opvallen. Wat is dit voor flauwekul, Jeremy, wat is dit voor flauwekul? Het is onbelangrijk. Het is onbelangrijk. Gewoon je oefeningen doen en niet nadenken.

En dan blijf ik staan. Ik blijf ineens staan. Ik krijg een openbaring. Ik besef dat er niets ter wereld is wat ik tussen nu en zaterdag kan doen dat enig verschil zal maken. En als ik te veel oefeningen doe, zal ik het moeilijk hebben bij het poseren, omdat mijn lijf zo'n pijn doet.

Ik voel me hulpeloos en somber. 's Avonds koop ik chips en neem mijn poes mee naar het parkje bij de rivier, drie straten bij mijn flat vandaan. In het park laat ik Minou op de grond lopen, aan een riempje. Dan neem ik haar op schoot en zit gewoon een poos op een bank. Een man die een beetje aangeschoten is, vermoedelijk een homo die me vermoedelijk probeert te versieren, zegt: 'Is dat een hondje?'

'Ja,' zeg ik, omdat ik niet zijn belangstelling wil wekken door te zeggen dat het een poes is.

'Wat voor merk?'

Ik weet heel goed dat hij soort bedoelt en te dronken is om dat te weten.

'Merkloos,' zeg ik. 'Het is een straathond, een bastaard.'

'Dat zijn de beste,' zegt de man en loopt verder.

Zaterdagmiddag neem ik een douche. Het is drie uur. Om zes uur moet ik bij Lady Henrietta zijn. De bel gaat.

'Wie is daar?' vraag ik.

'Tommy.'

Een minuut later is hij boven en komt binnenlopen. Ik ben kleddernat, met een handdoek om mijn middel. Ik heb Tommy een maand niet gezien, al sinds Kerstmis niet. Hij is half Amerikaans, half Frans, en hij ging de feestdagen doorbrengen bij zijn extreem rijke familie in Frankrijk. Hij is achttien.

'Ik heb vreselijke kerstdagen gehad,' is het eerste wat hij zegt.

'Waarom?' vraag ik.

'Mijn zuster ís me een wijf!'

'Wijf als in moordwijf of als in klerewijf?'

'Als in klerewijf.'

'Dat is vervelend.'

Tommy is een van mijn enige vrienden. En ik geloof niet dat ik zelfs hem een echte vriend zou noemen. We zijn geen gelijken. Hij staat ver boven me. Ik weet zeker dat hij me aardig vindt omdat hij me beschouwt als zijn curiosum.

We hebben elkaar in een kaaswinkel ontmoet, waar hij zonder duidelijke aanleiding tegen me begon te praten. Ik heb me van het begin af aan ongemakkelijk bij hem gevoeld. Ik had het gevoel dat hij mijn kaaskeuze dom vond. Ik dacht dat hij stond te lachen of te gniffelen. Hij glimlachte in ieder geval. Ik vroeg wat brie. Ik zei dat ik een stuk wilde dat goed rijp was. Ik wees het stuk aan dat ik wilde. Het was een flink stuk waar de binnenkant uitpuilde. En blijkbaar zag Tommy daar iets geestigs in. Hij begon tegen me te praten en zei dat dit een van de beste kaaswinkels van de buurt was, en dat soort dingen. Toen vroeg hij waar ik woonde. Maar hij is geen homo. Hij is een playboy. Dol op meisjes. Aantrekkelijk. Hij is erg modebewust en probeert zich trendy te kleden, maar heeft buttons op het kruis van zijn gescheurde spijkerbroek zitten, iets waar ik helemaal niet van houd. Wat denkt hij dat hij daar heeft zitten: iets heel bijzonders? Op een van de buttons staat een bizon. Op een andere een fiets met daarboven de woorden 'Stop wat leuks tussen je benen'. Deze kleine medailles zijn als een kroon voor zijn pik.

Hij valt languit op mijn bed en laat zijn hoofd op zijn ineengeslagen handen rusten. 'Ik mag je wel, Jeremy,' zegt hij. 'Ik mag je erg graag. Je bent prettig gezelschap.'

Maar hij is geen homo. Hij komt een praatje met me maken als hij niets beters te doen heeft. Hij is een van de weinige mensen die ik in mijn weerzinwekkende flat toelaat. Zelfs als hij een opmerking over de viezigheid maakt, vind ik het niet erg, omdat we van twee verschillende planeten komen, en zijn sporadische kritiek op mijn leven heeft me nooit gekwetst.

Ik ga op een stoel zitten, nog steeds kletsnat, koud. Eindelijk gaat hij weg.

Het is 17.55. Ik kom bij haar flatgebouw. De portier belt haar op. Als ik uit de lift stap, staat de deur van haar flat wijd open. Ik ga naar binnen. Er is niemand in de grote woonkamer. Er staat een schildersezel in het midden met een groot, leeg doek erop en ladingen verf ernaast. Achter de ezel staat een sofa, bedekt met een heleboel lange, kleurrijke lappen stof. In een hoek van de woonkamer staat nog een comfortabel uitziende zitbank bekleed met parachutezijde, en daarnaast nog een zitbank, nog comfortabeler en luxueuzer, bekleed met beige suède. Er staan wat tafeltjes en er hangen gordijnen, zware gordijnen. De wanden hangen vol met levensgrote portretten van mooie naakte mannen. Ik begin zenuwachtiger te worden, omdat ik duidelijk in de verste verte niet zo mooi ben als zij. Op haar salontafel ligt een roman: *Het portret van Dorian Gray*, van Oscar Wilde. Dat heb ik altijd willen lezen. Onder de roman ligt een groot boek over de schilderijen van Boris Vallejo: *Mirage*. Op het omslag staat een schilderij van een prachtige naakte vrouw met vleugels. Ik blader het boek door en zie heel wat prachtige naakte vrouwen. Sommigen hebben vleugels, anderen staarten, sommigen zijn deels slang, anderen berijden draken, sommigen bedrijven de liefde met naakte duivels, anderen vrijen met naakte mannen, sommigen met andere naakte vrouwen, weer anderen zijn krijgers.

'Boris is de schilder die me het meest heeft beïnvloed,' zegt Lady Henrietta, die in een deuropening staat.

'Ik zie de overeenkomst,' zeg ik. 'Jullie hebben allebei een prachtige techniek.'

'Dank je. Ik noem het de mooier-dan-het-leven-stijl.'

'Inderdaad, mooier dan het leven.'

Ik had bijna verwacht dat ze in een satijnen kamerjas of iets dergelijks te voorschijn zou komen, maar nee, ze is volkomen normaal gekleed.

'Ga toch zitten,' zegt ze.

Ik ga op de bank zitten en zij gaat naar de keuken. Ze komt even later terug met kruidenthee. Ik drink de thee en zit er gespannen bij in de wetenschap dat ik elk moment mijn kleren zal moeten uitdoen. Mijn elleboog rust op de armleuning van de sofa, en ik leun met een van mijn voortanden op de dop van mijn Bic-ballpoint die ik toevallig in mijn hand heb, ik weet niet waarom. Ik heb hem zonder erbij na te denken uit mijn zak gehaald. Dat doe ik vaak als ik me gespannen voel. Het puntje van mijn tand steekt in het kleine gaatje aan het uiteinde van de dop. Het gewicht van mijn hele hoofd rust op die tand. Ik vermoed dat het de spanning vermindert door het geringe gevaar dat het met zich meebrengt. Het gevaar is dat de pen soms wegglijdt en zich in je verhemelte boort. En dat is wat me nu overkomt. Mijn pen glijdt weg en priemt me vlak achter mijn voortanden. Mijn mond loopt vol bloed; het stroomt eruit. Ik lik het op en slik het zo snel mogelijk door. Ik wil niet dat het bloed zich verspreidt tot voor mijn tanden en zichtbaar wordt voor Lady Henrietta. Als ze mijn mond ineens vol bloed ziet, zal ze denken dat ik gek ben. In mijn hoofd noteer ik dat ik nooit meer met mijn tand op mijn pen moet steunen.

'Zou je je willen uitkleden?' vraagt ze.

Bedoelt ze nu meteen, hier ter plekke? Ze staat op, loopt naar een hoek van de kamer en trekt een gordijn open, waardoor een kleine kleedkamer zichtbaar wordt, net zo'n pashokje als in een kledingzaak. Ik ben erg zenuwachtig, maar ik wil geen lafaard lijken, dus loop ik naar de paskamer en stap binnen. Ze trekt het gordijn dicht. Er hangt een merkwaardig uitziende spiegel aan de wand. Hij is erg breed, maar ook erg laag. Ik kan alleen mijn onderlichaam zien. Ik kleed me uit. Als ik het spiegelbeeld van mijn naakte buik, penis en benen zie, wil ik me bedenken. Nu ik de bovenste helft van mijn lichaam niet kan zien, voel ik me erg gehandicapt en weinig op mijn gemak, dus ga ik op mijn zij op de grond liggen om mezelf nog een laatste keer in volle lengte te zien voor ik me blootgeef aan Lady Henrietta.

'Gaat het wel goed daarbinnen?' vraagt ze.

Ik had niet gemerkt dat mijn voet onder het gordijn uitstak. Er is ruimte tussen de onderkant van het gordijn en de vloer, en onder het gordijn door kijkt ze naar me, en ik kijk naar haar. Ze kan me op de grond zien liggen.

'Waarom lig je op de grond?' vraagt ze allervriendelijkst. 'Voel je je wel goed?'

'Ik voel me prima,' zeg ik, terwijl ik nog steeds bloed weglik en wil dat ze ophoudt naar me te kijken. 'Ik bekeek mezelf in die rare halve spiegel. Is er een bepaalde reden waarom hij zo laag is?'

'Het spijt me als het je stoort. Ik heb het idee dat het mannen helpt ontspannen als ze niet naar hun bovenlichaam kijken. Aan het bovenlichaam kunnen ze hun gespannenheid zien. En die zit niet alleen in hun gezicht, maar ook in de houding van hun schouders en de manier waarop hun armen afhangen. Het is slecht voor de zenuwen om je eigen gespannenheid te zien.'

Nou, misschien ben ik raar en anders dan alle andere mannen, maar persoonlijk geloof ik dat het mijn onderhelft is die me nerveus maakt.

Ik kom tot de conclusie dat ik geen keus heb. Ik kan hoe dan ook niet meer terugkrabbelen.

Ik wil net te voorschijn komen, wanneer Lady Henrietta zegt: 'Zou je het prettiger vinden als er een ander model kwam om naast je te poseren?'

'Nee,' zeg ik, en trek het gordijn open.

Ik wend mijn blik niet van haar af als ik te voorschijn kom, zodat ik haar reactie op mijn naakte lichaam kan zien. Zal ze omlaag kijken? Daar gaat het om. Of zal ze me blijven aankijken? Ze kijkt wel omlaag, maar zo snel en terloops dat het me zelfs een minder ongemakkelijk gevoel geeft dan wanneer ze helemaal niet omlaag zou hebben gekeken, want dat zou de indruk hebben gewekt dat ze al haar wilskracht gebruikte om de verleiding te weerstaan naar mijn pikkie te kijken, wat er meer de aandacht op zou hebben gevestigd. Ze doet volkomen normaal, trekt geen raar gezicht, trekt zelfs geen wenkbrauw op, wat me enigszins verbaast, maar fantastisch is.

Ze neemt me mee naar de sofa achter de ezel en vraagt me in de gemakkelijkste houding te gaan liggen die ik kan vinden. Ik moet zeggen dat ze heel professioneel kijkt en doet.

Ze begint te schilderen, en laat me over mijn leven vertellen, en zij vertelt over haar leven. Het verbaast me dat ze me zo op mijn gemak weet te stellen. Daardoor mag ik haar steeds meer. Naast haar staat een schaaltje met marsepeinen varkentjes en konijntjes, waar ze van snoept tijdens het schilderen. Na ongeveer een uur hangt ze een groot laken over het doek en zegt dat ze klaar is voor vandaag.

'Mag ik het zien?' vraag ik.

'Nee,' antwoordt ze. 'Nooit voordat het helemaal klaar en droog is.'

Ze zegt dat ik een erg goed model ben en vraagt of ik het vervelend zou vinden om nog eens te komen poseren. Ik stem gretig toe. We spreken een datum af.

'Hoe moet ik je trouwens noemen?' vraag ik. 'Lady Henrietta, of Henrietta, of Lady?'

'Henrietta is prima. Weet je waarom ik me Lady Henrietta noem?'

'Nee.'

'Heb je ooit *Het portret van Dorian Gray* gelezen?'

'Nee.'

'Nou, dat zou je moeten doen. Het is mijn bijbel. Er komt een personage in voor, Lord Henry, die in zekere zin mijn god is. Ik bewonder zijn levensfilosofieën. Ik besloot de vrijheid te nemen mijzelf tot een vrouwelijke versie van zijn personage te maken. Hij is Lord Henry. Ik ben Lady Henrietta.'

Ik ga weg; ik kan prima met haar opschieten en voel me erg gelukkig en verliefd. De volgende afspraak is over vijf dagen. Zodra ik het flatgebouw uit ben, ren ik naar de dichtstbijzijnde boekhandel en koop *Het portret van Dorian Gray*. Ik lees het diezelfde avond nog, en raak in verwarring. Lord Henry is niet bepaald een bewonderenswaardig personage. Sommigen zouden hem zelfs lichtelijk boosaardig noemen: een milde duivel. Zijn voornaamste zonde is manipulatie ter wille van de manipulatie. Ik moet toegeven dat zijn denkbeelden over het leven door hun extreme cynisme vermakelijk zijn, maar begrijpen doe ik het niet. Ik heb geen overeenkomsten ontdekt tussen Lord Henry en Lady Henrietta. Misschien zullen die overeenkomsten al gauw boven water komen, in welk geval ik niet overmatig teleurgesteld zal zijn, omdat het kwaad in kwestie meer als een snufje kruiden is dan, laten we zeggen, gif of bijtend zuur.

Ik geloof dat mijn olifantswens niet is uitgekomen. Ik neem aan dat ik niet de mooiste man ben die Henrietta ooit heeft gezien. Maar misschien ook wel. Ze heeft niets gedaan dat erop wees dat ik het beslist niet was. Wat haar eventuele verliefdheid op mij betreft, kan ik onmogelijk zeggen of dat deel van mijn wens is uitgekomen. Waarschijnlijk niet. Voor mijn eigen bestwil moet ik pessimistisch blijven. Sommige mensen zouden het misschien, hoewel dat niet aardig is, zelfs realistisch noemen.

Ik ga niet op dieet, zoals eerst, en ik doe geen oefeningen. Ik vind Lady Henrietta geweldig, omdat ze me accepteert zoals ik ben. Vijf dagen lang ben ik zó gelukkig. Maar er is één ding dat me bezighoudt. Ik weet dat er nooit een portret van mij in *Playgirl* zal staan. Ik ben eenvoudig niet knap genoeg. Ik vraag me af waarom ze me heeft uitgekozen en waarom ze een portret van me wil hebben. Ik fantaseer erover dat het misschien voor haar eigen genoegen is. Misschien om voor zichzelf te houden. Maar ik betwijfel het.

Ik schaam me er een beetje voor te bekennen dat ik, sinds ik voor Henrietta heb geposeerd, heel zelfverzekerd ben geworden als mijn vriendin Charlotte in de buurt is, en onachtzaam, alsof ik nu over macht beschik.

4

De dag breekt aan waarop ik voor de tweede keer ga poseren. Ik koop een bakje lelietjes-van-dalen voor Lady Henrietta, mijn lievelingsbloemen. Ze vindt ze mooi, ruikt eraan, en is erg beleefd en enthousiast. Ik realiseer me dat ik haar wil vragen of ze met me uitgaat. Maar daar moet ik even mee wachten om te zien hoe het zal lopen.

Net als de vorige keer vraagt ze me in de meest comfortabele houding te gaan liggen. Ze schildert me terwijl ze op marsepeinen leeuwtjes knabbelt, en ik voel me geweldig. Ik krijg zelfs nog meer zelfvertrouwen en vertel verder over mijn leven.

Na een kwartiertje poseren roept Henrietta: 'Sara!'

Even later komt er een lang klein meisje de woonkamer binnen. Ze heeft lange blonde vlechten en doet me denken aan een heldin uit een sprookje, zoals Alice of Grietje. Ze is zo mooi, haar huid zo gaaf en haar gezicht zo volmaakt, dat ze eruitziet als iemand uit een stripverhaal. Ze heeft witte kniekousen aan en houdt een Barbie-pop vast. Ik kan niet precies zeggen hoe oud ze is. Haar lichaam is behoorlijk ontwikkeld en de kinderlijke kleren misstaan haar een beetje, maar haar gezicht is erg jong, heel erg kleine-meisjesachtig.

Ze loopt naar Henrietta, gaat naast haar staan en kijkt naar me.

'Wat vind je van mijn nieuwe model?' vraagt Henrietta het kleine meisje.

'Fantastisch,' zegt het meisje. 'Waar heb je hem gevonden?'

'Hij zat gelatinepudding te eten in een coffeeshop.'

'Ik heb nog nooit zo'n uitgesproken O.I.M. gezien.'

'Dank je,' zegt Henrietta. 'Jeremy, dit is mijn dochter, Sara. Sara, dit is Jeremy.'

Ik wil vragen wat een O.I.M. is, maar door de vreselijk ongemakkelijke positie waarin ik nu verkeer, ebt mijn nieuwsgierigheid even snel weg als ze opkwam. Sara komt naar me toe en steekt me haar hand toe. Ik ben zo geschokt dat dit kleine meisje me naakt kan zien, en dat Henrietta een dochter heeft, en dat het meisje op me afkomt, en dat ze wil dat ik haar aanraak terwijl ik naakt ben, dat ik me in eerste instantie niet verroer. Ik heb het gevoel dat elke beweging mijnerzijds mijn naaktheid zal onderstrepen. Maar het meisje verroert zich ook niet. Ze staat er maar met uitgestoken hand, tot ik haar eindelijk de mijne toesteek. Ik heb een brok in mijn keel, zoals je krijgt wanneer je naar een trieste film kijkt en probeert niet te huilen.

'Sara, ik heb hier een probleempje,' zegt Henrietta. 'Ik heb je deskundige mening nodig. Jeremy wordt geacht in de meest comfortabele positie te liggen die hij kan vinden, maar zo oogt het niet.'

'Je hebt gelijk,' zegt het kleine meisje. 'Het lijkt nergens op. Het ziet er heel gespannen uit. En hij heeft tegen je gelogen. Hij ligt niet in de gemakkelijkste houding. Hij ligt er zelfs helemaal niet gemakkelijk bij.'

Ik sta verbaasd over haar opmerkzaamheid. Ik lig in een vrij ongemakkelijke houding, maar ik had niet de moeite genomen er iets aan te veranderen.

'Foei, foei, Jeremy,' zegt Henrietta, terwijl ze vermanend met haar penseel zwaait. 'Je ligt er niet comfortabel bij. Hoe kun je nu verwachten dat ik goed werk maak als je me voor de gek houdt? Alsjeblieft, Sara, doe er eens iets aan.'

Sara gaat recht voor me staan en zegt: 'Sta eens op.'

Ik sta op. Nooit, nooit van mijn leven ben ik me zo bewust geweest van mijn penis. De grootste wens die ik nu heb, is gecastreerd te worden en eruit te zien als een pop, zonder geslachtsorgaan, uit louter gladde huid te bestaan.

Sara legt een roze laken over de sofa, en vervolgens een zwart laken. Ze vraagt me weer te gaan liggen, in de meest comfortabele houding die ik kan vinden. Ik gehoorzaam. Ze bedekt een van mijn benen met een punt van het roze laken, en vraagt haar moeder: 'Hoe is dit?'

'Dochter van me, je bent een genie. Dank je. Kom, nu moet je opschieten voor je dans- en goochelles.'

'Alsjeblieft,' zegt het meisje, 'ik heb écht geen zin om te gaan vandaag. Hoeft het niet?'

'Ach, kom nou, het is maar twee keer per week.'

'Dat is veel! "Maar" twee keer per week. Dat is behoorlijk vaak.'

'Maar je bent daarna altijd in zo'n goede bui.'

'Dat komt doordat ik weet dat ik dan drie hele, heerlijke dagen rust heb voor mijn volgende stomme dans- en goochelles.'

'Geen smoesjes. Kom, schiet op,' zegt Henrietta met een hoge kinderjuffrouwstem à la Mary Poppins.

Sara gaat weg, haar wangen en lippen rood en glanzend, terwijl ze haar moeder donkere blikken toewerpt.

Henrietta zegt tegen me: 'Sara heeft een uitstekende smaak. Het lukt haar altijd de perfecte houding te vinden voor mijn modellen. En ze weet precies welke attributen ze moet gebruiken.'

'Bedoel je dat je haar altijd naakte mannen laat bekijken?'

'Natuurlijk.'

'Hoe oud is ze?'

'Elf.'

Ik besluit van onderwerp te veranderen, omdat ik niet de indruk wil wekken dat ik kritiek op haar heb. We praten over plezierige dingen. Na een uur zegt ze dat het schilderij klaar is, of dat ze het in ieder geval zonder mij kan afmaken. Ze zegt dat ik het de volgende zaterdag kan komen bekijken, als het helemaal klaar en droog is. Ik voel me triest, bang dat ze van plan is onze volgende ontmoeting de laatste te laten zijn.

Dan schiet me te binnen dat ik haar had willen vragen wat ze met het schilderij van mij gaat doen.

'Ik weet dat ik niet erg knap ben,' zeg ik. 'Waarom heb je me uitgekozen?'

Ze lacht vriendelijk, vermoedelijk om mijn bescheidenheid, en zegt: 'Ik heb mijn volmaakte modellen, die ik voor het tijdschrift gebruik, en ik heb mijn onvolmaakte modellen, die ik om artistieke redenen gebruik. Ik vind het schilderen van onvolmaakte modellen een veel interessantere en intelligentere bezigheid. Het is een manier om de tekortkomingen van het leven te erkennen.' Ze zwijgt abrupt en zegt dan: 'Het spijt me. Het dringt net tot me door dat dit misschien pijnlijk voor je is. Mijn excuses.'

'Ik voelde me helemaal niet gekwetst.' Wat niet waar is. Ik was wel gekwetst. Ze heeft me gekozen als onvolmaakt model. Ze heeft mij gekozen als belichaming van de tekortkomingen van het leven. Ik lieg tegen haar omdat ik wil dat ze verder praat, al die vreselijke dingen zegt die in haar hoofd omgaan, zodat ik vanaf het allereerste begin zal weten wat ze werkelijk van me denkt. Ik probeer een ontspannen en opgewekte indruk te maken.

'Mag ik de schilderijen van je onvolmaakte modellen zien?' vraag ik.

'Natuurlijk.'

Ze gaat me voor naar de andere kant van haar woonkamer en haalt uit een paar enorme kasten schilderijen te voorschijn. Ze stalt ze uit tegen de muur. Sommige zijn erg grappig. Ze zien er allemaal veel erger uit dan ik, wat me somber stemt.

'Vind je dat ik er net zo erg uitzie als zij?' vraag ik terneergeslagen.

Ze glimlacht even en zegt: 'Nee, ik ben mijn stijl aan het veranderen, wat aan het verzachten, door subtielere modellen te gebruiken.'

Ik voel me iets beter. Ik denk dat dit een goed moment is om te vragen of ze met me uit wil. Hoewel ze een dochter heeft (wat mijn gevoelens voor haar in het geheel niet verandert) en dus wellicht ook een echtgenoot, heeft ze die misschien ook niet, dus kan ik net zo goed een gokje wagen. Het ziet er niet naar uit dat ze met iemand samenwoont, maar dat kun je natuurlijk nooit met zekerheid zeggen.

Voor ik hier vandaag naartoe kwam, heb ik veel nagedacht over hoe ik haar zal vragen met me uit te gaan, dus weet ik precies wat ik ga zeggen.

'Heb je zin om met me naar de film te gaan?' vraag ik.

'O! Ik ben blij dat je erover begint,' zegt ze. 'Over precies zoiets wilde ik even met je praten.'

Ik trek nerveus mijn wenkbrauwen op en weersta de neiging iets te vragen wat dom zou kunnen klinken, zoals: 'Wat voor iets?' Dus houd ik mijn mond. Ik durf te wedden dat ze gaat vertellen dat ze geen afspraakjes maakt met haar modellen. Aan de andere kant vindt ze misschien dat ik te lang gewacht heb met haar uit te vragen. Hoe dan ook, als ze mijn uitnodiging accepteert en wil dat ik een film uitzoek, heb ik er al een paraat. Een Spaanse film met Engelse ondertiteling, over een toreador die verstrikt is in een driehoeksverhouding. Leuk en intelligent. Leuk en kunstzinnig. Hij heet *We are the Taurus*.

Ze zegt: 'Een van de redenen waarom ik die dag in de coffeeshop besloot je aan te spreken, was dat ik wilde dat je een vriendin van me zou ontmoeten. Ik denk dat je haar wel aardig zult vinden.'

Ik begrijp niet waar ze het over heeft. Wil ze me aan iemand anders dan haarzelf koppelen?

'Ze heet Laura,' vervolgt ze. 'Ze treedt vanavond op in de Défense d'y Voir, een kleine club. We zouden daar kunnen eten en daarna naar de film gaan.'

'Is ze een zangeres of zoiets?' vraag ik.

'Nee. Een dansende goochelaar.'

Ik frons mijn wenkbrauwen. 'Net als de lessen van Sara?'

'Ja. Laura is Sara's lerares.'

Ik wou dat ik kon vragen: 'Wat ís een dansende goochelaar eigenlijk?' Maar dat permitteer ik me niet, omdat ik bang ben dat het antwoord te voor de hand liggend zal zijn, zoals: een goochelaar die danst. Ik vraag me af of het tafereeltje dat zich eerder tussen Henrietta en haar dochtertje afspeelde niet louter voor mij werd opgevoerd, om mijn nieuwsgierigheid te prikkelen of iets dergelijks, wat gelukt is. Misschien was het de bedoeling dat ik zou gaan denken: tjee, ik ga iemand ontmoeten die iets doet wat Sara haar moeder smeekt haar niet te laten doen. Het moet gruwelijk vervelend zijn.

Wanneer ik later thuis voor de spiegel sta en me kleed voor 's avonds, realiseer ik me dat ik er net zo madeachtig uitzie als altijd. Ik probeer onmiddellijk die negatieve, vreselijk inaccurate, vreselijk overdreven, paranoïde gedachte uit mijn hoofd te verdrijven. Dan schiet me te binnen dat het kleine meisje me een O.I.M. noemde, en ik probeer te raden waar die letters voor staan: Overduidelijk Ingebeelde Made, Ongezonde Inteelt Mug, Onbeheerste Insekten Moordenaar, Onwelriekende Imbeciele Man. Nee, het moet iets goeds zijn, want Henrietta zei dankjewel: Optisch Imposante Mannequin, Ongelooflijk Inspirerend Model, Onze Ideale Man, Onbetwist Illustere Meester. Maar het meisje was degene die het zei, en misschien zag ze me als een bedreiging: Oude Infiltrerende Meisjeslokker.

's Avonds om acht uur haal ik Henrietta af. Het verrast me dat ze zich zo mooi voor me heeft gekleed. Ik voel me gevleid. Het geeft me heel wat zelfvertrouwen, waardoor ik iets vertrouwelijker met haar kan omgaan.

'Je ziet er fantastisch uit,' zeg ik.

Défense d'y Voir is een bijzondere nachtclub, eigenlijk meer een soort restaurant, behalve dat er tussen de tafeltjes een ruimte is opengelaten waar je kunt dansen, en met een klein podium aan de andere kant van de zaal. Henrietta legt uit dat de naam van het restaurant een Franse woordspeling is, en 'verboden te zien' betekent, of, anders gespeld: 'ivoren slagtand'.

Afgezien van de keuzemogelijkheden op de menukaart is het er in alle opzichten eenvoudig: de prijzen zijn redelijk, hier en daar wat spijkerbroeken, en geen vestiaire. Henrietta zegt dat zij voor ons zal betalen, dat ze me uitnodigt. Ik ben er zo verbaasd over dat ze me dit vertelt voordat we gaan eten, dat ik niet de moeite neem te protesteren. Ik voel me ook een beetje vernederd, maar ik dwing me ertoe dat onmiddellijk te vergeten. De ober komt onze bestelling opnemen.

Lady Henrietta zegt: 'Vooraf wil ik graag de *petite croûte d'escargots et champignons sauvages.*'

Ik ken nauwelijks enig Frans, dus lees ik de vertaling voor van wat ik wil: 'En ik graag de salade van duif met couscous en Xérès-azijn.'

'En als hoofdgerecht,' zegt Henrietta, 'wil ik de *steak tartare pommes frites.*'

Ik zeg: 'En ik wil de rollade en gegrilleerde patrijzeboutjes met prei op een bedje van wilde groente.'

Lady Henrietta bestelt rode wijn voor ons.

Ik ben benieuwd wanneer de dansende goochelaar haar entree zal maken, maar ik vraag er niet naar, omdat ik niet de indruk wil wekken dat ik in dat mens geïnteresseerd ben, wat niet het geval is. We eten. Het is best lekker. Ik probeer haar iets over haar leven te laten vertellen. Ik wil niets zeggen dat onze relatie in gevaar kan brengen of haar kan doen afknappen.

'Zijn er nog andere mannen in je leven?' vraag ik voorzichtig.

'Nee, niemand,' zegt ze een beetje afwezig. Dat antwoord maakt me zo gelukkig.

Ze kijkt veel naar de mensen om ons heen.

'Hoe oud ben je?' vraag ik. Of ze twintig of veertig is maakt voor mij geen enkel verschil. Ik vraag het haar omdat ik zoveel mogelijk over haar aan de weet wil komen, en ik geloof in een directe benadering.

'Dertig,' antwoordt ze.

'Ik ben negenentwintig. En hoe zit het met de vróegere mannen in je leven?'

'O, net als de vroegere mannen van wie dan ook.'

'En dat is?'

'Met een paar mannen ben ik uitgeweest. Ze gingen hooguit een jaar mee. Het was leuk zolang het duurde.'

'Zou je een duurzame relatie willen?'

'Vast wel.'

'Wat bedoel je met "vast wel"? Is dat een manier om te zeggen dat je het niet zeker weet?'

'Een van mijn karaktertrekken is dat ik vrijwel nooit iets zeker weet.'

'En de vader van Sara?'

'Wat is daarmee?'

'Wat is er van hem geworden?'

'Hij is overleden.'

'O, neem me niet kwalijk.'

Ik weet dat ik waarschijnlijk beter niet kan vragen 'waaraan'. Maar 'wanneer'? Mag ik wel vragen 'wanneer'?

'Wanneer?' vraag ik zacht.

'Tien jaar geleden.'

'Ach, wat vreselijk.'

'Ja, dat vond ik ook,' zegt ze, en kijkt naar de mensen om zich heen; vermoedelijk wil ze dat ik het onderwerp laat rusten.

'Hoe is het gebeurd?'

Ze kijkt me aan. 'Een vliegongeval.'

'Een vliegtuigongeluk?'

'Nee, bij het deltavliegen.'

Kan ik nu vragen: 'Heb jij dat wel eens gedaan?' of spin ik het onaangename onderwerp dan te lang uit?

'Heb jij dat wel eens gedaan?' vraag ik.

'Nee, daar ben ik nooit dol op geweest,' zegt ze; ze strijkt een haarlok uit haar gezicht en wil waarschijnlijk dolgraag dat ik mijn mond houd. Gretiger dan ooit bekijkt ze de mensen om zich heen, en ik besluit haar daarop te wijzen.

'Ben je onderwerpen voor je schilderijen aan het bestuderen?' vraag ik.

'Dat heb je goed gezien,' zegt ze glimlachend, waarschijnlijk opgelucht dat ik het onderwerp laat rusten. Ze vervolgt: 'Ik heb me onlangs duidelijker dan ooit gerealiseerd dat het voor het schilderen heel goed is om beweging te bestuderen. Vooral nu, voor mijn nieuwe, gematigder schilderijen. Alles is subtieler, dus moet ik dingen gaan observeren die niet zo relevant lijken voor het schilderen. Zoals stemmen, gesprekken en intelligentie.'

Ik ben er een beetje jaloers op dat ze zoveel naar andere mensen kijkt. Obsessief Idolate Martelaar.

'Ik hou van optische illusies,' voegt ze eraan toe.

Ik kan verder niets verzinnen om te zeggen, dus vraag ik, hoewel ik niet echt in het antwoord ben geïnteresseerd: 'Waar blijft de dansende goochelaar?'

'Ze zou zo moeten komen. Ze is zich aan het voorbereiden. Dat kost haar nogal wat tijd.'

Ik vraag me af waarom ze glimlacht als ze dit zegt. De ober komt onze bestelling voor het dessert opnemen.

Henrietta zegt: 'Ik wil graag de *poires aux amandes sur une mousse de vin blanc.*'

Ik zeg: 'Ik wil graag het verse honingijs.'

Ineens houdt de achtergrondmuziek op en klinkt er andere muziek. Het doet nogal Arabisch aan.

Er verschijnt een vrouw op het podium die een kist vol spullen meedraagt. Ze zet hem in een hoek neer. Ik vermoed dat dit Laura is. Ze is niet aangekondigd, maar omdat ze begint te dansen, moet het haar wel zijn. Ze gaat vrij normaal gekleed (om te leven tenminste, niet om te dansen), heeft laarzen en een wijdvallend jasje aan, geen speciaal kostuum, behalve een hoge hoed, die misplaatst aandoet bij de rest van haar tenue. De hoed wordt door een elastiek onder haar kin op zijn plaats gehouden, zodat hij niet afvalt tijdens het dansen. Ze is niet onknap, alleen lijkt haar mond een beetje misvormd. Ze draait snel rond, maakt sprongetjes en steekt haar

armen in de lucht. Ik kan zo zien dat haar dansen erg ama-
teuristisch is: zoals bankiers in een opwelling doen in de beslotenheid van hun eigen huis. Gegoocheld heeft ze nog niet.
Ze springt en tikt met haar voeten. Ze haalt een bloem te
voorschijn uit haar laars en steekt die triomfantelijk omhoog, wat me met ongeloof doet geloven dat dit bloem-uit-
de-laars-gedoe moet worden opgevat als een goocheltruc. Ik
ben verbouwereerd. Ze tapdanst een beetje, buikdanst een
beetje, doet een stukje *moonwalk*, maakt een bescheiden
sprongetje, en haalt een speelgoedkonijntje uit haar jasje te
voorschijn. Onwaarschijnlijk Incompetente Magiër. Ik ben
verbijsterd. Ze maakt nog wat huppelpasjes, springt, draait
rond, gooit een been in de lucht, en haalt een grote witte
stuiter uit haar mond, wat verklaart waarom haar mond er
zo misvormd uitzag. Ze is nu veel aantrekkelijker. Triomfantelijk houdt ze het publiek de glanzend natte stuiter voor.
Het is niet om aan te zien. Ik doe mijn uiterste best geen raar
gezicht te trekken. Ze klapt in haar handen, slaat op haar
dijen, zwaait met haar armen, draait rond op haar hielen, en
haalt uit haar andere laars een stokje te voorschijn dat, naar
ik aanneem, een toverstokje moet voorstellen. Dat zwaait ze
woest heen en weer, eerst als een lasso, dan, toepasselijker,
met de gebaren van een heks. Ze keert haar publiek een paar
seconden de rug toe en doet iets wat wij niet kunnen zien.
Dan draait ze zich naar ons om en (ta-da!) heeft een bril op.
Haar zwierige pose maakt ons duidelijk dat ze zojuist haar
vierde goocheltruc heeft gedaan, tenzij het toverstokje uit de
laars halen er ook een was, in welk geval het de vijfde zou
zijn. Het is uitputtend om te proberen uit te maken wat haar
trucs zijn; dat moet ik haar nageven.

Omdat ik echter mijn eigen oordeel niet vertrouw, leun ik
over naar Henrietta en fluister: 'Ik begrijp het niet.'

'Er valt niets te begrijpen,' fluistert ze terug.

'Het is heel ongewoon. Heeft ze veel succes?'

'Nee.'

'Hoe slaagt ze er dan in om geëngageerd te worden?'

'Vooral door relaties. De club is van een vriend van haar vader. Afgezien daarvan compenseert naar mijn idee het dansen de middelmatigheid van haar gegoochel.'

'Het dansen? Maar dat is net zo... problematisch als het gegoochel.'

'Nou, het goochelen vergoedt het gebrek aan vaardigheid bij het dansen.'

'Toch is de totaalindruk niet onplezierig,' lieg ik. 'Gebrek aan vaardigheid bij goochelen en bij dansen gaan heel goed samen.'

Voor het eerst lacht Henrietta vrij hard om mijn geestigheid en neemt me van opzij met belangstelling op. Ik wil mijn geestigheid uitbuiten, dus voeg ik eraan toe: 'Dat is wat telt: het geheel.' Hierdoor krijgt ze geen nieuwe lachstuip, maar goed.

Inmiddels heeft Laura op het podium een tennisbal uit de kist gepakt, houdt die in haar hand, keert het publiek langzaam de rug toe, en wanneer ze weer naar ons omdraait, houdt ze haar hand uitgestrekt voor zich, triomfantelijk leeg. Ik zou onder tafel willen wegkruipen van plaatsvervangende schaamte. Ze begint weer te huppelen, schudt haar hoofd, wringt haar schouders in bochten, maakt een sprongetje, zwaait het toverstokje. Uit de kist pakt ze een oranje zuurtje, verpakt in het gebruikelijke transparante plastic. Ze pakt het snoepje uit, stopt het in haar mond, laat het papiertje op de grond dwarrelen, waarna ze het publiek haar geopende, lege handen zien. Het is hartverscheurend. Ze schudt haar hoofd hard heen en weer, heupwiegt, wriemelt met haar vingers, slaat de panden van haar jasje uit als vleugels, maakt haar rug beurtelings hol en bol, schuifelt met haar voeten, maakt slinger- en zigzagbewegingen. Ze zet haar hoge hoed af, haalt er een of ander opgezet beest uit en houdt dat met een zwierig gebaar omhoog. Bespottelijk. Ik produceer een gemaakt lachje. Ze kromt haar benen, draait en kronkelt met haar lichaam alsof ze ergens de kriebels heeft, schudt haar haar, hurkt neer, staat op, en trekt een mes uit haar mouw. Ik denk:

O, gelukkig, misschien gaat ze iets traditioneels doen, zoals het mes inslikken.

Maar nee, ze laat het in de kist vallen die op de grond staat. Ze pakt een handvol wit poeder uit de kist, steekt met een krachtig gebaar haar toverstokje uit, alsof ze een toverspreuk uitspreekt, en gooit iets van het witte poeder in de richting van het toverstokje, dat gelukkig niet op het publiek is gericht. Ze spreekt in allerlei richtingen een keur van waardeloze, stoffige toverspreuken uit, als een trotse heks. Onverwacht maakt ze een buiging, waarbij al haar haar naar voren valt. Dat ziet er leuk uit, want ze heeft mooi haar.

Er wordt heel zacht geapplaudisseerd. Met minder enthousiasme klappen zou onmogelijk zijn, maar het verbaast me dát er geklapt wordt. Een jongeman aan een naburig tafeltje klapt met de toppen van zijn wijsvingers, tot vermaak van zijn vrouwelijke metgezel. Het optreden heeft hooguit tien minuten geduurd. Laura, de Obstinaat Incompetente Magiër, buigt nogmaals en verdwijnt van het podium.

'Hoe lang doet ze dit al?' vraag ik.

'Sinds een paar maanden. Een maand of vier, vijf, geloof ik.'

'Waar verdient ze de kost mee?'

'Haar familie is rijk. Ze doet deze show niet voor het geld, en ze doet het niet om succesvol te zijn. Ze doet het om respect te verdienen.'

'Hoe denkt ze hierdoor respect te verdienen?'

'Het is werk. Het is respectabeler dan niet werken.'

'Waarom heeft ze uitgerekend dit werk gekozen?' vraag ik.

'Ze heeft het waarschijnlijk zomaar verzonnen. Ze is heel makkelijk in alles.'

'Waarom maakt ze zich dan druk over respect?'

'Daar maakt ze zich niet hartstochtelijk druk over. Het is gewoon prettiger wel dan niet gerespecteerd te worden. Ze geeft ook les aan kinderen, waardoor ze nog meer respect krijgt, omdat het extra werk is.'

Henrietta stopt met praten, richt haar blik boven mijn hoofd en glimlacht. Ik kijk ook omhoog. Het is Laura. Ze komt bij ons zitten en Henrietta stelt ons aan elkaar voor. Laura lacht vriendelijk en drukt me stevig de hand om intelligentie en karaktersterkte uit te drukken.

'Het ging goed vanavond,' zegt Henrietta tegen Laura.

'O, dank je. Ik was erg zenuwachtig,' antwoordt Laura met een blik op mij.

Ik heb het gevoel dat ik iets moet zeggen. 'Je maakte geen nerveuze indruk,' zeg ik.

'Dank je, maar dat was ik wel,' antwoordt ze en kijkt er bescheiden bij.

'Hoe ging de les vanmiddag? Deed Sara het goed?' vraagt Henrietta.

'Ze heeft veel talent, maar ik kan zien dat ze niet voldoende oefent.'

Henrietta knikt ernstig.

Arme Sara. Arme, arme kleine Sara, die deze stompzinnige dans- en goochellessen moet verdragen. Ik voel een absoluut, allesomvattend mededogen voor haar. *En thuis te moeten oefenen!* Ik kan me Laura's wijze woorden wel voorstellen: 'Nee, zó haal je je toverstokje niet uit je laars te voorschijn. Dat doe je zó... Zorg ervoor dat je helemaal met je rug naar het publiek gekeerd staat voor je de bril opzet... Let erop dat je een groots en zwierig gebaar maakt na elke truc, anders realiseren de mensen zich waarschijnlijk niet dat je zojuist een truc hebt gedaan. Mensen zijn niet altijd even pienter, zeker niet als ze zitten te eten, dus moet je hen helpen inzien dat ze zojuist geamuseerd werden.'

Henrietta vraagt haar vriendin of ze al gegeten heeft of dat ze iets wil bestellen. Laura bedankt haar en zegt dat ze geen trek heeft. Ze raken aan de praat over Laura's broer. Laura lijkt helemaal niet zo dom als haar show doet vermoeden. In eigen persoon is ze uiterst normaal, en daardoor dwalen mijn gedachten af, ik kan me niet concentreren. Normale mensen vervelen me, niet omdat ik me superieur voel, maar omdat ik hen en wat ze zeggen niet begrijp. Ze geven me het gevoel alsof ik een kind ben dat naar het nieuws kijkt; ik kijk naar de beelden, maar denk aan andere dingen.

Ik denk aan Henrietta en aan de film die we zo dadelijk gaan zien, en of ik iets moet doen terwijl we ernaar kijken, zoals haar aanraken en/of scherpzinnige opmerkingen maken over de montage, de dialoog of het scenario? Nee, natuurlijk niet; nu ben ik maar wat aan het doordraven. Ik mag dan tot op zekere hoogte niet sociaal vaardig zijn, maar zo erg is het nu ook weer niet met me gesteld.

Een lange, blonde en uiterst knappe man komt naar ons tafeltje. Hij zou een van Henrietta's *Playgirl*-modellen kunnen zijn.

'Sorry dat ik zo laat ben,' zegt hij tegen Laura. 'Heb ik je optreden gemist?'

'Ja,' zegt ze vriendelijk. 'Dat geeft niet.'

Hij kust zowel Laura als Henrietta op de wang. Henrietta zegt tegen me: 'Jeremy, dit is Damon, een van mijn ex-modellen en Laura's broer. Ik ben helemaal weg van hem.'

Ik beschik over net voldoende wereldwijsheid, onderscheidingsvermogen en het benul welke vork te gebruiken om te beseffen dat ze een grapje maakt, anders zou ze dit niet zo ronduit zeggen.

'Damon,' zegt ze, 'dit is Jeremy, mijn huidige model.'

Ze voegt er niet aan toe dat ze helemaal weg van me is, wat betekent dat ze dat misschien wél is. Damon geeft me een hand.

Ze praten wat, en ik kijk weer naar het nieuws. Ik straal van intelligentie en lach werktuiglijk wanneer zij lachen. Ik slaag er zelfs in opgewekt en pienter te lijken telkens wanneer ze het woord tot mij richten, en 'Ik weet het niet' te antwoorden met raffinement in mijn toon en scherpzinnigheid bij het poneren van mijn vier woorden, en met wijsheid in mijn ogen.

Film, film, film, begin ik in gedachten te scanderen, terwijl de tranen van verveling langs mijn geest beginnen te stromen. Film, film, film. Bijna, bijna, bijna. Straks, straks, straks, straks. Kom op, kom op, kom op, kom op.

'Laten we gaan dansen,' zegt Henrietta. Er dansen een paar mensen op de dansvloer tussen de tafeltjes.

Ik dans met Henrietta. Laura danst met haar broer. Ik zie ineens een dollarbiljet op de vloer, dat door mensen wordt vertrapt. Ik wijs Lady Henrietta erop. 'Wil je het hebben?' schreeuw ik haar toe boven de muziek uit, die luider is geworden.

'Nee, ik niet, maar ga gerust je gang,' zegt ze.

Ik schud mijn hoofd.

Ik zie een draad aan mijn manchetknoop bungelen. Ik trek de draad er helemaal af. Het knoopje laat los. Ik stop het in mijn borstzakje. Lady Henrietta slaat me gade. Ik glimlach. Ornamenteel Interessante Mafkees. Opvallend Intelligente Manipulant.

We wisselen van partner (niet mijn idee, natuurlijk). Het dansen met Laura geeft me een wat paniekerig gevoel. Ik heb steeds de neiging om een papieren zakdoekje uit mijn zak te halen en triomfantelijk in de lucht te houden om een waardige danspartner voor haar te zijn.

Eindelijk staan we op het punt om te vertrekken. Henrietta vraagt Laura of ze zin heeft om mee te gaan naar de film. Laura zegt ja, tot mijn grote teleurstelling. Het was de bedoeling dat het een privé-afspraak zou zijn, in ieder geval de film. Damon wordt ook uitgenodigd, maar zegt dat hij al andere plannen heeft, en voegt eraan toe: 'Helaas.' Henrietta reageert erg teleurgesteld, maar ik ben weldenkend genoeg om te weten dat ze niet oprecht is; het is allemaal modieuze vleierij.

We kijken naar *We Are the Taurus*, de film over de toreador die verstrikt raakt in een driehoeksverhouding. Ik zit in het midden. Overweldigend Imposante Matador. Laura's handen liggen rustig in haar schoot. Ze is een ontspannen, evenwichtig mens. Henrietta zit er ook normaal bij. Halverwege de film valt me op dat ze niet naar het doek kijkt. Ze kijkt naar het hoofd van de man die voor haar zit. Tegen het eind van de film zit ze voorover gebogen in haar stoel en bestudeert zijn hoofd van heel dichtbij.

'Gaat het goed met je?' fluister ik in haar oor.

Ze fluistert terug: 'Die man is een O.I.M.'

'Wat is een O.I.M.?'

'Een Optische Illusie Man.'

Tjee. Dát is dus wat ik ben. Ik ben een Optische Illusie Man! Het klinkt haast als de Onzichtbare Man. Bijna een superheld! 'Wat houdt dat in?' vraag ik.

'Het betekent dat hij bijna iets is, maar niet helemaal, of misschien is hij het wel, maar is het onmogelijk uit te maken of hij het wel of niet is. Het ene moment denk je van wel, en het volgende weet je zeker van niet.'

Ik bestudeer het achterhoofd van de man van dichtbij om te zien wat hij bijna wel of niet is. Ik voel me heel intelligent en opmerkzaam, omdat ik meteen zie wat ze bedoelt. De man heeft bijna een kale plek. Midden op zijn hoofd is zijn haar aan het uitdunnen. Het ene moment denk ik dat hij een kale plek heeft, en het volgende moment denk ik nee, nee, dat heeft hij beslist nog niet. Het is een vreemde ervaring, en het is de eerste keer dat ik ooit een optische illusie bij een mens heb opgemerkt. Ineens word ik zenuwachtig bij de gedachte welke optische illusie Henrietta aan mij ziet.

De film is afgelopen. Ik had moeite mijn aandacht erbij te houden, zoals u zich ongetwijfeld kunt voorstellen. Niettemin geeft mijn vage indruk me er vrij veel vertrouwen in dat ik me niet voor mijn keus hoef te schamen. Ik geloof dat *We Are the Taurus* Henrietta een gunstige indruk heeft gegeven van mijn smaak op filmgebied. Er gebeurde niet veel in het verhaal, en ik ben wederom verfijnd genoeg om te weten dat dat altijd een pluspunt is. Bovendien liep het slecht af wat, naar ik weet, een *must* is (een Europees trekje en daarom fantastisch): de vrouw op wie de toreador verliefd was, werd doorboord door de horens van de stier, en de vrouw die van hem hield, hield niet meer van hem zodra haar rivale dood was. Uit verdriet over de onfortuinlijke perforatie van zijn geliefde (die zijn liefde trouwens niet beantwoordde), zei hij zijn carrière als superster voorgoed vaarwel.

Hoewel van gepaste somberheid is deze afloop, zoals u zelf kunt beoordelen, een tikje té volgepakt met actie, wat me, kan ik u verzekeren, bezorgde blikken op Henrietta deed werpen, hoewel ik toch het excuus had dat ik de film nooit eerder had gezien. Maar onzeker als ik ben, voel ik ondanks dat de noodzaak Henrietta gerust te stellen over de deugdelijkheid van mijn smaak door haar erop te attenderen dat ik me ervan bewust ben dat die miskleun aan het einde inderdaad een miskleun is. Als we opstaan, zeg ik dus: 'Geen slechte film, maar vond je het eind ook niet wat veel van het goede?'

'Vond je? Ik vond het wel aardig,' zegt ze, en bezorgt me grijze haren door het plotselinge, ontluikende, maar gelukkig nog discutabele besef dat mijn smaak misschien te goed is voor mijn eigen bestwil.

Ze loopt naar de O.I.M. en begint een praatje met hem. Ik sta niet vlak bij haar, dus kan ik in het begin niet verstaan wat ze zegt. In mijn verontwaardiging ga ik dichterbij staan.

Ze draait zich om naar Laura en mij en zegt: 'Tot ziens jullie tweeën. Jeremy, ik zie je zaterdag.'

Argh! Ze laat me alleen achter met Laura! Argh, plurk, kadoem, splutter, oink. 'Zal ik je niet even naar huis brengen?' vraag ik.

'Nee, dank je. Deze heer hier brengt me naar huis,' zegt ze.

De man staat haar met grote, vochtige ogen aan te kijken. En zijn mond is ook vochtig, waarschijnlijk van wellust.

Ze werpt me een vertrouwelijke glimlach toe en trekt haar wenkbrauwen op, alsof ze wil zeggen: ik heb zojuist mijn volgende model gevonden; ik móet hem vanavond portretteren, wil je alsjeblieft mijn inspiratie niet bederven.

Ik glimlach terug, waarna ze de bioscoop uitloopt, vergezeld door haar O.I.M.

Ik draai me om naar Laura. 'Ga je met de taxi naar huis?' vraag ik.

'Ja, ik denk dat dat het makkelijkste is.'

We lopen naar buiten. Om te vermijden dat ik een taxi met haar moet delen, vraag ik haar niet of we dezelfde kant uit moeten. Ik hoop dat zij er niet over begint, en ik hoop dat er makkelijk een taxi te vinden zal zijn, zodat we niet over koetjes en kalfjes hoeven praten.

Als bij toverslag (eigenlijk het meest magische van de hele avond) komt er meteen een taxi, die voor ons stilhoudt nog voordat we onze hand hebben opgestoken. Laura stapt in en wordt weggereden. Ik hoop dat ik haar nooit meer hoef te zien. Ik kon niet waarderen dat ik aan haar werd gekoppeld, zeker niet uitgerekend door degene in wie ik geïnteresseerd ben.

Als ik thuiskom, zegt mijn poes, Minou: Wat is krolsheid? Ik kijk haar bezorgd aan, omdat ik pas heb ontdekt dat krolsheid iets met seks te maken heeft, en ik niet weet hoe ik dat onderwerp met mijn poes moet bespreken.

Waar heb je dat woord opgepikt? vraag ik.

Zomaar ergens. Wat betekent het?

Je weet heel goed wat dat betekent. Krols komt van kroelen.

O, Jeremy, bespaar me dat. Wat betekent krolsheid?

Intussen heeft mijn vriendin, Charlotte, te kennen gegeven dat ze met me wil samenwonen. Ik heb de kracht noch de belangstelling om ertegen in te gaan, dus laat ik haar bij me intrekken, maar ik vraag wel of ze haar eigen flat aanhoudt voor het geval een van ons tweeën er ooit even tussenuit wil.

Ik kan me voorstellen dat Charlotte van het nieuwsgierige type is en ik ben in het bezit van een aantal dingen waarvan ik niet wil dat ze die ziet: mijn jongensdagboek, de *Playgirl* met Henrietta's schilderij, en een paar handboeien die ik een tijd geleden heb gekocht, omdat ik iemand wilde zijn die een paar handboeien bezat. Zoiets in je bezit hebben brengt een kleine verandering teweeg in je persoonlijkheid, en in je voordeel, vind ik. Het maakt je opwindender, ook al is het op een uiterst subtiele manier. Als mensen me zien, wil ik dat ze denken: Zo, deze man heeft de persoonlijkheid van iemand die een paar handboeien bezit. Een opwindend iemand.

En mijn zelfbeeld is ook een beetje veranderd. Het werd: ik, Jeremy, de eigenaar van een paar handboeien.

Ik moet een goede plek zien te vinden om deze drie dingen te verstoppen. Na lang nadenken besluit ik mijn voordeel te doen met Charlottes gewoonte om nooit omhoog te kijken. Ik spijker mijn spullen tegen het plafond van de badkamer.

Het is onwaarschijnlijk dat je op je rug in de badkamer gaat liggen, tenzij je een bad neemt, maar in dat geval zou Charlotte niet hoger kijken dan recht vooruit naar haar voeten.

De volgende zaterdag neem ik voor het kleine meisje een bos witte pioenrozen mee, op één soort na mijn lievelingsbloemen, in de overtuiging dat Lady Henrietta dat leuk zal vinden. Naar blijkt vindt het meisje het nog veel leuker. Ze valt me dankbaar om de hals, wat me een ongemakkelijk gevoel bezorgt, omdat ze me naakt heeft gezien.

Ik vraag Henrietta wat er is gebeurd met de O.I.M. die ze laatst mee naar huis had genomen. Ze zegt dat ze een portret van hem heeft gemaakt, maar dat het nog niet klaar is, zodat ze het niemand kan laten zien.

Ze laat me het portret van mezelf zien. Ik moet haast lachen om hoezeer ze me veranderd heeft. Ze heeft me het aanzien gegeven van een heel verwijfde man, die in een vrouwelijke pose ligt. Dan word ik overvallen door een gevoel van bewondering. Het is erg goed geschilderd. Het toont mij liggend op de sofa, naakt, op roze en zwarte lakens, mijn arm achter mijn hoofd, met mijn blik op de schilderes gericht. Het portret zit vol optische illusies, vooral in mijn gelaatsuitdrukking en de houding die ik aanneem. Ik kijk alsof ik bijna gelukkig ben, maar ik kijk ook alsof ik gespannen en erg wanhopig ben. Mijn lichaam maakt een behaaglijke indruk, ontspannen en zelfs vol zelfvertrouwen, maar tegelijkertijd duidt de gelaatsuitdrukking op de wens het lichaam te bedekken, en het lijkt zelfs bijna alsof een nauwelijks waarneembare sluier me helemaal bedekt, op de ogen na, als een spookkostuum voor Halloween.

'Het is erg goed,' zeg ik.

'Ik weet het,' zegt ze. 'Het is zonder twijfel het beste schilderij dat ik heb gemaakt. Je was het beste model.'

'Was ik een Optische Illusie Man?'

'Ja.'

'Je dochter zei dat ik de meest uitgesproken O.I.M. ben die ze ooit heeft gezien. Is dat waar?'

'Ja. Ik heb nooit een vollediger Optische Illusie Man gezien dan jou.'

'In welke zin ben ik een O.I.M.? Wat is het dat ik bijna maar niet helemaal ben?'

'Je bent bijna lelijk, maar niet helemaal. Je bent bijna knap, maar niet helemaal. Je hebt bijna een vetlaag rond je taille, maar niet helemaal. Je ribben steken bijna te veel uit, maar niet helemaal. Je ziet er bijna uit als de meest stomweg gelukzalige man ter wereld, maar niet helemaal. Je ziet er bijna uit alsof je elk moment zelfmoord zou kunnen plegen, maar niet helemaal.

'O, is dat alles?' zeg ik.

'Is dat sarcasme van je?' vraagt ze.

'Nee. Is er niets bij dat meer onthult over mijn innerlijke zelf? Minder oppervlakkig? Interessanter?'

'O, je wilt de interessántere observaties. In dat geval kan ik je net zo goed de lijst laten zien die ik heb gemaakt van de interessante optische illusies die in je besloten liggen.' Ze trekt een lade open en haalt er een dubbelgevouwen vel wit papier uit. Dat geeft ze me.

Op het vel staat de volgende, handgeschreven informatie:

Jeremy Acidophilus, Optische Illusie Man

1. *Hij praat niet veel, maar als hij praat is het te veel.* (Au! Ik ben vreselijk beledigd.)

2. Hij ziet er zwak en ongezond uit, maar hij ziet er op de een of andere manier ook uit alsof hij ons allemaal zou overleven als het einde van de wereld kwam, als een kakkerlak.

3. Hij ziet eruit alsof hij gemakkelijk te manipuleren is, maar ook alsof hij onverwacht koppig zou kunnen zijn.

4. Zijn gezicht is vaak erg bleek, en zijn mond is groot en rood, wat hem soms de aanblik geeft van een vampier, soms van een clown, soms van een ouderwetse, gevoelige heer, maar verrassend genoeg nooit van een homoseksueel. Andere keren lijkt zijn mond veel kleiner, normaler van formaat, en minder rood, en is zijn huid minder wit, en vraag je je af of je je zijn grote, rode mond van de vorige dag hebt verbeeld of dat die echt was.

Dat is het einde van de lijst, maar die was lang genoeg naar mijn smaak, en ik heb het gevoel alsof ik net vier stompen in mijn gezicht heb gekregen.

'Toen je kakkerlak opschreef, bedoelde je toen misschien made?' vraag ik haar, niet uit bitterheid, maar uit oprechte nieuwsgierigheid; mijn verschijning doet me altijd zo levendig aan een made denken dat ik me afvraag of ze het geen openbaring zal vinden als ik dat tegen haar zeg.

Ze kijkt me een beetje verrast aan, en zegt: 'Nee, ik bedoelde kakkerlak.' Ze pakt het vel papier van me aan en legt het weer in de lade.

'Ben jij een O.I.V.?' vraag ik.

'Dat weet ik niet,' zegt ze. 'Vind jij van wel?'

Ik probeer iets te verzinnen dat ze bijna is, en uiteindelijk zeg ik: 'Je bent bijna onbeleefd, maar niet helemaal.'

'Ik wilde je gevoelens niet kwetsen,' zegt ze. 'Als ik dat toch heb gedaan, spijt me dat vreselijk. Maar soms laat ik me meeslepen door mijn kunst, word ik bijna kwaad, en kan ik me er niet van weerhouden dingen te zeggen of te schrijven die te hard lijken, omdat ik vind dat wat ik zeg de waarheid is.'

'Zal ik je nog zien, nu je klaar bent met het portret?'

'Natuurlijk. Ik wil dat je mijn vriendin Laura blijft ontmoeten. Ze heeft niet veel vrienden, en ik denk dat jullie heel erg op elkaar gesteld kunnen raken.'

'Ik geloof niet dat ze me erg aardig vond. Ze heeft nauwelijks iets tegen me gezegd,' zeg ik.

'Ze vond je ontzettend aardig. Dat heeft ze me zelf verteld.'

'Ik ben niet zo dol op... wat ze doet.'

'En jijzelf dan? Doe jij iets dat zo fascinerend is dat je daardoor zo mag oordelen en zo kieskeurig mag zijn?'

'Ik trek feiten na. Dat is tenminste iets wat mensen doen. Ik weet niet wat je plannen zijn. Wil je dat ik een verhouding met haar begin?'

'Dat zou leuk zijn. Als je haar tenminste leuk vindt.'

'Ik vind jou leuk.'

'Dat weet ik, maar dat kan niet. Ik val op Laura's broer, Damon.'

Verdorie. Ik wíst het.

'Begrijp het nou,' vervolgt ze. 'Ik moedig jou aan als een gunst tegenover haar. Zoiets als voor wat, hoort wat. Ik help haar een man te vinden, en zij doet een goed woordje voor me bij haar broer. Ik ken haar eigenlijk helemaal niet zo goed. Ik heb haar pas ontmoet, via haar broer. Ik ben niet zo ontzettend op haar gesteld. Eerlijk gezegd vind ik haar heel gewoontjes, wat jou naar ik weet zal verbazen, nu je haar optreden hebt gezien. Maar ze heeft eigenschappen die de meeste mensen prettig vinden. Ze is verstandig, evenwichtig, stabiel, gezond, rustig, makkelijk in de omgang, gelijkmatig, ontspannen, sereen. Haar broer daarentegen is fantastisch.'

Als ik thuiskom, kijkt mijn poes, Minou, me met halfgesloten ogen haast glimlachend aan. Haar vacht staat helemaal uit en zit door de war.

O, Jeremy, lieverd! Je ziet er erg goed uit vandaag, zegt ze. Ik heb een eeuwigheid gewacht tot je thuiskwam.

Waarom?

Zeg me eerst eens: ben ik mooi?

Ja, net als altijd.

Je kijkt niet eens naar me.

Ik kijk naar haar en ze gaat languit, weelderig, op de grond liggen.

Maar nu? vraagt ze. Ben ik nu mooi? Ze spint luidkeels, maar ik hoor dat ze zich geweldig inspant om niet te spinnen tijdens het praten, omdat ze weet dat ik daar een hekel aan heb.

Ja, je bent mooi, antwoord ik. Maar waarom heb je zitten wachten tot ik thuiskwam?

Omdat ik geloof dat ik kroelepoelig ben.

Wat is kroelepoelig?

O, Jeremy, je bent zooo traag.

Oké, ik ben traag. Maar wat is nu kroelepoelig?

Kroelepoelig is krols. Waar blijven de mannetjes?

Tja, hoe had je gedacht dat ze zouden komen? Alle ramen en deuren zijn dicht, en we wonen op de derde verdieping.

Dat doet er niet toe. Ze horen evengoed te komen.

Door de muur heen, bedoel je?

Ik weet het niet. Ze vinden altijd een manier.

Ze miauwt luid en ziet eruit alsof ze pijn heeft. Ik heb medelijden met haar, dus zeg ik: Wees maar gerust, dit hoef je nooit meer door te maken. We zullen je laten opereren, dan voel je je de rest van je leven prettig en normaal.

Ben je niet goed bij je hoofd? Ik wil vrijen. En ik wil kinderen.

Maar straks ga je overal plassen.

Ik beloof je van niet.

Ze gaat maar door, ontsteld en verontwaardigd, en ik begin me een monster te voelen. Ze laat me zweren dat ik haar nooit zal laten opereren, maar ik duim dat die mogelijkheid open blijft.

Ze kalmeert en zegt: Aai me, Jeremy, aai me. Meer. Niet ophouden. Oh, Jeremy.

5

Drie dagen later ga ik voor het eerst om geen andere reden dan vriendschap bij Henrietta op bezoek. Eigenlijk was zij degene die het voorstelde. Ik dacht dat het was omdat Laura er zou zijn. Maar nee. In plaats daarvan is er een mooie naakte man, die door Henrietta wordt geportretteerd. Hij ligt in de meest comfortabele houding die hij kon vinden, tenzij die regel alleen van toepassing is op de niet-perfecte modellen, zoals ik. Henrietta zegt gedag, maar gaat zo op in het schilderen en de marsepeinen poesjes dat ze niet veel aandacht aan me besteedt. Haar dochter, Sara, neemt me aan de hand mee naar haar slaapkamer om me haar Humpty Dumpty-verzameling te laten zien.

Er zitten heel wat verschillende Humpty Dumpty's op haar planken. Veel ervan zijn echte eieren met gezichten erop geschilderd en armen en benen van touw eraan geplakt.

'Die heb ik gemaakt,' zegt Sara.

'Ze zijn erg mooi beschilderd,' zeg ik.

Ze wijst op een van de eieren. Ik bekijk hem en ben geschokt. Ze zegt: 'Dit is een van mijn nieuwste. Die heb ik vanochtend afgemaakt. Het heeft me negen uur gekost om die te maken, verspreid over drie dagen.'

Het gezicht dat op het ei is geschilderd is mijn gezicht.

'Vind je hem mooi?' vraagt ze.

'Ben ik dat?'

'Ja.'

'Het is heel natuurgetrouw. Je hebt talent.'

'Dank je. Altijd als ik iemand ontmoet die ik aardig vind, maak ik er een ei van.'

'Ik ben zeer gevleid.'

'Dat is nog niet alles. Er hoort een voorstelling bij.'

'O?'

'Ja. Ben je zover?'

'Ja.'

'Oké.' Ze gaat rechtop staan, met haar gezicht naar me toe, naast de op mij lijkende Humpty Dumpty, en begint op te zeggen: '*Humpty Dumpty sat on a wall. Humpty Dumpty had a great fall...*'

Hierbij schuift ze haar vinger achter het eitje met mijn gezicht erop, en duwt het van de plank. Het valt kapot op de houten vloer. Er loopt dik, rood, glanzend drab uit.

Sara gaat verder met haar voordracht: '*All the king's horses and all the king's men couldn't put him back together again.*'

Ik sta er verbouwereerd bij en voel me beledigd.

'Leuk hè?' zegt ze.

'Jammer dat je mijn gezicht kapot hebt gemaakt.'

'Maar vond je het niet leuk, die vertoning met het bloed? Vond je het niet verrassend?'

'Heel verrassend. Hoe heb je dat bloed gemaakt?'

'Jodium met olijfolie.'

'Toch is het echt zonde dat je mijn gezicht kapot hebt gemaakt. Zeker als je er negen uur aan hebt gewerkt. Het was zo knap gedaan.'

'Maak je geen zorgen,' zegt ze, en pakt een gesloten eierdoosje. Ze doet hem open en ik word geconfronteerd met zes andere Humpty Dumpty-versies van mezelf; elk drukt een andere emotie uit, die ik min of meer kan ontcijferen als Angst, Verrassing, Boosheid, Verdriet, Verveling en, als laatste, Schuld, met vuurrode wangen van schaamte.

Ik kijk naar het kapotte gezichtje op de vloer, het zevende ei, en besef dat het Geluk was.

'Ze zijn prachtig,' zeg ik tegen haar.

'Je moet niet denken dat ik drieënzestig uur ben bezig geweest al die eieren van je te maken. Ik heb er negen uur over gedaan. Je mag er een hebben, maar ik moet je ervoor waarschuwen dat het ei dat je kiest meer over je persoonlijkheid zal onthullen dan negen uur praten.'

Ik probeer uit te maken of ik het ei moet kiezen dat ik het mooiste vind of het ei dat het minst belastend voor me is. Het ei dat ik het mooiste vind is Schuld. Het is het grappigste en expressiefste ei, met zijn rode wangen van schaamte, maar het is ook het ei dat me het meest in verlegenheid zal brengen als ik het kies, dus besluit ik het minst belastende, alleronschuldigste ei te kiezen.

'Ik denk dat ik Verveling kies,' wijs ik.

'Dat is niet Verveling, het is Slaperigheid. Het is zeer onthullend dat jij het als Verveling interpreteerde. Maar je liegt. Dat is niet je eerste keus, omdat het overduidelijk het minst geslaagde ei is. Dit is heel onthullend, Jeremy, en het plaatst je niet in een goed daglicht. Het laat zien dat je een beetje laf en oneerlijk bent. Geef maar toe. Dat verveelde ei is niet je lievelingsei.'

Ik vind haar akelig slim voor een kind van haar leeftijd.

'Je hebt gelijk,' zeg ik, mijn ergernis verbergend. 'Ik koos het verveelde ei, omdat ik niet wilde dat je zou denken dat ik bang, verrast, boos, verdrietig of schuldig was.'

'Je onthult met de minuut meer van jezelf. Waarom zou je in hemelsnaam niet willen dat ik denk dat je verrast bent? Dat is toch geen negatieve of beschamende emotie, maar voor jou is het dat blijkbaar wel, om de een of andere diepe, vreemde en geheimzinnige reden.'

Daar heeft ze me te pakken. Ze heeft gelijk. Ik wilde niet dat ze zou denken dat ik verrast was door haar gedrag tegenover mij, door haar buitensporige vertrouwelijkheid, die me zorgen baart en me in verwarring brengt. Ik moet liegen. 'Nee, je hebt gelijk; verrast zijn is geen negatieve of beschamende emotie. Ik dacht gewoon het eerst aan verveling. Ik was wat slordig.'

Ze kijkt me met halfgesloten ogen achterdochtig aan. 'Zeg eens, wat ís je lievelingsei?'

'Het geluk dat op de grond ligt.'

'Dat is al te makkelijk. Bovendien kan ik je die niet geven; die is kapot. Welke uit deze doos vind je het leukst?'

'Deze,' zeg ik en wijs op de schuldige. 'Ik vind zijn rode wangen leuk.'

'Je hoeft je keus niet te rechtvaardigen door te zeggen dat je die rode wangen leuk vindt. Er is geen reden om je er schuldig over te voelen dat je schuld uitkiest.'

'Ik rechtvaardig mijn keus niet. Ik vind die rode wangetjes echt leuk.'

Ik ga twee keer per week bij Lady Henrietta op bezoek, elke zaterdag- en woensdagavond, omdat ze zegt dat ik mag langskomen wanneer ik maar zin heb. Ze moet genieten van mijn aanwezigheid. Ik geloof dat onze relatie zich langzaam maar zeker verdiept. Ik hoop dat haar genegenheid voor me gauw in liefde verandert, als dat al niet gebeurd is.

Laura komt nu ook af en toe. Ze probeert wat met me te praten en zegt aardige, normale dingen als: 'Jeremy, ik was weg van de film die je had uitgezocht, *We Are the Taurus*', en: 'Jeremy, wat een leuk jasje heb je aan', en: 'Wat een mooie dag, vind je niet?' Tegen Sara en Henrietta zegt ze: 'Je schilderij schiet aardig op, Henrietta', en: 'Leer je boeiende dingen op school, Sara?'

Ik grijp de eerste kans die ik krijg aan om met Sara te gaan spelen, wat ik veel leuker vind dan met Laura praten. Ik weet niet waarom ze me zo afstoot. Nou ja, een reden is dat ik er een hekel aan heb om aan iemand gekoppeld te worden. Dat heb ik mijn hele leven al verafschuwd, vanaf het moment dat mijn moeder me dwong te spelen met het akelige kleine buurmeisje. Mijn moeder en haar moeder zaten dan samen naar ons te kijken en zeiden: 'Ach, wat líef!'

Vaak is Henrietta een van haar modellen aan het schilderen als ik op bezoek kom. Tot dusver heb ik alleen de knappe modellen gezien, geen gewone mannen zoals ik. Terwijl Henrietta aan het schilderen is, is Sara aan het tekenen. Ze zit aan de salontafel en tekent mannenkleding, soms uit haar hoofd en soms pakt ze de kleding van het model uit het kleedhokje en stalt die voor zich uit. Ze maakt snelle, maar heel goede schetsen van de broeken, stropdassen, overhemden en schoenen, terwijl ze van haar moeders marsepeinen beestjes zit te peuzelen.

'Ik wist niet dat je ook een kunstenares was,' zeg ik tegen haar.

'Dat ben ik niet echt. Ik teken alleen mannenkleding.'

'Waarom?'

'Ik vind dat die goed samengaan met de schilderijen van mijn moeder.'

Ik interpreteer dit als voortkomend uit een grote verontrusting die ze voelt over het feit dat haar moeder naakte mannen schildert. Als we onder vier ogen zijn, uit ik deze mening tegen Lady Henrietta, die zegt: 'Ik betwijfel of het een "grote verontrusting" is. Misschien een lichte verbazing. Sara vindt dat haar tekeningen een mooie aanvulling zijn op mijn schilderijen. Dat vind ik alleraardigst.'

Dus besluit ik Sara zelf te vragen wat ze vindt: 'Wat vind je ervan dat je moeder naakte mannen schildert?'

'Ik vind het fantastisch,' antwoordt ze. 'Naaktheid is het diepzinnigste onderwerp ter wereld.'

'Stoort het je?'

'Nee, integendeel. Ik denk dat ik bof met zo'n intelligente en ongedwongen moeder.'

Ik ben niet overtuigd. Wat Sara doet en wat ze zegt zijn twee verschillende dingen. Als ze haar moeders schilderijen goedkeurde, zou je verwachten dat ze zou proberen haar te imiteren door zelf ook dingen naakt te tekenen, zoals haar poppen.

Sara heeft altijd een Barbie-pop bij zich, en ten slotte vraag ik Lady Henrietta op een dag: 'Is ze niet een beetje te oud om met Barbie-poppen te spelen?'

'Ja, natuurlijk,' zegt Lady Henrietta. 'Daarom doet ze het. Ze is graag onconventioneel, wat iets heel bewonderenswaardigs is in een kind, omdat ze op die leeftijd zo wreed tegen elkaar zijn. Zij doet graag dingen die minachting oproepen bij haar klasgenoten, en confronteert hen daarmee. Ze is zo sterk.'

'Trekt ze daarom ook die ontzettend kinderachtige kleren aan?' (Wat ze doet.)

'Ja, daarom. Bovendien vindt ze Barbie-poppen wel leuk. Ze stimuleren haar fantasie.'

Op dat moment besluit ik een Barbie-pop voor Sara te kopen, om haar moeder een plezier te doen.

Ik ga naar F.A.O. Schwarz, omdat ik denk dat ze daar de grootste keus zullen hebben. Ik wil de mooiste Barbie-pop kopen die Lady Henrietta ooit heeft gezien. Ik wil haar imponeren met mijn keus. Ik durf te wedden dat zij nooit de moeite heeft genomen naar F.A.O. Schwarz te gaan voor een Barbie-pop. Ik durf te wedden dat F.A.O. Schwarz Barbie-poppen verkoopt die mooier en natuurgetrouwer zijn dan ze ooit heeft gezien. Ik zie al voor me wat een effect mijn keus op Lady Henrietta zal hebben. Sara zal vast tegen haar moeder zeggen dat het de allermooiste Barbie-pop is en iets zeggen als: 'Je nieuwe vriend, de O.I.M., heeft een voortreffelijke smaak.'

Nu ben ik op de Barbie-afdeling. Ze hebben inderdaad een vrij groot assortiment. Ik bekijk met zorg alle dozen om de indrukwekkendste te vinden.

Ik zie *Barbie Vliegtuigcadeauset. Knappe piloot verandert in charmant gezelschap! Met vliegersinsigne. Inclusief kartonnen pop.*

Ze hebben hetzelfde model in drie uitvoeringen: een zwarte pop, een blonde en een brunette, die ook een leuker gezicht heeft dan de andere twee omdat haar mond dicht is.

Ze hebben *Barbies Woeste Wildwater Surfset. Zonder pop.* Ook een *Woest Wildwaterpark. Zonder poppen. Met superzwembad en gigantische glijbaan! Met 'drink' fontein! Met bruisende straalstroom!*

Ik probeer erachter te komen waarom ze het woord 'drink' tussen aanhalingstekens hebben gezet. Geen enkel ander woord staat tussen aanhalingstekens. Dat moet een zetfout zijn.

Er zijn nog een stuk of tien andere dozen, met Barbie-auto's, -huizen, -fitness centra, -picknicksets, enzovoort. Ik ben een beetje teleurgesteld. Niet een van de poppen is levensecht, mooi of interessant. Ik krijg het gevoel dat ik het idee om een Barbie-pop voor Sara te kopen maar moet laten varen. Misschien moet ik maar een Humpty Dumpty voor haar kopen.

Ik sta op het punt weg te gaan, als ik zie dat er een deel is met poppen die eruitzien als Barbie, maar Jane heten.

De eerste Jane-doos die ik pak, is *Jane maakt zich op, maar dat lukt niet erg, dus pakt ze de telefoon om te vragen of haar vriendin komt.* In de doos zit een kleine telefoon en een Jane-pop die op een weinig flatteuze manier mascara en lippenstift om ogen en mond heeft gesmeerd.

Ik ga naar de volgende doos. *Jane gaat op dieet.* De Jane-pop is mollig.

De volgende is *Jane trapte op weg naar huis in de hondepoep, en ze moet haar nieuwe schoenen zien schoon te maken, want over vijf minuten komt haar vriendje haar ophalen.* Er zit een bruine klodder op het roze schoentje van de Jane-pop.

De volgende is *Jane gaat met haar vriendje naar de film, en hij kust haar. Poppen niet inbegrepen.* In de doos zitten twee bioscoopstoelen en verder niets.

De volgende is *Jane kiest een hobby. Ze gaat schilderen.* Naakte mannen. Dat zou leuk zijn geweest.

Er komt een verkoopster naar me toe en zegt: 'Kan ik u helpen?'

'Ik probeer de beste pop te vinden voor een klein meisje.'

'Dan zou u bij de Barbie-poppen moeten kijken die daar staan. Die zijn veel beter dan de Jane-poppen.'

'De Barbie-poppen heb ik al gezien. Ik moet de betere over het hoofd hebben gezien. Waar staan die?'

'Ze zijn allemaal beter.' Ze begint zachter te praten. 'Ik weet dat ik dit niet hoor te zeggen, maar persoonlijk vind ik dat de Jane-poppen verboden zouden moeten worden. Die zijn niet gezond.'

Ik koop *Jane maakt zich op* en *Jane gaat naar de film met haar vriendje*, en vraag me nog steeds af waarom ze het woord 'drink' tussen aanhalingstekens hebben gezet.

Ik geef Sara de Jane-pop. Ze valt me om de hals en kust en knuffelt me, wat me nog steeds een ongemakkelijk gevoel geeft, zodat ik besluit haar geen cadeautjes meer te geven. Maar telkens wanneer ik er kom, stort ze zich toch weer op me. Ze mag me echt heel graag.

Lady Henrietta vraagt niet of ze me nog eens mag schilderen, maar ze lijkt mijn bezoekjes leuk te vinden, zelfs te denken dat ze gewoon zijn en moeten doorgaan. Ik ben een van haar vrienden geworden.

Haar dochter is weg van me. Ze omhelst me als ik binnenkom en kust me op de wang. Ze dwingt me om met haar naar films te kijken, vooral naar een film die *Ezelsvel* heet, of, in het Frans, *Peau d'Âne*. Zowel Henrietta als haar dochter spreken erg goed Frans. Sara gaat naar een Franse school. De film is in het Frans, met Engelse ondertiteling. Het is een sprookje. Een geestig sprookje. Catherine Deneuve speelt de prinses.

Het kleine meisje kent de tekst van alle liedjes, en zingt mee, met een heel mooie stem. Ze kent zelfs de tekst van de hele film en praat mee met de acteurs.

Het verhaal gaat over een koning die verliefd wordt op zijn dochter. Hij wil met haar trouwen. Ze houdt van haar vader, maar wil niet met hem trouwen. Om hem te ontmoedigen zegt ze dat ze zal toestemmen als hij haar een japon geeft in de kleur van het weer. Tot haar verrassing slaagt hij daarin. Ze zegt dat ze een japon wil in de kleur van de maan, in de overtuiging dat dat te moeilijk zal blijken, maar hij slaagt erin. Ze zegt dat ze een japon wil in de kleur van de zon. Het lukt hem. Ze zegt dat ze het vel van zijn toverezel wil. Hij is verontwaardigd over dit verzoek, omdat hij veel van de ezel die goud uitpoept, houdt. Maar hij doodt de ezel en geeft haar het vel, denkend dat ze nu met hem zal trouwen. Ze trekt het vel aan als vermomming en loopt weg. Uiteindelijk ontmoet ze een prins.

Op een keer kijkt Lady Henrietta samen met ons naar de film. Ze vertelt me dat het een sprookje is van Charles Perrault, de man die ook de verhalen van Sneeuwwitje, Roodkapje, Blauwbaard en Assepoester schreef. Henrietta zegt dat ze zich vaak heeft afgevraagd waarom 'Ezelsvel' in Amerika niet net zo bekend is geworden als de andere sprookjes. Ze vermoedt dat dat komt doordat het onderwerp van een vader die verliefd is op zijn dochter te schokkend en aanstootgevend is voor Amerikanen. En natuurlijk, zegt ze, ís het schokkend en aanstootgevend in het echte leven, maar betekent dat dat er geen sprookje over kan bestaan? Blauwbaard die zijn vrouwen vermoordt is nog schokkender, maar toch hebben Amerikanen daar geen bezwaar tegen. Een interessant verschijnsel, mijmert ze.

Het meisje is erg intelligent, maar vreemd, erg welbespraakt voor haar leeftijd. Op een dag zit ik op de sofa en komt ze bij me op schoot zitten, slaat haar armen om mijn hals en legt haar hoofd tegen mijn schouder.

Godallemachtig, denk ik.

Vanaf die tijd komt ze vaak op schoot zitten. Soms geeft ze me een hartstochtelijke kus op mijn wang. Ze geeft me zelfs zuigzoenen in mijn nek en op mijn wangen, die ik niet voel, maar bij thuiskomst in de spiegel zie. Dan realiseer ik me pas wat die rode vlekken zijn in mijn nek en op mijn wangen.

Elke keer als ik bij hen op bezoek kom, heeft Sara nieuwe dingen bedacht om te vertellen, meer beeldspraak zoals de keer dat ze zei dat ik een zielige, naakte schildpad was. Of de keer, die werkelijk alle andere keren slaat, dat ze zei dat ik in een kooi gehouden zou moeten worden. 'Jij bent een schepsel om te bezitten' waren haar exacte woorden. 'Om aan gasten te laten zien.'

Bij andere gelegenheden zei ze dingen als: 'Ik hou van je, omdat je je er niet voor schaamt een Jane-pop voor me te kopen. En omdat je aan me denkt.'

Ze heeft het bij het verkeerde eind. Als ik een Jane-pop voor haar koop, denk ik aan haar moeder.

Bij Sara zou ik me nooit vertrouwd en op mijn gemak voelen, en het spijt me dat ze teleurgesteld zal worden.

Henrietta, die vaak aanwezig is bij de heftige uitingen van affectie van haar dochter voor mij, schijnt niet te vinden dat haar gedrag ook maar enigszins merkwaardig is, en misschien is het dat ook niet. Ik weet het niet. Ik ben in de war. Kinderen mogen aanhankelijk zijn: het is hun onschuld. Maar dit meisje is zo mooi, en er schuilt zoiets seksueels in haar aanhankelijkheid. Ik weet niet zeker of het echt aanwezig is, of dat ik gewoon een pervers mens ben. Vaak komt ze minimaal gekleed binnen. Maar dan denk ik: is dit echt minimaal gekleed, of verkies ik het zo te zien? Een korte broek en een t-shirt zijn immers een volkomen keurige dracht, maar als zij het draagt, lijkt het uitdagend. Misschien komt het doordat ze elke keer dat ik haar zie er zo bijloopt. Ze geeft me de kans niet om op adem te komen. Ik zou willen zeggen: 'Hou nou eens op! Verkwik mijn ogen eens. Trek eens een aardappelzak aan.'

Maar nee, ze houdt niet op, ze houdt niet op. Haar armen zijn zacht, en haar huid heeft een vreemde gloed die volwassener vrouwen niet hebben. Het is haast magisch, weer als een cartoon.

Ik ben stapelverliefd op Lady Henrietta, maar ik begin me seksueel aangetrokken te voelen tot haar dochter, wat me doodsbang maakt. Ik probeer kil tegen haar te doen, hints te geven. Ik sta op en zeg: 'Kom zeg, gedraag je als een dame, je bent geen klein kind meer.'

Even kijkt ze me onzeker aan, maar veert dan op, slaat haar armen om mijn hals en zegt: 'Dat ben ik wel.'

Lady Henrietta laat ons vaak alleen, wat me ergert. Zij gaat nog steeds met Damon om, en ik ben nog steeds jaloers, maar ik hoor niets over toenemende intimiteit tussen hen, en dat montert me op.

Op een dag nodigt Sara drie van haar vriendinnen 'op de thee'. De meisjes zijn van nature vrij onaantrekkelijk, maar bovendien zit hun haar slordig, hebben ze erg lelijke, onflatteuze kleren aan, en twee van hen zijn veel te dik. Sara ziet er daarentegen mooier uit dan ooit. Ik doorzie haar truc meteen.

Als haar vriendinnen weg zijn, vraagt Sara me: 'Welk onderdeel van mijn uiterlijk vind je het minst lelijk?'

'Doe niet zo bescheiden. Je bedoelt: welk deel vind ik het mooist?'

'Nou ja, ervan uitgaande dat er een deel is dat je mooi vindt.'

'Je haar.'

Als ik de volgende dag thuiskom van mijn werk, zie ik een langwerpige bloemendoos voor de deur liggen. Er zit een kaartje bij, dat ik openvouw. Ik herken het handschrift niet en het is niet ondertekend. Er staat: 'Hier is een haarlok, een blijk van mijn liefde.'

Ik doe de doos open en er slaat een golf van misselijkheid door me heen. Ik heb het gevoel dat ik met een afgehakt hoofd in mijn handen sta, behalve dat het hoofd er niet bij is.

Jasses, gadverdegadver. Waar is het hóófd? denk ik onwillekeurig.

Er liggen twee lange, blonde vlechten in de doos. Ze zien eruit als een lijk. Walgelijk. Triest.

Ik grijp de telefoon en bel Lady Henrietta. Ze neemt op.

Ik zeg: 'Heeft Sara haar haar afgeknipt?'

'Ja.'

'Ze heeft het mij toegestuurd in een bloemendoos.'

'Ik weet het.'

'Hoe kón je haar dat laten doen?'

'Mijn dochter mag doen wat ze wil zolang ze niemand pijn doet.'

'Maar ze had prachtig haar.'

'Ze wilde het afknippen. Het staat haar heel leuk.'

'Wil jij de vlechten hebben? Ik wil ze niet; ik vind ze walgelijk. En ze betekenen voor jou waarschijnlijk meer dan voor mij.'

'Je mag doen wat je wilt. Maar eigenlijk zou je geroerd moeten zijn. Ze deed het om aardig te zijn. Het is nogal wat, zo'n gebaar.'

'Ik weet het. Dat is zo ergerlijk. Het is onbehoorlijk. Ja, ik ben geroerd, maar ik maak me vooral zorgen om haar mentale en emotionele gezondheid. Het verbaast me dat jij je geen zorgen maakt.'

Op een dag zegt Lady Henrietta iets wat me ongelooflijk de stuipen op het lijf jaagt.

Ze zegt: 'Wil je me een enorme dienst bewijzen?'

'Ja,' antwoord ik, dolgelukkig met de kans haar een plezier te doen.

Ik wacht tot ze me vertelt wat de dienst inhoudt, maar in plaats daarvan pakt ze haar handtas en haalt er twee vliegtuigtickets uit. Ze zegt niets, en staat me maar wat aan te kijken. Ik kijk in de tickets en zie dat ze voor Orlando, Florida zijn.

'Wat stelt dit voor?' vraag ik, ineens zeer opgewonden, omdat ik denk dat ze misschien met me op vakantie wil.

'Ik wil graag dat je daar het volgende weekeinde met mijn dochter naartoe gaat.'

Wat is er in godsnaam aan de hand? 'Waarom?' vraag ik. 'Wat is daar dan?'

'Disney World. Ik geloof dat er eindelijk een beetje schot in komt tussen Damon en mij. Ik wil graag een heel intiem weekeinde met hem, zonder mijn dochter. Ze heeft altijd graag een keer naar Disney World gewild. Op deze manier ben ik van haar af, maar zonder dat ik me er al te schuldig over hoef te voelen. Wil je het alsjeblieft doen?'

Ik ben kapot door het nieuws over Damon. Bovendien zit het me niet lekker wat ze van me wil, helemaal niet lekker. Ik vind dat Lady Henrietta nu echt onuitstaanbaar is, maar dan ook écht onuitstaanbaar. Voor het eerst sinds ik haar heb leren kennen, vind ik haar ergerlijk.

Voor ik kan antwoorden, zegt ze: 'Je bent een van de weinige mensen die ik kan vertrouwen. En jij bent een van de weinige mensen die Sara aardig vindt. Dat komt dus prima uit. Het zou zo fantastisch zijn als je dit voor me kon doen. Ik zou je levenslang dankbaar zijn. En bovendien schijnt Disney World ook voor volwassenen best leuk te zijn.'

'Ik weet het niet,' zeg ik. 'Ik vind het een beetje raar.'

'Wat is raar?'

'Nou ja, ik bedoel dat ik immers niet haar vader ben. Is dat wel acceptabel?'

'Ze heeft geen vader,' zegt Lady Henrietta koeltjes. 'Als je het niet wilt, is het ook goed. Ik laat haar wel bij een van mijn andere mannelijke modellen logeren, aan wie ze de pest heeft, maar ze heeft geen keus.'

Ik krijg de indruk dat ze dit dreigement verzint om me een schuldgevoel te bezorgen.

'Ik weet het niet,' zeg ik. 'Het is niet dat ik het niet wil doen. Maar vind je…' Ik kan de zin niet afmaken. Wat zou ik moeten zeggen: 'Maar vind je niet dat ze wat al te aanhankelijk is?' Of: 'Ik weet niet of ik voor mezelf kan instaan?' Nee, zulke dingen kan ik niet zeggen, anders zal ze nog denken dat ik een gevaarlijke maniak ben en zal ze me nooit meer willen zien.

Uiteindelijk zeg ik: 'Ik denk dat men het een beetje vreemd zal vinden.'

'Onzin. Dan zeg je gewoon dat je haar vader bent.'

Ik zeg geen nee. Ik rol er gewoon in, omdat ik niet weet hoe ik moet weigeren. Ik wil niet dat ze boos op me wordt en een hekel aan me krijgt. Ik koester immers nog steeds de hoop dat Damon en zij uit elkaar zullen gaan. Dat ze een weekeinde met hem gaat doorbrengen, betekent niet noodzakelijkerwijs dat ze de rest van haar leven met hem gaat delen. En in zekere zin is het wel goed dat ze me haar dochter toevertrouwt. Misschien betekent het dat ze onbewust wil dat ik de vader word, en dat ze me op die rol voorbereidt. Die mogelijkheid mag vergezocht lijken, maar ik fantaseer altijd graag over het beste wat een schijnbaar negatieve situatie kan voortbrengen.

De volgende dag krijg ik een goede inval, die het idee alleen met Sara naar Disney World te moeten een klein beetje compenseert. De inval is mijn moeder mee te nemen. Dat zouden drie vliegen in een klap zijn: (1) Ik bewijs Lady Henrietta een dienst. (2) Ik zou mijn moeder een plezier doen, die me graag wil zien. (3) Ik zou niet alleen met Sara zijn.

Als ik het idee opper tegenover Lady Henrietta, lijkt ze niet erg enthousiast en ik kan niet bedenken waarom niet. Ik had gedacht dat ze nog positiever tegenover het hele gedoe zou staan. Ze zegt daarentegen: 'O. Waarom wil je je moeder meenemen? Denk je dat je je zou gaan vervelen alleen met Sara?'

Ik ben boos op haar en heb zin om te zeggen: 'Nee, idioot, dat is het probleem juist: ik ben bang dat ik me helemaal niet zou vervelen.'

Maar wat ik zeg is: 'Mijn moeder wil me al een hele tijd zien, dus dacht ik dat dit een goede gelegenheid zou zijn. Ik weet zeker dat ze Disney World leuk zal vinden. Bovendien verbaast het me dat je niet blij bent dat er een oudere vrouw bij zal zijn die me kan helpen op Sara te passen.'

Ze zegt verder niets meer, maar ze lijkt niet enthousiast over het idee. Niettemin geeft ze me de volgende dag nog een vliegticket. Ik bied aan ervoor te betalen, hoewel ik het me eigenlijk niet kan veroorloven, maar Lady Henrietta zegt dat ze er niet van wil horen. Ik probeer me niet schuldig te voelen en bedenk dat ze rijk is.

'Je hoeft in ieder geval geen extra kamer te betalen,' zeg ik. 'Sara kan een kamer delen met mijn moeder.'

'Nee,' antwoordt Lady Henrietta. 'Jullie krijgen alle drie een eigen kamer.'

London Bridge stort in elkaar
In elkaar
In elkaar
London Bridge stort in elkaar
Mijn lief vrouwtje.

Ja, we gaan naar Disney World
Disney World
Disney World
Ja, we gaan naar Disney World
Godverdomme.

Mijn vriendin, Charlotte, vindt het allemaal een beetje vreemd, maar besteedt er niet zoveel aandacht aan als ik vreesde, omdat ze het op het moment toevallig heel druk heeft. Ze zegt dat ze zelfs wel een beetje blij is dat ze het hele weekeinde heeft om ongestoord te werken.

6

Eerst is mijn moeder heel blij, maar haar blijdschap over het feit dat ze vier dagen met me kan doorbrengen verbleekt wanneer ze het vanzelfsprekend begint te vinden. Ze wordt overal chagrijnig over.

Ja, ik zei inderdaad vier dagen. Lady Henrietta had me eerst gezegd dat het alleen voor het weekeinde was, waarschijnlijk omdat ze me het slechte nieuws in kleine porties wilde toedienen. Zodra ze erop vertrouwde dat ik het idee had geaccepteerd, zei ze dat Sara paasvakantie had, en hoe meer dagen zij, Henrietta, alleen kon zijn, des te beter.

Ze geeft ons heel wat geld mee om te spenderen in Disney World. Ze zegt dat het er heel duur is.

In Disney World kijkt iedereen naar Sara. Mannen kijken naar haar omdat ze zo mooi is. Vrouwen kijken naar haar uit nieuwsgierigheid, schijnbaar geïntrigeerd. Het begint al in het hotel, met de sjofele kruier. Hij ziet eruit alsof hij stinkt, maar dat is niet zo. Hij heeft een stoppelbaard van een halve, zo niet een hele dag; dat zou me niets verbazen. Misschien ben ik zo kritisch omdat ik hem niet mag. Zoals hij naar Sara kijkt terwijl hij het karretje met onze tassen voortduwt... Hij kijkt wat al te vertrouwelijk naar haar. Als we de lift uitstappen, legt hij zijn hand op haar rug. En hij stelt haar impertinente vragen als: 'Hoe oud ben je?'

'Achttien,' antwoordt ze.

'Echt waar? Je ziet eruit als zeventien.'

Sara glimlacht naar me.

'In welke klas zit je?'

'In de zevende.'

'Echt waar? Loop je niet een beetje achter?'

'Ja, ik ben niet zo intelligent.'

'Hm. Nou ja, vrouwen hoeven alleen maar mooi te zijn, en dát ben je beslist. En volgzaam zijn is ook goed.'

'Lekker kontje heb je,' zegt mijn moeder tegen de kruier. Ze legt haar hand op zijn achterste.

De kruier blijft staan en kijkt haar met opgetrokken wenkbrauwen aan. Ik ook. Sara probeert haar lachen in te houden.

'Ben je getrouwd, schatje?' vraagt mijn moeder hem.

'Ja.'

'Dat verbaast me niets. Zo'n lekker pikkie als jij. Je vrouw zal wel trots zijn op een stuk met zulke lekkere billen.'

En ze geeft hem een klap op zijn kont voor ze verder loopt door de gang. Hij kijkt me aan.

Ik weet niet wat ik moet zeggen, dus knik ik maar naar hem.

De ongeschoren, sjofele kruier vervolgt zijn tocht door de gang, verward kijkend. Hij zet mijn moeders tas in haar kamer, mijn tas in mijn kamer, en loopt dan naar Sara's kamer. Ik loop met hen mee, omdat ik haar niet alleen wil laten met die man. Tot mijn opluchting doet hij verder niets irritants.

Sara heeft er geen zin in het Magisch Koninkrijk te bekijken dat, beweert ze, voor baby's is. Ze wil naar het EPCOT-centrum. De buschauffeur informeert ons dat de letters EP-COT staan voor: Eindeloos Plezier Creëert Oververmoeide Tieners. Ze wil naar de Wereld van de Toekomst. Dan vertelt mijn moeder ons wat zíj wil doen. Ze zegt dat ze helemaal geen zin had naar Disney World te gaan, dat de enige reden waarom ze is meegegaan, was dat ze wat tijd met mij wilde doorbrengen en dat we daarom eerst naar De Levende Zee zouden moeten gaan, omdat dat het enige is wat haar wellicht in een goed humeur kan brengen. Dat doen we dus. We zien grote vissen in aquaria rondzwemmen.

Mijn eenenzeventigjarige moeder mag dan conventioneel en keurig lijken omdat ze niet op mijn vieze huis gesteld is, alledaags is ze beslist niet. Ze is als een kleine stier. Klein en stevig, niet zozeer dik als wel gespierd: een kleine rots. Haar lichaam oogt hard, alsof je vinger er geen millimeter in zou wegzakken als je haar ergens met je vinger zou prikken, zelfs niet in een op het oog week deel. Een compact schepsel. Wat misschien de reden is dat haar huid niet wobbelt als ze hardloopt, zoals je zou verwachten bij iemand van haar leeftijd. Maar misschien komt dat ook door haar manier van hardlopen, erg laag bij de grond, knieën gebogen, 'voor de snelheid', zegt ze. Ze hupt niet. Maar ze kan wel springen, en doet dat soms ook. En goed, zelfs met haar korte, stevige beentjes. Soms steekt er onverwacht weleens een kind voor haar over, dat aan een lang touw een speelgoedbeest voorttrekt. Ik sla een hand voor mijn ogen, maar mijn moeder springt er met gemak overheen.

Ze mag graag hardlopen, vooral wanneer het niet nodig is. Haar favoriete scenario doet zich voor wanneer ze mensen ziet die op het punt staan voor ons in een rij te arriveren. Dan zet ze het op een rennen om hen voor te zijn. Als ze me opzoekt in de stad, zet ze het op een rennen om over te steken vlak voordat het voetgangerslicht op rood springt. Maar de stad biedt niet zoveel gelegenheid tot hardlopen als Disney World, en rennen om nog net te kunnen oversteken is niet zo leuk als rennen om vlak voor iemand anders in de rij te gaan staan. Er zijn zoveel rijen om naartoe te rennen!

Maar als we wandelen, steunt ze toch met haar volle gewicht op mijn arm. Als we een trap oplopen, moet ik haar haast dragen. Het is allemaal toneel. Soms wordt ze het zat om aan me te hangen. Dan laat ze me los en loopt met jeugdig elan in haar pas. En zodra ze een glimp opvangt van iemand die op onze rij afstevent, sprint ze weg om hem voor te zijn.

Als ze haar plaats in de rij heeft veroverd, probeert ze tot bedaren te komen. Ze komt even bij, trekt haar rok en blouse recht, strijkt haar kapsel glad, tast haar hele lichaam af, en schraapt haar keel.

Mijn moeder lijkt een oudere uitgave van mezelf. Waarmee ik wil zeggen dat ze eruitziet als een man. Ze heeft daar een enorm complex over, heeft de dodelijke angst om op een dag voor een man aangezien te worden. Als ze glimlacht, is haar gezicht precies dat van een man, en ook als ze niet glimlacht. Bepaalde aspecten van haar gezicht lijken niet zozeer op die van een man als wel op die van een pad – laten we zeggen een mannelijke pad. Ze heeft moedervlekken en geen lippen, alleen een spleet. Maar omdat zich in haar ogen geen grotere belediging kan voordoen dan voor een man te worden aangezien, doet ze bepaalde dingen met zichzelf, draagt signalen om ervoor te zorgen dat niemand zich ooit zal vergissen. De meeste vrouwen van haar leeftijd proberen er zo jong mogelijk uit te zien. De voornaamste zorg van mijn moeder is eruit te zien als een vrouw. Dat alleen al is voor haar zo moeilijk te bereiken, dat het belachelijk zou zijn van haar te verwachten dat ze er probeert uit te zien als een jóngere vrouw, of een knáppe vrouw, of zelfs maar niet op een pad te lijken. Maar over dergelijke dingen maakt ze zich niet druk. (Fijn voor haar.) Ze verft haar haar niet. Het is grijs, maar ze draagt er roze strikken in: signalen van haar vrouw-zijn. En ze draagt kleren met veel tierelantijnen, en parfum en veel sieraden: niet van het dure soort, dat ze zich niet kan veroorloven, maar van pastelkleurig plastic. Ze zegt dat dat meer stijl heeft dan imitatiegoud. Ze heeft zonder mankeren felrode lippenstift op, maar zonder veel succes, door haar gebrek aan lip. Dat doet ze niet om er leuk uit te zien, alleen om niet mannelijk te lijken. En rouge op haar wangen. Oogmake-up gebruikt ze niet meer, omdat ze er geen geduld voor heeft. Bovendien zijn haar ogen het beste onderdeel van haar gezicht: 'beste' in de zin van 'indrukwekkend' of zelfs 'imponerend', niet van 'aantrekkelijk'. Ze zijn zwart, wijdopen en alert, schieten als bliksemschichten van hot naar her. Ze ziet er nooit slaperig uit, maar heeft altijd een frons.

Op een keer (ik weet niet wat me bezielde) zei ik: 'Als je niet altijd zo'n frons trok, zou je niet zo op een man lijken.' Hoewel ik er geen woord van geloofde, viel ik haar op haar complex aan om de frons zo efficiënt mogelijk te verjagen. Welnu, ze leek zo gekwetst en was dagen erna nog in zo'n slechte stemming, dat ik nooit meer zoiets heb gezegd.

Mijn moeders gedrag tegenover de kruier verbaasde me. Ik had haar nooit eerder zo zien doen en ik vroeg me af wat het teweeg had gebracht. Ik wilde haar er niet naar vragen waar Sara bij was, omdat mijn moeder misschien te geremd zou zijn om me een eerlijk antwoord te geven. Maar nu is het een perfect moment. We zijn alleen en staan in de rij voor de Reis in de Verbeelding, die in de reisgids wordt beschreven als 'een denkbeeldige rit door het creatieve proces'. Sara is even naar de wc en iets lekkers kopen.

Ik weet dat ik mijn vraag in de vorm van een compliment moet gieten. Het zou een vergissing zijn om gewoon te vragen: 'Waarom deed je zo tegen die kruier?' Mijn moeder zou dat automatisch als kritiek opvatten, boos worden en tegen me tekeergaan.

'Fantastisch was dat, zoals je die kruier aanpakte,' merk ik op. Ik vond het trouwens ook fantastisch.

'Dank je,' zegt ze, en zegt verder niets meer, hoewel ik haar een volle minuut gun om dat te doen.

'Soms verras je me door de meest fantastische dingen te doen,' zeg ik tegen haar.

'Nu, ik hoop dat mijn fantastische dingen niet een al te grote verrassing zijn. Zo zeldzaam zijn ze immers ook weer niet. Waarom moet je daar nou zo verbaasd over zijn?'

Ik voel aan dat dit een van onze ingewikkelde gesprekken wordt. In het verleden heb ik elke denkbare methode uitgeprobeerd om er niet in verzeild te raken, maar niets werkt ooit. Ik kan maar het beste op mijn geduld gokken. Ik kijk naar de mensen die vlak bij ons in de rij staan, in de hoop dat ze allemaal veel afleiding hebben en niet in de verleiding komen om ons af te luisteren. Ze mochten eens denken dat we in een inrichting thuishoren. Voor ons staat een moeder luidruchtig tegen haar drie kinderen te praten, die luidruchtig met elkaar aan het spelen zijn. Mooi. Ik werp een blik achterom. Twee mannen van ongeveer mijn leeftijd, een jaar of dertig. Ze zien er nogal intellectueel uit voor Disney World. Lang. Goed opgeleid. Een van hen heeft vrij lang, bruin haar. Ze hebben allebei een korte broek aan. Ze zijn gebruind. De andere man is blond. Het soort mannen waar vrouwen de voorkeur aan geven boven mij. Ik kan me geen levende wezens voorstellen die minder op hun plaats lijken in Disney World dan deze twee mannen, vooral in combinatie. Ze staan met elkaar te praten. Ze zien er in ieder geval tactvol uit, alsof ze zich niet zouden verlagen tot het afluisteren van gesprekken.

'Het spijt me,' zeg ik tegen mijn moeder. 'Ik heb me niet duidelijk uitgedrukt. Ik bedoelde alleen dat zulk fantastisch gedrag bij iedereen zeldzaam is. Ik ken heel weinig mensen die moedig of ad rem genoeg zouden zijn geweest om zelfs maar te proberen die kruier zo aan te pakken, om nog maar te zwijgen over de meesterlijke manier waarop je die operatie hebt uitgevoerd.'

'O, alsjeblíeft, Jeremy.'

'Ik meen het.'

'Ik ook.'

Mijn moeder is zelfverzekerd als ze praat. Ze drukt zich goed uit. Haar toon is duidelijk, vol zelfvertrouwen, gezaghebbend en krachtig. Dat maakt dat alles wat ze zegt intelligent klinkt. Ik heb haar talent niet geërfd, maar soms als ik met haar praat, heb ik het gevoel dat ik in staat ben het te imiteren.

'Het spijt me,' zeg ik. 'Wat me interesseert is dit: ik heb je nog nooit met een man zien omspringen zoals je met die kruier deed, op zo'n slimme manier. Ik wilde graag weten of er een speciale reden voor was.'

'Ja. Het komt doordat ik mannen nooit eerder heb doorge-had.'

'Wat een intrigerende gedachte. Je hebt mijn nieuwsgierig-heid gewekt.'

'Die was al gewekt.'

'Je hebt alweer gelijk.'

'Ik heb niet eerder gelijk gehad. Hoe kan ik dan alweer gelijk hebben?'

Ik kijk gegeneerd om me heen. De twee mannen staan nog steeds te praten.

'Omdat je altíjd gelijk hebt,' zeg ik tegen mijn moeder.

'Maar niet specifiek in dit gesprek.'

'Alweer gelijk.'

'Dit keer klopt het, omdat ik hiervoor ook gelijk had,' zegt ze.

'Wat bedoelde je toen je zei dat je mannen nooit eerder hebt doorgehad?'

'Goed, je wilt daarover doorgaan. Het is beleefder een of andere waarschuwing te geven dan er gewoon botweg op-nieuw over te beginnen.'

'Het spijt me.'

'Dat kan me niet schelen. Dat is nu niet het meest logische om te zeggen. Ik breng je alleen iets bij wat je al zou horen te weten.'

'Zullen we terugkeren naar ons gesprek?'

'Dat is het soort waarschuwing dat ik bedoel, maar je doet het zo onhandig. Een betere manier is te zeggen: "Zoals we zeiden…" Of, beter nog: "Ik wil je niet onderbreken, maar we hadden zo'n leuk gesprek dat ik het, als je het niet verve-lend vindt, graag zou voortzetten waar we gebleven waren." '

Ik kijk om. Ze zijn nog steeds aan het praten.

'Zoals we zeiden,' zeg ik, 'wat bedoelde je toen je zei dat je mannen nooit eerder hebt doorgehad?'

'Je hebt de minder goede manier gekozen. Niet te geloven. Alleen om mij dwars te zitten. Ik zei je dat de tweede manier beter was dan de eerste, maar je gaat gewoon verder en past de eerste toe.'

'Het spijt me, maar de tweede manier was te moeilijk om te onthouden. Die was lang.'

'Ik verbaas me erover dat je je niet schaamt toe te geven dat je een zwak verstand hebt. Wat nog erger is dan een zwak verstand hebben is het gebrek aan schaamte om het te verhullen.'

'Ik wil je niet onderbreken, maar we hadden zo'n leuk gesprek dat ik het, als je het niet vervelend vindt, graag zou voortzetten waar we gebleven waren.'

'Nu pas je de tweede manier toe, wat betekent dat je loog toen je zei dat het te lang was om te onthouden. Wat nog onbeschofter en ergerlijker is dan een zwak verstand hebben en niet de schaamte hebben om het te verhullen, is doelbewust laten blijken dat je op een eerder tijdstip in het gesprek zat te liegen.'

We zijn er nu al zover in verzeild geraakt dat ik net zo goed verder kan gaan, zelfs als ze luisteren.

'Ja,' zeg ik. 'Wat bedoelde je toen je zei dat je mannen nooit eerder hebt doorgehad?'

'Ik bedoelde dat ik ze onlangs op een nieuwe manier heb ontdekt.'

'O ja?'

'Hoe dan?' zegt mijn moeder.

'Wat?'

'Hoe dan?' herhaalt ze.

'Wat bedoel je?'

'Hoe dan.'

'Hoe dan?'

'Door boeken,' zegt ze.

'Door boeken.' Ik pak een papieren zakdoekje uit mijn zak en veeg mijn voorhoofd af.

'Je hoeft niet te herhalen wat ik zeg. Je mag wel iets originelers zeggen.'

'Welke aspecten van mannen heb je onlangs door boeken ontdekt?'

' "Door boeken" hoef je niet te herhalen. Dat hebben we al een paar keer gezegd.'

'Welke aspecten van mannen?'

'Een bepaald aspect. Een bepaalde manier waarop ze over vrouwen denken.'

Ik knik bemoedigend.

'Ik heb geluid nodig,' zegt ze.

'Hmm.'

'Ik bedoel woorden.'

'Ga door.'

'In de boeken die ik lees, zeggen en denken mannen dingen als: "Cindy, dat lekkere stuk." En de verteller zegt over zijn hoofdpersoon: "Hij was nooit erg geïnteresseerd in intelligentie bij vrouwen." En dan deze: de mannelijke hoofdpersoon denkt: "Ze weet wel iets. Al die kutwijven weten wel iets." '

'Dat boek heb ik gelezen!' roep ik uit. 'Dat is toch uit *Rabbit is rijk* van John Updike?' Het kan me niet meer schelen of ze me horen. Ik denk zelfs dat ze onder de indruk zouden zijn van het feit dat ik alleen door een paar van de seksistische zinnen eruit te horen een roman kan thuisbrengen. Ik kijk achterom om te zien of ze meeluisteren. Ze zijn niet in gesprek, maar kijken ook niet naar ons. Ze kijken naar voorbijgangers.

'Daar ben jij dus ook van geschrokken,' zegt ze.

'Dat is niet precies het woord...'

'Je mag mijn gevoelens niet ontkennen.'

'Dat doe ik niet. Ik geef uiting aan de mijne.'

'Nou ja,' zegt ze. 'Het was onaangenaam dat soort dingen uit die boeken op te maken. En de enige manier waarop mannen zullen veranderen – en ik heb het niet over jou; jij bent geen man – is als vrouwen op dezelfde manier over mannen gaan praten. Dan zullen we weleens zien hoe prettig mannen dat vinden.'

De kinderen voor ons spelen luidruchtiger dan ooit en hun moeder gaat tegen hen tekeer. Mooi zo. Hopelijk is wat mijn moeder net zei geheel overstemd door hun kabaal.

'Wat bedoel je ermee dat ik geen man ben?' vraag ik zachtjes, met mijn gezicht vlak bij het hare.

'Niet op een ander onderwerp overgaan.'

Ik pak haar, vrij stevig, bij de arm. 'Wat bedoel je ermee dat ik geen man ben?' Mijn stem trilt. Ik wist dat ze geen hoge dunk van me had, maar dit slaat alles.

'Waarom vinden mannen het zo erg als hun gezegd wordt dat ze geen échte man zijn?' zegt ze en bevrijdt haar arm.

'Dat heeft niets met geslacht te maken,' zeg ik haar. 'Vrouwen vinden het erg als hun wordt gezegd dat ze geen vrouw zijn. Wat bedoel je ermee als je zegt dat ik geen man ben?'

'Je moet het niet zo zwaar opnemen. Ik bedoelde het als een compliment. Ik bedoelde dat jij een persoon bent. Mensen zijn op de allereerste plaats individuen. Vervolgens hebben ze een bepaalde leeftijd. Daarna hebben ze een nationaliteit. Daarna zijn ze van een bepaald ras. Daarna hebben ze een godsdienst. Dan zijn ze van een bepaalde maatschappelijke klasse. Dan hebben ze een jeugd en opleiding gehad. En daarna zijn ze man of vrouw, maar dat komt ergens onder aan de lijst. Jij bent een persoonlijkheid. Jij hebt niet dat achterlijke dat het merendeel van de mannen heeft. Of wel? Doe je of denk je weleens iets wat vernederend is voor vrouwen?'

'Ik geloof het niet.'

'Ik weet zeker van niet. Alleen al die eigenschap vergoedt honderdvoudig al je andere zwakheden bij elkaar.'

'Dank je.' Dat moet het aardigste zijn wat mijn moeder in jaren tegen me heeft gezegd.

Ik kijk achterom. Tot mijn grote gêne staan de twee mannen me zwijgend aan te staren. Ik glimlach een beetje, om de indruk te wekken dat ik me op mijn gemak voel, en draai me dan om.

Disney World: overal vrolijke pasteltinten. Alles zo opgewekt. De mensen zo dik, en zoveel huid onbedekt en dikke lippen die hotdogs eten en korte broeken die gekreukeld in het kruis zitten, omdat ze door die dikke dijen bij elke stap opkruipen, en de andere dikke gezinnen waarvan de gezinsleden zich om de beurt laten voortduwen in de rolstoelen die je kunt huren.

Sara vertelt ons dat ze een nieuwe levensfilosofie heeft. Ze verklaart die als een wetenschapper: 'De oplossing van een probleem ligt in het woord zelf besloten. Wanneer je zwaarmoedig bent, is de oplossing bijvoorbeeld dat je al je moed bij elkaar moet rapen om dat zware gevoel van je af te zetten. Zwaar-moedig. Snap je?'

'Hoe lang ben je?' vraagt mijn moeder aan Sara.
'Eén meter tweeënzestig en een half.'
Ik ben ervan overtuigd dat het waar is wat ze zegt, want ik ben één meter vijfenzeventig, en ze is ruim tien centimeter kleiner dan ik.
'Dat is erg lang voor een meisje met zo'n laag getal,' zegt mijn moeder.
'Welk getal?' vraagt Sara.
'Je leeftijd. Elf is een laag getal, vind je ook niet?'
'Nee, ik zou zeggen dat het een jonge leeftijd is.'
'Nee, het is een laag getal. Dat is objectiever. Dat je pas een paar jaar hebt geleefd, betekent nog niet dat je jong bent. Zeker niet in jouw geval,' zegt ze en laat haar ogen heel nadrukkelijk over Sara's lichaam glijden. 'Het betekent alleen maar dat je een laag getal hebt.'
Sara knikt alsof ze het begrijpt, accepteert en prettig vindt.

We bezoeken paviljoens met namen als Horizons, Universum van Energie en Wereld van Beweging, waar je korte, educatief bedoelde treinritjes doorheen kunt maken. We zitten met zijn allen in die karretjes, kijken met grote verveling naar de onecht aandoende Audio-Animatronics (levensgrote poppen die een beetje bewegen, met gesproken tekst op de achtergrond). Geen van drieën willen we hier zijn, zelfs Sara niet. Ik weet, ik voel met elke vezel van mijn lichaam intuïtief aan dat ze erop staat dit soort ritjes te maken om de kans te krijgen dichter bij me te komen, me op elke denkbare manier te manipuleren en te charmeren. Mijn moeder gaat op dit soort ritjes mee omdat ze mijn gezelschap geen ogenblik wil missen. Ik doe het omdat we een sandwich zijn, met mij als beleg.

Sommige rijen zijn zo lang dat het wachten wel een half uur duurt. Mijn moeder klaagt erover, dus zeg ik tegen haar dat ze wel wat kan gaan rondlopen met Sara, terwijl ik in de rij sta. Sara zegt dat ze geen zin heeft en dat ze met mij in de rij wil staan, maar ze moedigt mijn moeder aan om wat rond te lopen. Mijn moeder gaat weg (tot mijn grote verrassing, omdat ze voor de eerste keer tijdens dit uitstapje een paar minuten van mijn gezelschap zal missen). Sara is in een prima bui. Ze doet aardig tegen me.

'Hoeveel weeg je?' vraagt mijn moeder aan Sara. 'Bijna tweeënvijftig kilo.'

**

Sara doet zo loom als een poes, installeert zich breeduit tijdens de ritjes. Bij elke gelegenheid die ze krijgt, vliegt ze me van schrik om de hals. Ze drukt haar lichaam tegen het mijne aan.

Mijn moeder zegt: 'Kijk eens wat een leuk pikkie daar loopt. Lekker jong. Zo groen als gras.'

Maar wat heeft dat voor zin? Niemand hoort haar. Ik vermoed dat ze gewoon haar woede ventileert. Ik denk dat het alleen om het principe gaat.

Voor Sara is het als een spelletje. Ze probeert verleidelijk te doen als mijn moeder niet kijkt. Zacht gezegd, geeft me dat een hoogst onbehaaglijk gevoel. Ze geeft me steelse kussen, niet op de mond, maar er toch vlakbij. Ik wil zeggen: 'Mam, zag je wat ze deed? Laat haar ophouden.' De weinige keren dat mijn moeder er wel iets van ziet, zegt ze: 'Ach, wat schattig.'

Sara zegt: 'Als je je alleen voelt en dat een probleem is, zit het tegengif in het woord zelf. *Al één*. Dat betekent dat je je samen met alle anderen één kunt voelen. Mensen vinden je aardiger als je laat merken dat je gezelschap wilt, en dan ben je niet meer alleen.'

Ik voel me fysiek erg tot Sara aangetrokken. Ze is, behalve mooi, ook bijzonder sensueel. Heel lenig. Wat ze aantrekt staat haar absurd en belachelijk sexy. Gewoon een korte broek, die niet heel erg strak is, niet al te kort. Platte schoenen. Ze draagt ook minirokjes, maar niet van die strakke; het zijn losvallende cirkelrokjes die helemaal bij haar leeftijd passen. Ze maakt zich niet op en ziet er daardoor des te aantrekkelijker uit. Ze gaat heel lichamelijk met me om, zit voortdurend aan me. Ik vraag me af of ze het type is dat altijd aan iedereen zit, of gewoon steeds aan mij zit. Ze zit in ieder geval niet altijd aan mijn moeder.

Soms wordt ze boos dat ik niet op haar strelingen, kussen en omhelzingen reageer. Ze probeert me jaloers te maken door te wijzen op oudere mannen die ze aantrekkelijk vindt. Ook heel oude mannen.

Mijn moeder maakt kusgeluiden naar mannen die langslopen.
'Dat komt in die boeken niet voor!' zeg ik.
'Nee, maar alles schiet me weer te binnen.'

We kopen Mickey Mouse-maskers. Mickey Mouse voor mij, Minnie Mouse voor Sara. Mijn moeder weigert Oma Minnie Mouse te kopen, hoewel ze die hebben. Ze koopt geen masker.

Ik probeer met vrouwen te flirten, zodat Sara kan zien dat ik belangstelling heb voor vrouwen van mijn eigen leeftijd. Ik probeer ook haar belangstelling voor kleine jongetjes te wekken.

Sara wijst op een oude man in een rolstoel en zegt: 'Wat een knappe man, hè? Tjee, wat aantrekkelijk.'

Ik kijk haar geschokt aan en begrijp dat ze dit niet alleen doet om me jaloers te maken; het is om me duidelijk te maken dat ze op oudere mannen valt en dat als ík niet voor haar zwicht, een andere man dat waarschijnlijk wel zal doen.

Een paar minuten later wijs ik haar een vijfjarig jongetje aan en zeg: 'Wat een knappe jongen, hè? Tjee, wat aantrekkelijk. Je zou een praatje met hem moeten gaan maken.'

Ze geeft me een schouderstoot en zegt: 'O ja, beslist.'

'Hallo,' zegt mijn moeder op zachte, suggestieve toon tegen mannen die langslopen.

Sara heeft het gezichtje van een kind. Ik kan niet verliefd zijn op dat mooie kindergezicht. Het is gewoon te jong.

'Lekkertje,' zegt mijn moeder tegen mannen.

Mijn moeder heeft niet zo'n hoge dunk van me. Ze vindt me sociaal onbeholpen en achterlijk. 'Onbeholpen zijn in het dagelijks leven is erger dan incompetent zijn waar het je carrière en je liefdesleven betreft,' zegt ze tegen me. Ze heeft met me te doen en schaamt zich waarschijnlijk erg voor me, maar ze wil me niet kwetsen. Ze vindt dat het goed voor me is in haar gezelschap te verkeren, dat het me alleen maar kan helpen. Als ze ongevoelig doet, is dat niet omdat ze een hekel aan me heeft. Ze zegt zelfs vaak: 'Ik hou van je en wil alleen het beste voor je. Je moet een beetje door elkaar geschud worden.' Ik vat het maar niet al te persoonlijk op.

Mijn moeder beklaagt zich tegen Sara over mij. Sara beklaagt zich tegen mijn moeder over mij en zegt dingen als: 'Vindt u ook niet dat hij zich wat meer moet laten gaan? Vindt u ook niet dat hij te stijf en te geremd is?'

'Dat ben ik met je eens,' zegt mijn moeder. 'Dat vertel ik hem al jaren.'

'Hij is altijd zo bezorgd of hij wel het juiste doet.'

'Volledig mee eens.'

Tegen vijf uur gaan we terug naar het hotel, omdat Sara hoofdpijn heeft en wil rusten.

Meteen na het avondeten gaat mijn moeder naar haar kamer om te slapen. Sara komt naar mijn kamer en begint over het een en ander te praten; ik weet niet precies waarover, omdat ik zo gespannen ben. Zij maakt een heel ontspannen indruk.

Ze praat maar door over mij, analyseert me, vertelt me wat ze leuk aan me vindt. Ze pronkt met haar blote huid. Ik weet niet zeker of ze het opzettelijk doet, of dat het mij, oude viezerik die ik ben, gewoon opvalt. Als ze het inderdaad opzettelijk doet, heeft ze er aanleg voor, omdat het heel natuurlijk aandoet. Ze riekt naar kinderlijkheid. Gladde, stripfiguurachtige huid. Heeft zelfs de lichtelijk ongecoördineerde motoriek die kinderen eigen is. Ze ziet eruit alsof ze van stopverf is, alsof haar arm, als ik erop zou drukken, van vorm zal veranderen en zo zal blijven.

Terwijl we praten, wil ze per se naast me zitten, met mijn arm om haar heen geslagen. Ze nestelt zich in mijn oksel. 'Je bent mijn teddybeer,' zegt ze, wat me als muziek in de oren klinkt. Dat is de houding die ik prettig vind. Onschuldig, vriendschappelijk. Op een gegeven moment loopt ze naar de deur en draait zich snel om. Ze begint 'Tonight' uit *West Side Story* te zingen. Ze komt langzaam op me af lopen, volkomen serieus, met een intense uitdrukking op haar gezicht, terwijl ze zingt: '*Tonight, tonight, there's only you tonight. Tonight there will be no morning star. Tonight, tonight...*'

Eindelijk is ze vlak bij me en smeekt me om samen met haar te zingen. Ik protesteer vrij heftig en zeg dat ik helemaal niet kan zingen. Ze dringt nog heftiger aan, en we zingen het duet, haar wang tegen de mijne gedrukt, terwijl mijn stem klinkt als ik weet niet wat. Eigenlijk zing ik niet eens, ik praat.

Eindelijk gaat ze naar haar kamer om te slapen.

**

De volgende dag wil Sara weer naar de Horizons. Dus doen we dat, hoewel mijn moeder eigenlijk geen zin heeft.

Daarna gaan we met de pendelbus van vier uur naar de MGM-studio. We maken een rondrit die de 'Backstage Studio Tour' heet. We doen alleen de eerste helft, per tram, wat vijfentwintig minuten duurt. Er is een griezelig stuk als onze tram over een brug rijdt die begint te schudden en er overal vuur verschijnt en een enorme hoeveelheid water op ons komt afbulderen. Het vuur is heet, en de mensen aan de linkerkant van de tram worden nat. Wij zitten aan de rechterkant. De tweede helft van de rondrit, die we niet doen, duurt drie kwartier en is te voet.

Sara heeft een jong gezicht, maar ze heeft het lichaam van een lange, sensuele vrouw.

Mijn moeder zegt luid, zodat iedereen haar kan verstaan: 'Ik ben nooit erg geïnteresseerd geweest in de intelligentie van mannen.'

Sara probeert heel sexy te doen, zich sexy te bewegen, om mijn begeerte voor haar op te wekken.

Wat wil ze van me? Hoe ver probeert ze te gaan? Niet dat ik haar ter wille zou zijn.

Op een gegeven moment, op een van de zeldzame momenten dat Sara niet bij ons is, zegt mijn moeder tegen me: 'Ik begrijp niet waarom dit kleine meisje zo dol op je is. Maar ik ben er erg blij om. Haar aanhankelijkheid is aandoenlijk. Ik ben ervan overtuigd dat het je zelfvertrouwen geeft. Ik moet zeggen dat ik een beetje jaloers op haar ben. Ik haat haar een beetje.'

We doen de rondritten. We zitten in kleine treintjes en we zien de voorstellinkjes.

Als mijn moeder buiten gehoorsafstand is, zegt Sara geheel onverwacht tegen me: 'Ik moet je ervoor waarschuwen dat ik grote borsten heb voor mijn leeftijd. Voor ongeacht welke leeftijd. Ik vrees dat je ervan achterover zult slaan.'
'Dan hoop ik dat ik ze nooit zal zien.'

We zitten in de kleine treintjes, we zien de voorstellingen, we staan in de eindeloze rijen (een half uur, een uur), we lopen de winkels binnen maar kopen heel weinig, we eten in de kleine restaurants waarvan sommige, verrassend genoeg, goed zijn.

Sara heeft vaak hoofdpijn. Ik weet niet of dat komt doordat ze denkt dat het een aantrekkelijke vrouwelijke eigenschap is of dat het echt is.

'Kijk eens naar dat sexy pikkie daar. Niet onaantrekkelijk. Maar niets voor mij. Hij is oud genoeg om mijn echtgenoot te kunnen zijn.'

'Als het woord "verkikkerd" is, in de zin dat je verliefd op iemand bent en dat een probleem is, omdat de ander niet verliefd is op jou, dan maakt het woord duidelijk dat je probleem schuilt in de "ik" in "kikker", die immers "ver" is. Als je je "ik" meer naar buiten laat komen, vindt er een transformatie plaats zoals bij de kikker en de prins, en zal de ander ook verliefd op jou worden. De oplossing ligt altijd op het psychologische vlak.'

Sara is als een van die rariteiten uit het circus, als de vrouw met de baard. Ze is een kind met het lichaam van een vrouw, of een vrouw met het gezicht van een kind.

Ze is een godin. Ze is onwerkelijk. Ze is zo mooi. Haar vrouwelijke rondingen zijn verpakt in de huid van een kind. Het moet pijnlijk zijn voor de huid van het jonge kind om zo over al die rondingen te zijn uitgerekt. Dat moet jeuken. Het ziet eruit alsof ze zo kan openbarsten. Ik heb nog nooit een vrouwenlijf gezien met zo'n strakke huid. Het ziet er heel vreemd uit. Het lijkt merkwaardig veel op een Barbie-pop. Ik ben volkomen door haar overdonderd en ben vol ontzag. Soms voel ik me zelfs geïntimideerd door haar.

Ik ben niet verliefd op haar. Dat kán ik niet zijn door haar gave gezichtje, haar lage getal, en haar lichaam dat naar mijn smaak niet voldoende gebreken vertoont. Ze beschikt naar mijn smaak ook niet over voldoende verleden. Een verleden is een aantrekkelijke zaak, weet je, wat mensen zich vaak niet realiseren omdat ze zelden met een tekort eraan worden geconfronteerd.

Als haar hoofd op het lichaam van een kind zou staan, zou haar gezicht niet opvallend onschuldig lijken. Maar op het lichaam van een vrouw ziet het eruit als het gezicht van een pasgeborene.

'Als het woord "onaantrekkelijk" is, in de zin dat je onaantrekkelijk bent of denkt te zijn, ligt de oplossing in iets leuks aantrekken, waardoor je aantrekkelijker wordt voor mensen. Het "on" geeft alleen aan dat je negatieve gedachten moet laten varen.'

Ik voel me op mijn gemak bij haar, net zoals zij zich bij mij op haar gemak voelt, omdat we twee idioten zijn. Het is me de afgelopen weken opgevallen dat ik behoorlijk afhankelijk ben van haar affectie en van haar emotionele steun, wanneer ik me depressief voel. Als in mijn leven alles verkeerd lijkt te lopen, heb ik één troostende gedachte: 'Sara houdt tenminste van me.'

Ik voel dat ze op een bepaalde manier kwetsbaar is, dat ze zich onprettig voelt over haar lichaam en zich ervoor schaamt. Ik wil haar troosten en beschermen.

Vanavond gaat moeder, net als gisteravond, naar bed en komt Sara naar mijn kamer en praat tweeëneenhalf uur aan een stuk door. Ze laat me Franse liedjes zingen uit de film *Ezelsvel*, en tussen de liedjes door, soms zelfs midden in een liedje, zegt ze plotseling tegen me: 'Ik wil dat je me aardig vindt en ik wil dat je van me houdt.' We zingen nog wat uit *Ezelsvel*, en dan ga ik het balkon op voor wat frisse lucht. Als ik weer binnenkom, komt ze voor de honderdste keer sinds ik haar ken op mijn knieën zitten. Ze kust me op de wang, legt haar hoofd op mijn schouder en fluistert vlak bij mijn oor: 'Jij bent een klein jochie in het lichaam van een man. Ik ben een vrouw in het lichaam van een meisje. We zijn geknipt voor elkaar.'

Dat zag ze verkeerd. Ze is een klein meisje in het lichaam van een vrouw. Zeker weten. Haar lichaam is het lichaam van een vrouw. Zelfs haar binnenste is dat, ik bedoel haar ziel. Haar ziel is een vrouw, niet een klein meisje. Ze is een vrouw in het lichaam van een vrouw.

Ze ploft op het bed neer en zegt nonchalant: 'Mijn moeder is een paar weken geleden met me naar de dokter gegaan voor een inenting en een controle. Ik trok mijn kleren uit en legde die op een stoel. De dokter pakte mijn slipje, dat op de stoel bij mijn andere kleren lag, nam het mee naar mijn moeder en zei: "Haar slipje is kleddernat. Ze is zover." '

Ik kijk haar met open mond aan en denk: tjee, ik wist niet dat dokters dat deden. De wereld is toch echt niet zo als ik had gedacht. Ik zat er helemaal naast.

Dan zegt Sara: 'Ik maak maar een grapje. Dat was maar een droom die ik heb gehad. Een heel afschuwelijke en beschamende droom.'

Ze klimt weer op mijn knieën en fluistert in mijn oor:

'Achttien en zesendertig, vijftig en achtenzestig, tweeënzeventig en negentig. Weet je wat dat voor getallen zijn?' En voor ik iets kan antwoorden, zegt ze: 'Het is het verschil tussen onze leeftijden. Dat heb ik allemaal uitgerekend. Er is helemaal niet zo'n groot verschil. Elf en negenentwintig zijn de enige leeftijden waar het groot lijkt, maar dat is maar een illusie.'

Ik staar haar verlamd aan, niet wetend wat te doen, zelfs niet in staat me af te vragen wat ik moet doen. Ik voel me als een voorwerp zonder denkvermogen. Eindelijk komt er een heldere gedachte bij me op en ik zeg: 'Je zou wat belangstelling voor jongens van je eigen leeftijd moeten krijgen.'

'Waar ik het over heb, is iets meer dan "belangstelling" hebben,' zegt ze.

'Nou ja, wat dan ook, maar doe het met iemand van je eigen leeftijd.'

'Ik ben dol op jongens van mijn eigen leeftijd, maar op een andere manier.'

'Hoe dan?'

'O... ik zou ze willen zoenen.'

Ik durf haar niet te vragen op welke manier ze van míj houdt, dus vraag ik: 'Waarom doe je dat dan niet?'

'Daar heb ik het lef niet voor.'

Ik trek mijn wenkbrauwen op. 'O nee?'

Ze begrijpt wat ik bedoel, glimlacht en probeert het uit te leggen. 'Ik bewonder hen te veel. Ze maken me verlegen.'

'Ik weet zeker dat dat niet voor allemaal geldt. Je bedoelt één bepaalde, is het niet?'

'Ik denk het.'

Even later zegt ze: 'Als ik thuis ben, op mijn kamer, wil ik soms dat er een man, een vreemde, zou komen om met me te vrijen. Jij bent het niet, maar dat doet er niet toe.'

'Is hij een van de andere naaktmodellen van je moeder?'

'Dat zou kunnen, maar misschien ook niet. In mijn gedachten komt hij voornamelijk van buitenaf.'

Ik zwijg terwijl ik dit overdenk.

Dan zegt ze: 'Ik ben niet verliefd op je. Ik voel geen bewondering voor je. Vind je dat erg?'

'Nee, daar ben ik heel blij om.'

'Maar ik houd van je als van een goede vriend die ik niet respecteer, een goede vriend met wie ik medelijden heb.'

Au. Vreselijk beledigd. Gekwetste gevoelens. Erg aardig is ze niet, maar gezien de omstandigheden vind ik het niet gepast mijn gekwetstheid te laten blijken. De omstandigheden zijn dat ze driekwart van de tijd avances maakt. Ik sta er verbaasd over dat zo'n jong meisje met me kan spelen en me kan kwetsen, met net zoveel succes als een vrouw die drie keer zo oud is als zij.

Eindelijk gaat ze naar haar kamer. Ze belt me op.

'Kun je alsjeblieft even naar mijn kamer komen?' vraagt ze.

'Waarom?'

'Ik wil dat je me laat zien hoe ik de tv moet aanzetten.'

'Dat is heel eenvoudig.'

'Ja, maar ik kom er niet uit.'

Ik slaak een zucht. 'Goed dan.' Ik hang op en loop de kamer uit.

Ik staar naar mijn blote voeten die over de vloerbedekking van de gang stampen en denk bij mezelf: het zou me enorm verbazen als er niet een plannetje achter haar verzoek steekt.

Ik doe de deur van haar kamer open. Ze staat midden in de kamer de ongeschoren kruier te zoenen. Ze heeft zelfs haar armen om hem heen geslagen. Ze zoent hem op de mond en kijkt daarbij naar mij.

Als ik hen zie, is mijn eerste impuls te zeggen: 'O, neem me niet kwalijk', achteruit de kamer uit te lopen en de deur achter me te sluiten. Maar dat doe ik niet. Ik blijf gewoon staan. De kruier duwt Sara met een vertrokken gezicht van zich af en maakt dat hij wegkomt.

Ik zie dat de tv aanstaat.

'Je tv doet het,' zeg ik.

'Hij heeft me laten zien hoe het moest,' zegt ze.

Ik ga zonder iets te zeggen weg.

De volgende ochtend doen we het Indiana Jones Helden Stuntspektakel. We komen langs een winkel waar ze je foto op het omslag van een tijdschrift kunnen zetten. Daar hebben we eigenlijk geen zin in, maar dan zie ik dat *Screen* een van de keuzemogelijkheden is, en besluit ik dat we het gewoon moeten doen. We laten alle drie dus een foto maken die door hen op het omslag wordt gezet. De foto van mij is vreselijk lelijk, die van mijn moeder niet zo geweldig, maar die van Sara is prachtig. Ze geeft me een kus op de ene wang en mijn moeder kust me op de andere wang. Naast onze gezichten staat: 'Heet van de naald.' Mijn moeder wil dat ik de foto verscheur, maar Sara zegt dat ze hem wil bewaren als souvenir voor haar moeder. Daar ben ik faliekant tegen. Ik wil niet dat die lieve Lady Henrietta die monsterlijke foto van me te zien krijgt. Maar Sara wint. We laten haar de foto houden.

Als ze niets zou doen, zou ik geen begeerte voor haar voelen. Maar het komt door haar gedrag. Ze is zo verleidelijk. En ik heb het idee dat ze van me houdt, met een merkwaardige en diepe genegenheid. Ze mag dan zeggen dat ze niet verliefd op me is, en ik denk dat ik haar geloof. Het geeft me geen prettig gevoel; niet dat ik wil dat ze verliefd op me is, maar het feit dat ze het zegt kwetst me. Het vergroot mijn minderwaardigheidscomplex, het idee dat geen vrouw ooit verliefd op me zou kunnen zijn, geen vrouw me aantrekkelijk zou kunnen vinden. Ik doe te onzeker, bescheiden, laf, oenig, verwijfd, kleinzielig; ik ben middelmatig intelligent, heb geen gevoel voor humor, doe onvolwassen en zenuwachtig. Maar ik denk dat ze van me houdt omdat ze zich zóóó op haar gemak voelt bij me en absolúúúút niet onder de indruk van me is, omdat ze zóóó weinig bewondering voor me voelt. Niettemin houdt ze van me. Ik ben haar beste vriend. En ik ben dankbaar voor haar liefde. Dat is iets wat ik nooit heb gekend, en wat ik heb gemist.

Na de lunch gaat mijn moeder terug naar het hotel. Ze heeft genoeg van Disney World en de rijen en de mannen en Sara's woordspelletjes.

Sara zegt dat ze sla wil kopen.
'Wat?' vraag ik.
'Daar heb ik nu echt zin in.'
'Maar waarom?'
'Gisteren zag ik een apenrots. Daar wil ik heen om samen met jou de apen te voeren. Dat is voor mij heel belangrijk. Sla aan de apen voeren, met jou.'

We vinden een groentewinkel, kopen sla, en gaan op zoek naar de apenrots. De meeste apen liggen te slapen in de zon. Sara pakt een kropje sla en gooit dat over het hek. De apen reageren niet en slapen door.

'Kijk,' zegt Sara, 'zij doen precies wat ik zou willen doen. Met jou.'

Ik kijk van de sla naar de apen. Sla. Apen. Slapen. De aap is uit de mouw; ik begrijp wat ze me duidelijk probeert te maken.

Op de terugweg naar het hotel begint ze een verhandeling over het gen in sla dat maakt dat sla in lagen groeit tot een krop. Het sla-gen. 'Ik krop niets op,' zegt ze. En zingt: 'Ik zal erin sla-lá-lá-lá-gen.'

We dineren met mijn moeder in restaurant Coral Reef in De Levende Zee. Er zijn vier grote glazen panelen aan de ene kant van de ruimte waardoor je haaien kunt zien en een zwaardvis, pijlstaartroggen, een minor (die gigantisch is: het is een soort zaagbaars) en tal van kleinere vissen.

Moeder is iets beter gehumeurd, maar we praten alleen over de vissen in het aquarium, en over vissen als huisdier in het algemeen, en over Al, de dode goudvis van mijn vriendin Charlotte, die ik haar had gegeven.

Ik hoop dat Sara vanavond niet naar mijn kamer komt. Ik wil haar niet zien. Terwijl ik dit denk, wordt er op de deur geklopt. Misschien is het mijn moeder. Ik ben nog nooit zo blij geweest bij de gedachte dat een klop op de deur misschien een onverwacht bezoek van mijn moeder aankondigt.

'Wie is daar?' vraag ik zachtjes, op een meter afstand van de deur, omdat ik niet vlak bij iets wil zijn of iets wil aanraken waar Sara vlakbij kan zijn of dat zij aanraakt.

'Ik ben het,' antwoordt Sara op zangerige toon.

'Wat is er?'

'Doe de deur eens open.'

'Ik ben erg moe. Ik slaap al bijna.'

'Ach, toe nou. Ik heb een verrassing.'

Ik durf te wedden dat ik weet wat het is. Ik durf te wedden dat ze een korte broek voor me heeft gekocht en dat ze me zal vragen hem aan te trekken waar zij bij is.

'Ik voel me op het moment niet zo geweldig,' zeg ik tegen haar.

'Ik ook niet. Ik kan niet in slaap komen, dus ik wil gewoon even een paar minuten kletsen, en daarna zal ik wel kunnen slapen.' Ze smeekt, net als mijn moeder wanneer ze me onverwacht opzoekt in de stad.

'Weet je zeker dat je niet gewoon even kunt lezen of zoiets?' vraag ik.

'Ja, dat weet ik zeker.'

Met angst in mijn hart doe ik de deur open. Ze stapt binnen in een witte badstoffen ochtendjas.

'Ik maakte maar een grapje,' zegt ze. 'Ik heb geen verrassing. Ik wilde alleen dat je de deur zou opendoen.'

Ze doet haar ochtendjas uit en laat die op de vloer vallen. Ze is naakt.

Ik grijp me aan de kast vast om te voorkomen dat ik net als haar ochtendjas op de vloer beland. 'Wat doe je nou?' vraag ik.

'Ik heb het warm. Let maar niet op mij.'

Ze gaat op mijn bed liggen, zet de radio aan en begint rusteloos door de hotelbijbel te bladeren, op de maat van de muziek, als een metronoom. Het is klassiek.

Ik raap haar ochtendjas op en gooi die over haar heen. 'Trek die alsjeblieft weer aan of ga mijn kamer uit. Je hoort je niet naakt voor me te vertonen.'

Ze schopt de ochtendjas van zich af. 'Waarom niet? Ik ben maar een klein meisje. Kinderen mogen naakt rondlopen. Je ziet er zo leuk uit als je streng probeert te doen.'

'Je bent niet van plan hem aan te trekken?'

'Nee, ik heb het warm.'

'En je bent niet van plan om te gaan?'

'Nee. Ik heb zin om te praten. Ik kan niet in slaap komen.'

Ik krijg ineens een ontzettend slim idee, waar ik erg trots op ben. Ik verkneukel me bij de gedachte hoe teleurgesteld ze zal zijn, en er is niets wat ze ertegen kan doen. Ik trek een lade open en haal een van mijn lange zwarte sokken te voorschijn. Ik loop lachend naar de stoel bij het raam zonder een blik op Sara te werpen, hoewel ik vanuit mijn ooghoeken kan zien dat ze mijn bewegingen volgt, waarschijnlijk uit nieuwsgierigheid. Ik ga op de stoel zitten en knoop de sok om mijn hoofd, over mijn ogen. Ik ben benieuwd of ze haar teleurstelling zal laten blijken of het zal verbergen.

'Weet je dat je erg preuts bent, Jeremy?' zegt ze.

'Dat is mooi. Verder nog nieuws?'

'Niets nieuws.'

'Dat is dan jammer. Waarover wilde je het eigenlijk hebben?'

Ik hoor hoe ze met een klap de bijbel op het nachtkastje smijt. Nu ik geblinddoekt ben, herinner ik me het lichaam dat ik heb gezien, en ik bekijk het door mijn geestesoog. Ik kan mijn ogen er niet van afhouden. Het is het volmaaktste en mooiste lichaam dat ik ooit heb gezien.

Sara lacht en komt op mijn schoot zitten. Ze is vrij zwaar voor een zogenaamd klein meisje.

'Nu heb ik je,' zegt ze.

'O, dit moet je niet doen,' jengel ik.

'Je kunt me niet zien, dus wat geeft het nou? Wat jou betreft zou ik een ruimtepak aan kunnen hebben.'

Ze streelt mijn haar, speelt met het uiteinde van de sok.

'Wat denk jij dat ik moet doen om in slaap te kunnen komen?' vraagt ze.

'Verbeeld je dat je langzaam in een donker gat valt, net als Alice in Wonderland.'

Voor het eerst kust ze me op de mond. Mijn lippen zijn ferm gesloten. Ik houd mijn adem in.

'Ontspan je,' zegt ze. 'Verbeeld je dat je in een donker gat valt, net als Alice in Wonderland.'

'Dit zou je met iemand van je eigen leeftijd moeten doen,' zeg ik.

Ze laat haar handen onder mijn trui glijden en streelt mijn blote huid. Ik ben verlamd. Ze windt me op en daardoor ben ik verlamd. Ik kan niet verhinderen dat de volgende gedachten door mijn hoofd gaan: Nou, ze wíl dit echt doen. Het is niet alsof ze het niet geprobeerd heeft. Ze heeft wekenlang echt haar best gedaan, ze heeft alles gedaan wat in haar vermogen lag om dit te laten gebeuren. Ze zou vreselijk gekwetst zijn als ik haar nu afwees. Het zou haar voor het leven kunnen tekenen.

En ik word rood van schaamte bij de gedachte wat de maatschappij ervan zou denken als mijn gedachten te horen waren. Maar de gedachten blijven terugkomen; ik kan ze niet weghouden: waarom zou ze niet vrijen op haar elfde? Ze lijkt er beslist aan toe.

En alsof ze met mijn gedachten instemt, zegt Sara: 'Een half jaar geleden heb ik mijn eerste orgasme gehad, maar een paar weken na mijn eerste menstruatie. Is dat niet interessant? Ik ben eraan toe.'

Mijn gedachten vervolgen: wat een openheid. Wat een lef. Wie weet is ze wel net zo voorlijk als de meisjes in Afrika. Ik heb gehoord dat die het al doen als ze vijf zijn. Afgezien daarvan weet ik wat ze probeert te doen. Dit is niet alleen onschuldige, platonische, kinderlijke genegenheid. Het is opwinding en verlangen. Dat is onmiskenbaar. Ik weet niet wat ik moet beginnen.

Ik pak mijn Bic-ballpoint uit mijn zak en steun met mijn voortanden op de punt van de dop, hoewel ik had gezworen dat ik dat nooit meer zou doen.

Ze legt haar hand op mijn broek, in mijn kruis, en dit roept bij mij ineens, als vanzelf, geconditioneerde afkeuring op. 'Dit zou je met iemand van je eigen leeftijd moeten doen,' zeg ik, terwijl ik haar hand wegleg en mijn tanden weer op de punt van de pen laat rusten.

Mijn pen schiet uit en doorboort mijn verhemelte. Het bloed stroomt eruit. Ik neem niet eens de moeite het snel weg te slikken. Mijn mond loopt vol.

'Ach, je hebt je pijn gedaan,' zegt ze. 'Dat is mijn schuld. Ik heb je zenuwachtig gemaakt en nu bloed je. Kun je het me vergeven?'

Ik knik en voel een druppel uit mijn mondhoek lopen.

Ze kust me. Ze knoopt mijn broek los en ritst hem open. Ze staat op en trekt mijn broek en onderbroek zo ver mogelijk omlaag. Ik heb een stijve.

'Ah, ziet-ie er zo uit,' zegt ze.

Ik zou haar een afkeurende blik willen toewerpen, maar omdat mijn ogen bedekt zijn, moet alle expressie van mijn mond komen, dus vertrek ik mijn lippen tot een verwijtende grimas.

'Grapje!' zegt ze. 'Je weet toch dat ik praktisch leef met naakte mannen. Ik weet hoe ze eruitzien.'

Ze probeert uit alle macht mijn broek onder me vandaan te trekken, maar het lukt haar niet.

'Zou je een beetje willen meewerken?' vraagt ze.

Ik blijf verlamd zitten. Ik sta mezelf niet toe om mee te werken, hoewel ik het graag zou willen. Ze trekt eerst aan de ene, dan aan de andere kant van mijn broek. Ik weet dat ze geen vorderingen maakt, omdat ik mijn broek verfrommeld onder me voel, tegengehouden door het gewicht van mijn kont. Maar ik help haar niet. Dat zou een misdaad zijn; dan zou ik er actief bij betrokken zijn.

Ineens stopt ze met trekken en begint te lachen. 'Je ziet er zo grappig uit.'

Ik kan me voorstellen dat ik er grappig uitzie. Heel even voel ik een binnenpret in me opwellen. Ik ben bang dat het doorbreekt, op zijn minst in een niet te onderdrukken glimlach, maar een mengeling van paniek en begeerte drukt de glimlach de kop in voor hij is ontstaan, als een ingehouden nies. Niet het geringste spiertje of rimpeltje roert zich op mijn gezicht. Ik ben in mijn hele godganse leven seksueel nog niet zo opgewonden geweest. Ik neem dit hele gedoe veel serieuzer dan zij.

Ik hoor papier scheuren. Het klinkt als een snoepgoedverpakking. Ik voel haar handen. Ze doet me een condoom aan. Daar was ik niet op voorbereid. Onder mijn sok gaan mijn ogen wijdopen van verrassing.

'Heb je dit al eerder gedaan?' vraag ik.

'Nee,' zegt ze, haar stem vol trots. Trots op haar vaardigheid, niet trots omdat ze dit nooit eerder heeft gedaan. Ik leg dit uit omdat ik het met absolute zekerheid weet, en het verkeerd zou kunnen worden opgevat.

Ja, dat heb je wel, jokkebrok: dit is een waanzinnige gedachte mijnerzijds, zonder enige grond en zonder achterliggende gedachte.

'Ik heb geen zin via jou een ongeneeslijke ziekte op te lopen,' legt ze uit. 'Of een ongeneeslijk dodelijke ziekte, of een dodelijk ongeneeslijke ziekte.'

Hoe romantisch.

'Ik heb alle combinaties de revue laten passeren,' zegt ze.

Ja, dat is duidelijk.

'Ik heb trouwens ook geen zin een kind van je op te lopen, omdat ik dan naar een van die praatprogramma's op tv zou moeten met een heleboel andere meisjes met een laag getal die een baby hebben opgelopen. Ik ga je nu je blinddoek afdoen.'

'Nee!' roep ik. 'Ik zie je gezicht liever niet.'

'Maar ik wil dat je ons kunt zien.'

'Nee, want ik mag je gezicht niet zien.'

'Wat doe jij moeilijk, verwend haantje,' zegt ze geërgerd.

Ze staat op. Ik hoor haar door de kamer lopen, in spullen rommelen. Ze komt bij me terug, gaat schrijlings op me zitten en doet mijn blinddoek af. Ik schreeuw het uit. Mickey Mouse zit boven op me. Nee, het is maar een masker. Sara is zo vindingrijk. Nu hoef ik niet naar haar gezicht te kijken, maar kan ik naar Mickey Mouse kijken. Ze laat me in zich glijden. De muis grijnst op een obscene manier naar me; hij kijkt alsof hij er lol in heeft, maar ik stel me voor dat Sara onder het masker haar gezicht vertrekt van pijn en haar kiezen op elkaar klemt. Ik wend mijn blik niet van de zacht schitterende zwarte ogen in de muizeogen af, en die zijn ook op mij gericht. Ik zou willen dat ik kon zien hoe ze keek, om te weten of ze haar gezicht echt vertrok, zoals ik me voorstel, of dat het er anders uitziet. Ik kan er niets van zeggen. De muis blijft glimlachen en de muziek speelt door, en ze weet zelfs dat je hoort te bewegen. Ik beweeg me niet. Ik vind het egoïstisch om het niet te doen, maar het is tegen mijn principes.

Ze geeft een tik tegen mijn arm. 'Doe eens wat! Ik weet dat je het wilt.'

Als ze me gaat slaan, blijf ik niet stomweg vasthouden aan mijn principes. Dat zou te ver gaan. Dus doe ik wat.

Later loop ik met haar mee naar haar kamer en vraag: 'Deed het pijn?'

'Ja,' zegt ze.

Ik laat haar alleen en loop het hotel uit. Ik wandel in het donker en huil. Ik ben een viezerik. Zou een normale man opgewonden kunnen raken van een elfjarig meisje, zelfs als ze zich op hem stortte? Waarschijnlijk niet. Ik denk na over wat er nu zal gaan gebeuren. Het kleine meisje zal het aan haar moeder vertellen, haar moeder zal het de politie vertellen, en de politie zal me komen arresteren en me voor de rest van mijn leven in de gevangenis zetten, en ik zal me er niet tegen verweren, want wat ik gedaan heb is vreselijk. Het is niet dat ik niet wist dat het vreselijk was. Vanaf je vroegste jeugd wordt dat er door de maatschappij in gestampt. Ik weet heel goed dat het afschuwelijk is voor kleine meisjes en jongetjes om seksuele gemeenschap te hebben met een volwassene, of wie dan ook. Afgrijselijk. Het heet kindermisbruik, verkrachting zelfs, wanneer zij zo oud zijn en jij zo oud. Want kinderen verleiden volwassenen niet; dat doen ze gewoon niet, dat weet iedereen, tenzij ze het in volmaakte kinderlijke onschuld doen, om de genegenheid van vader of moeder te krijgen. Maar ze denken helemaal niet aan seks, ze hebben absoluut geen seksuele verlangens, ze kennen alleen nieuwsgierigheid. Ik wist dit allemaal, maar heb ervoor gekozen het te negeren. Ik zal me niet verzetten tegen de politie. Ik wacht gewoon tot ze me komen halen. Of misschien moet ik me nu gewoon van kant maken.

7

De volgende dag gaan we terug naar New York. Niemand zegt iets ongewoons, en mijn moeder vermoedt niets. Sara gaat naar huis, mijn moeder gaat terug naar haar huis op het platteland, en ik ga naar mijn flat. Charlotte is er om me te verwelkomen als ik aankom. Ik was vergeten dat ze bij me was ingetrokken. Ik had verwacht alleen te zullen zijn. Ze vraagt me hoe de reis was. 'Goed,' zeg ik, en beantwoord afwezig haar vragen.

Minou is midden in haar tweede krolsheid. Ze heeft op het aanrecht geplast. Dikke, geconcentreerde urine, in kleine plasjes. Ik ben nog te veel met de vorige avond bezig om Charlotte te vragen waarom ze de plasjes heeft laten opdrogen in plaats van ze op te ruimen.

Ik maak het aanrecht schoon en wacht. Het is vijf uur en ik weet dat Lady Henrietta me elk moment kan opbellen, zodra Sara klaar is met haar te vertellen wat ik heb gedaan. Of misschien neemt Henrietta helemaal niet de moeite om te bellen. Misschien stuurt ze gewoon de politie op me af. Ik ben een viezerik en ik wacht opgelucht tot de politie me komt halen.

U zou kunnen denken dat dit een perfecte gelegenheid is om mijn kleine witte olifantje te pakken en een wens te doen.

Ik zou kunnen wensen dat Sara Henrietta nooit iets vertelt over wat er is gebeurd. Maar dat doe ik niet. Het komt niet serieus in me op een wens te doen met betrekking tot dit probleem. Wanneer je hoopt dat iets onaangenaams niet zal gebeuren, zet je je witte olifantje niet in, want dat zou te onbelangrijk, te zinloos, kinderachtig en hopeloos lijken, wat u zou moeten tonen dat ik niet zo'n leeghoofd ben als ik misschien lijk. Zo hoog steekt mijn hoofd nu ook weer niet in de wolken. Als het leven ernstig wordt, sta ik met beide benen op de grond.

Henrietta belt die avond niet, en de politie komt niet opdagen. De volgende dag wacht ik af. Sara moet geaarzeld hebben voor ze het haar moeder vertelde. Maar ik ben ervan overtuigd dat ze het haar zeer binnenkort zal vertellen.

Er wordt die dag niet gebeld.

De volgende dag wacht ik af, en dan gaat de telefoon. Ik neem op. Het is Lady Henrietta. Ik durf nauwelijks adem te halen, ik sluit mijn ogen en heb het gevoel dat mijn laatste uur heeft geslagen.

'Hallo,' zegt ze opgewekt.

Haar toon verbaast me. 'Hallo,' antwoord ik.

'Hoe gaat het met je?' vraagt ze.

'Goed.'

'Ik wilde je bedanken voor wat je hebt gedaan.'

'O.'

'Ik weet dat je eigenlijk geen zin had om naar Disney World te gaan, en het moet heel saai voor je zijn geweest, maar tussen Damon en mij gaat het nu fantastisch. Er is iets moois opgebloeid. We hebben het meest romantische weekeinde gehad dat je je kunt voorstellen. Ik sta voorgoed bij je in het krijt.'

'Ja, het is wel goed.'

Ze vertelt nog het een en ander. Ik luister niet echt meer. We hangen op.

Sara heeft het haar moeder niet verteld. Waar wacht ze op? Dit is een nieuwe ontwikkeling die ik onder ogen moet zien.

Maar het is logisch. Kinderen die seksueel zijn misbruikt vertellen het heel zelden aan iemand. Ze schamen zich er te veel voor; ze denken dat het hun schuld is. Of misschien had Sara er gewoon geen zin in het haar moeder te vertellen, omdat ze dacht dat ze erdoor in moeilijkheden zou komen.

Ik zit de hele avond op de bank en staar met lege ogen voor me uit. Het wordt donker buiten. Ik doe het licht niet aan. Elke minuut, elke dag, elke week, elke maand, elk jaar kan Sara het haar moeder vertellen. De politie kan me op elk willekeurig tijdstip tussen nu en over tien jaar komen halen, en zelfs als ik tachtig ben kunnen ze nog komen. Ik weet niet wat ik moet doen.

Ik leef, dat is wat ik doe: ik bedoel dat ik mijn tanden poets, ga slapen, 's morgens wakker word, eet, naar mijn werk ga, knipsels opberg, leef. Charlotte merkt dat er iets met me aan de hand is. Ze maakt er een opmerking over en ik maak er een opmerking over, en daar laten we het bij.

Ik leef drie dagen. Dan leef ik een vierde dag. Na enig aarzelen haal ik de vijfde dag. Dan ga ik op de bank zitten en kom de zesde dag door. En dan ga ik weer op de bank zitten en stop met leven. Ik ben niet meer in staat mijn tanden te poetsen of naar bed te gaan. Ik kan niet naar mijn werk om te archiveren. Op de zevende dag gaat mijn deurzoemer. Dat zal de politie zijn.

'Wie is daar?' vraag ik via de intercom.

'Sara.'

Ik laat haar boven komen. Als ik de deur open doe, staat daar Mickey Mouse voor mijn neus. Het is een nachtmerrie, een straf. Sara stapt naar binnen en zegt: 'Waarom heb je me niet gebeld? Ik had gedacht dat je me zou bellen. Ik heb op je telefoontje zitten wachten.'

'Wat wil je?' vraag ik haar.

'Het gebruikelijke.'

'Wat is het gebruikelijke?'

'Ligt dat niet voor de hand? Is dat niet overduidelijk van mijn gezicht af te lezen?'

Ik kijk naar haar masker en zeg: 'Nee, dat is niet het gebruikelijke.'

'Nou, dat zou het moeten zijn. En dat wordt het ook. In mijn gedachten is het dat. Is je vriendin niet thuis?'

'Nee.'

'Waar is ze dan?'

'Uit eten met vrienden.'

'Wanneer komt ze terug?'

'Over een paar uur.'

'Heb je iets te drinken voor me?'

'Wat wil je hebben?'

'Kies jij maar iets. Verras me maar.'

Ik ga naar de keuken en probeer de meest aseksuele drank te verzinnen die ik ken. Koffie? Nee, dat is opwindend. Thee? Nee, daar zit ook cafeïne in. Kruidenthee? Ja, dat is iets. Pepermuntthee? Nee, dat is ook stimulerend. Thee-voor-het-slapengaan? Ja, daar zal ze doezelig van worden. Maar bij nader inzien beter niet, omdat slapengaan te veel doet denken aan 'met elkaar slapen'. Kamillethee? Ja! Er bestaat niets asecksuelers dan iets wat goed is voor de spijsvertering.

Als ik terugkom met de thee, is Sara niet naakt. Mooi zo. Wat een opluchting. We zijn een goede start aan het maken. Mijn humeur verbetert iets.

Sara aait Minou, die op haar rug heen en weer ligt te rollen. 'Waarom doet je kat zo raar?' vraagt ze.

Ik heb absoluut geen zin haar te vertellen dat Minou krols is, dat zou haar nog op ideeën kunnen brengen. Ik zou kunnen zeggen dat Minou van streek is omdat mijn moeder haar haarballen op de grond heeft zien liggen. Of ik zou kunnen zeggen dat ze ligt te rollen van geluk, omdat ze zo fantastisch kan opschieten met mijn vriendin die pas bij me ingetrokken is.

Uiteindelijk zeg ik: 'Ze heeft het gewoon warm, dat is alles.'

'Maar waarom wil ze zo ontzettend graag worden geaaid? Ze is helemaal gek.'

Ik zeg het eerste dat in mijn hoofd opkomt: 'Ze wordt graag geaaid als ze het warm heeft, omdat het haar vacht lucht.'

' "Lucht"? Wat bedoel je daarmee?'

'Gewoon, dat ventileert haar vacht.'

'Ik zou er geen bezwaar tegen hebben als mijn vachtje wat gelucht werd,' mompelt Sara.

Ik doe alsof ik dat niet gehoord heb, en daar blijft het bij. We drinken thee en praten over het weer. Zij is degene die over het weer begint en daar ben ik blij om; ik zou geen beter onderwerp hebben kunnen verzinnen om met haar over te praten. Verrukkelijk onpersoonlijk. Als we er diep genoeg op ingaan, kunnen we misschien over het weer praten tot Charlotte over een paar uur thuiskomt, dan heb ik dit bezoek overleefd. Maar na een poosje wordt het gesprek eenzijdig. Ik ben degene die over wolken praat, verschillende soorten wolken, en hoe graag ik zou willen dat ik de namen van al die verschillende wolkensoorten kende. En ik vertel haar over regen, en het feit dat je regenwater niet moet drinken, want hoewel je zou kunnen denken dat het het zuiverste water op aarde is, is dat feitelijk niet het geval, vooral niet in de steden, omdat het verontreiniging oppikt uit de lucht terwijl het uit de wolken valt. En ik vertel haar over sneeuw, dat ik vroeger sneeuw at en dat je waarschijnlijk ook beter geen sneeuw kunt eten, vooral niet in de grote steden, om dezelfde reden waarom je geen regenwater moet drinken. En ik zeg: 'Zou je me een lekker groot glas warme zomerregen willen inschenken?' En ik lach. Sara begint raar naar me te kijken. Ik weet niet hoe ik dit weet, want ze heeft immers een masker voor, maar ik weet het. Misschien door de speciale kwaliteit van haar stilte. Een stilte met ingehouden adem, adem die zomaar in het middendeel van haar longen hangt, zonder veel naar buiten of naar binnen te gaan.

Ik durf haar niet te vragen waarom ze dat masker draagt. Met een beetje geluk vergeet ze misschien dat ze het voor heeft. Of vergeet ze op zijn minst misschien waaróm ze het draagt, en daar gaat het om.

Na een poosje vraagt ze: 'Heb je een leuke week gehad?'

'Ja. Jazeker,' lieg ik en knik. 'En jij?' Ik heb het nog niet gevraagd of ik zie het gevaar van die vraag in en wilde dat ik mijn mond had gehouden, want ze heeft wel of geen leuke week gehad, en beide mogelijkheden zijn waarschijnlijk mijn schuld om redenen die ik niet wil horen of kennen.

'Afgezien van het feit dat ik gespannen op een telefoontje van je heb zitten wachten, heb ik een interessante week gehad,' zegt ze. 'Ik moest een verhaal schrijven voor school. Ik kreeg er een negen plus voor van de lerares, maar daarna liet ze mijn moeder bij zich komen voor een gesprek onder vier ogen, omdat ze vond dat uit het verhaal bleek dat ik misschien problemen had thuis. Het is een stom mens.'

Ik word ineens heel bang en vraag me af of haar verhaal over een klein meisje gaat dat naar Disney World gaat en een verhouding heeft met een volwassen man.

'Waardoor begon je lerares te denken dat je thuis misschien problemen had?' vraag ik.

'Al sla je me dood.'

'Waarom zou ik?'

'Ik bedoel: ik heb geen idee.'

'O. Tja, waar ging je verhaal over?'

'Leuk dat je ernaar vraagt. De titel luidde, ik citeer: De ongeautoriseerde biografie van wijlen Humpty Dumpty. Het ware verhaal achter zijn ondergang. Zijn geheime verslaving, zijn heimelijke obsessie, zijn kwellende verleiding, zijn dilemma: uitkomen of niet? Dat is de vraag. Einde citaat. Hoe vind je de titel?'

'Leuk, maar waarom dacht je lerares nu dat je thuis problemen had? Waar ging je verhaal over?'

'Leuk dat je er weer naar vraagt. Er was eens een tijd dat Humpty Dumpty geplaagd werd door een verleiding, een groot verlangen. Hij wilde dat er een kip op hem kwam zitten. Dat was immers normaal, want hij was een ei, en een verige kippekont op je laten zitten is de natuurlijke bestemming en het verlangen van een ei. Er was een grote mooie kip vlak bij de plaats waar hij woonde. Ze zat altijd, maar nooit op eieren, en daarom had ze meer dan genoeg ruimte onder zich voor hem. Humpty wilde zich zo ontzettend graag onder haar zachte, zittende kippekont laten glijden, maar hij wist dat het gevaarlijk was, want als hij zich overgaf aan het genot op zich te laten zitten, zou hij al gauw uitkomen en geen ei meer zijn, en hij vond het leuk om een ei te zijn en hij wist niet goed of hij het leuk zou vinden een kuiken te zijn. Vind je het leuk tot hieraan toe?'

'Ja, ga maar verder,' zeg ik.

'Goed.' Sara zet haar thee neer, loopt naar me toe, pakt mijn theekopje uit mijn handen, zet het op tafel en gaat op mijn schoot zitten.

'Wat doe je?' vraag ik.

'Je de rest van mijn verhaal vertellen. Humpty ging dus raad vragen aan zijn broer, Lumpy Dumpty, die hem zei dat hij wilskracht moest tonen om de verleiding te weerstaan, en niet op zich te laten zitten, anders zou hij uitkomen. "Uitkomen," zei zijn broer Lumpy, "is niet wenselijk. Het is het onbekende, het is vermoedelijk immoreel, en het is geestelijk en lichamelijk ontzettend schadelijk, zo niet regelrecht fataal. Je gaat eraan kapot, het tekent je voor het leven, tenminste als je zo fortuinlijk bent dat je door de mannen en paarden van de koning weer aan elkaar wordt gelijmd, maar als je niet zo fortuinlijk bent, kun je het wel vergeten; dan lig je aan stukken. Op je laten zitten is zondig. Bovendien is het onbetamelijk. Het geeft blijk van een gebrek aan het meest fundamentele eiige fatsoen." Vind je het tot dusver nog steeds leuk?'

'Ja,' antwoord ik, hoewel ik me afvraag of ze me niet indirect probeert te beledigen door haar verhaal, omdat ik haar nu immers op me laat zitten.

'Humpty Dumpty besefte dat zijn broer Lumpy waarschijnlijk gelijk had. Maar op een dag draaide hij heel wat keren om de kip heen en probeerde zich voor te stellen dat haar donzige kippekontveren zijn harde, kale schaal bedekten, en kreeg rillingen van genot als hij eraan dacht. De kip draaide haar donzige kippekont zijn kant uit en maakte zachte vogelgeluidjes. Ten slotte kon hij de verleiding niet langer weerstaan.'

Sara glipt met haar hand mijn overhemd binnen en streelt zachtjes mijn huid en zegt: 'Humpty liet zich langzaam onder de kip glijden, voelde elk veertje, één voor één, over elke millimeter van zijn harde, kale schaal schuiven alsof hij zich onderdompelde in een heerlijk warm bad. De geur van de kip was bedwelmend en hij wist dat dat gevaarlijk was, wist dat zodra eieren onder de invloed van die geur raken, ze niet meer de wens of het verlangen kunnen hebben om te ontsnappen voor ze uitkomen. Maar Humpty was nog niet versuft. Dat duurt even. Elke paar minuten keerde hij zich om, zodat alle kanten van zijn lichaam in aanraking kwamen met haar warme veren, een beetje zoals je eten in de koekepan omkeert zodat het aan beide kanten gaar wordt. Dat was wat er met hem gebeurde: hij was gaar aan het worden. Hoe langer er op hem werd gezeten, des te groter zou het monster binnen in hem worden en algauw zou het uitkomen.'

Sara haalt haar hand uit mijn overhemd en begint langzaam de knoopjes ervan los te maken en vervolgt: 'Humpty schraapte al zijn wilskracht bijeen, liet zich onder de goddelijke kip vandaan glijden en liep naar zijn meditatiemuur. Dagenlang zat hij op de muur, dacht na en probeerde een beslissing te nemen. "Uitkomen of niet uitkomen? Dat is de vraag," hield hij zich voor. "Op je laten zitten of niet? Dat is de andere vraag." Hij meende dat hij niet door het leven kon gaan zonder op zich te laten zitten. Het leven zou gewoon het leven niet waard zijn. Het voelde zo natuurlijk, zo goed, hoe zou dat nu slecht of immoreel of schadelijk kunnen zijn? We hebben immers allemaal wel een behoefte. Sommigen van ons willen dat er op hen gezeten wordt, en anderen hebben de behoefte hun vachtje te luchten. Hoe dan ook, Humpty voelde zijn ziel verschrompelen door de inspanning die het kostte zich te verzetten tegen iets wat zijn lichaam nodig had. Hij werd grimmig en verbitterd. Doordat hij zich ongelukkig voelde, verschenen er blijvende rimpels op zijn harde, kale schaalgezicht.' Sara streelt mijn gezicht. 'Maar hij zat nog steeds na te denken op zijn muur. Ten slotte begon hij op zijn zij heen en weer te rollen van besluiteloosheid en rusteloosheid, en maakte hij zijn grote smak van zijn meditatiemuur. En geen van de paarden of mannen van de koning kon hem weer lijmen. Hoe vind je het?'

'Ja, het was een erg goed verhaal.'

'Het is nog niet afgelopen. Geen van de mannen of paarden van de koning kon Humpty Dumpty weer lijmen. Dus droegen ze zijn brokstukken naar het kasteel en...'

Nu begint Sara mijn broek los te knopen, steekt haar hand in mijn onderbroek en begint me te strelen. Meteen kan ik de rest van haar verhaal niet meer verstaan, alsof ik doof ben geworden of zij op een andere taal is overgestapt. Maar haar verhaal is toch boeiend, dus zeg ik: 'Stop daarmee. Ik kan me niet concentreren.'

'Stop waarmee?'

'Daarmee.'

'Met wat ik doe of wat ik zeg?'

Daar kan ik geen antwoord op geven, omdat ik het niet zeker weet. Ik ben in de war. Die vraag vereist enig nadenken en concentratie, maar ik kan niet helder genoeg nadenken, hoe ik ook mijn best doe, dus zeg ik: 'Je weet wel waarmee.'

'Nee, ik heb geen idee.'

Ik doe een bovenmenselijke poging om me te concentreren, en uiteindelijk vind ik het juiste, correcte antwoord. 'Met wat je aan het doen bent.'

'Dat kan ik niet, anders kan ík me niet op mijn verhaal concentreren.'

'Oké, vertel maar door. Vertel me wat er gebeurde.'

Ze gaat door met strelen en gaat door met haar verhaal, waar ik geen woord van versta, hoewel het fascinerend is. Dus zeg ik: 'Voer het tempo eens wat op. Kom eens wat sneller ter zake. Je vertelt zo traag. Ik kan me niet concentreren.'

Ze streelt me sneller.

Ik kan nog steeds niet verstaan wat ze zegt. 'Blablablabla-bla,' zeg ik tegen haar. 'Schiet op! Kom eens ter zake.'

Ze streelt me sneller en gaat verder met haar verhaal.

'Luider! Ik kan je niet verstaan!' zeg ik.

Ze praat luider en streelt harder. Ineens is er iets vreemds.

'Ik kan me niet concentreren! Ik kan je niet horen!' roep ik in paniek. 'Ik heb geen woord verstaan van wat je de afgelopen vijf minuten hebt gezegd, realiseer je je dat wel?'

'Ik ben niet beledigd,' zegt ze.

'Je praat te luid en te snel, en je articuleert niet goed genoeg en je slaat belangrijke informatie over. Het is onduidelijk, het is te intens.' Ik kijk naar haar en schrik. 'Godallemachtig, je bent naakt! Wanneer heb je je zo uitgekleed?'

'Toen Humpty Dumpty een hersteloperatie onderging om van zijn littekens af te komen.'

'Dat deel herinner ik me niet. Ik kon me verdorie niet op je verhaal concentreren, wat jammer is omdat het zo goed was. Ik wou dat ik het gehoord had.'

'Laten we dan één ding tegelijk doen,' zegt ze en glipt met haar handen mijn onderbroek weer in.

Ik haal ze eruit. 'Nee, laten we níet één ding tegelijk doen. Laten we helemaal niets meer doen, behalve jou weer in de kleren krijgen. Kleed je aan.'

'Van mijn leven niet.'

'Van je leven niet?'

'Van mijn leven niet.' Ze trekt mijn broek en onderbroek omlaag, en ik voel me vreselijk opgelaten in mijn naaktheid. Sara's naaktheid lijkt om de een of andere reden nooit zo naakt als mijn naaktheid.

'Ho, stop. Het is afgelopen,' zeg ik tegen haar. 'Het is afgelopen met je. Het is afgelopen met ons. Ik ga nu meteen je moeder bellen. Nu meteen. Ik ga haar alles vertellen wat er is gebeurd en ik breng je naar huis.'

Ik pak de hoorn, maar Sara slaat mijn hand neer. 'Hou op, Jeremy! Je weet dat je me wilt. En je weet dat de enige manier om van die verleiding af te komen is eraan toe te geven. Verzet je ertegen en je geest wordt ziek van verlangen naar de dingen die hij zichzelf heeft verboden, en ziek van begeerte voor wat zijn monsterlijke wetten tot monsterlijk en onwettig hebben bestempeld.'

'Hoe kom je aan zulke wijsheden? Van je moeder?'

'Nee, het komt niet van Lady Henrietta. Het komt van Lord Henry in *Het portret van Dorian Gray*. En ik heb dit citaat gebruikt aan het begin van mijn biografie van Humpty Dumpty. Het is de boodschap van het verhaal.'

'Geen wonder dat je lerares denkt dat je problemen hebt thuis.'

'Ach, donder op. Zegt dat citaat je helemaal niets? Zie je er de waarheid niet van in?'

'Ja, het zegt me wel iets. Het brengt me in één klap terug naar de werkelijkheid door het woord "onwettig". Het woord "monsterlijk" heeft ook een heel bijzondere uitwerking op me. Wil je zien wat?'

'Wat?'

Ik pak de telefoon en zeg: 'Dat ik je moeder ga bellen.'

Sara legt haar handen om mijn gezicht, knijpt boos in mijn wangen en schreeuwt me wanhopig toe: 'Maar je interpreteert Oscar Wilde verkeerd!'

'Laat los,' zeg ik, moeizaam articulerend door mijn samengeknepen wangen.

Ze laat me los, snuift verontwaardigd, heft haar armen en begint langzaam rond te draaien, terwijl ze met haar heupen wiegt en haar lichaam laat golven. Terwijl ze ronddraait, knipt ze met haar vingers en draait met haar polsen en stampt met haar voeten als een Spaanse danseres. Haar prachtige borsten schudden als gelatinepudding.

Henrietta opbellen is achteraf bezien toch niet zo'n goed idee, zeker niet terwijl Sara me probeert af te leiden. Dus haal ik wat blanco papier en een pen te voorschijn.

'Wat ga je doen, Jeremy?' vraagt Sara.

'Ik schrijf een brief met een bekentenis die ik bij je moeder in de bus zal doen als ik je naar huis breng.'

Ik schrijf 'Lieve' op het papier, en vraag me dan af of ik 'Henrietta' moet schrijven, 'Lady Henrietta', of 'Lady' of 'Mevr. Lady Henrietta' of nog iets anders. Sara graait de pen uit mijn hand en tekent het gezicht van Mickey Mouse op mijn brief.

Ze geeft me de pen terug en zegt: 'Nu kun je de brief eromheen schrijven, en ik weet zeker dat mamma de tekening zal waarderen. Een brief lezen is leuker als er een illustratie bij is die de tekst toelicht.'

Ik verscheur de brief en begin op een nieuw vel. Ik schrijf: 'Beste Henrietta', en een komma. Sara probeert de pen weer uit mijn hand te graaien, maar dit keer ben ik haar te snel af en houd de pen buiten haar bereik. Ze doet een uitval naar mijn brief, maar ik ben sneller en druk de brief en mijn pen tegen mijn borst en blijf strak en roerloos in mijn stoel zitten.

Ze staat achter me en slaat haar armen om me heen. Ik voel hoe haar koude plastic masker tegen de zijkant van mijn gezicht drukt. 'Ik heb zin om je te zoenen, Jeremy, maar dat kan niet door dat vreselijke masker dat ik voor heb.'

'Niet afzetten!' roep ik, omdat ik bang ben het kinderlijke gezicht te zien van degene die me opwindt.

Ze laat haar handen mijn overhemd binnen glijden. Ik duw haar weg en snauw: 'Hou daarmee op.'

'Waarmee?'

'Daarmee!' schreeuw ik.

'Met wat ik doe of wat ik zeg?'

'Met allebei!' schreeuw ik in haar gezicht.

Maar ze houdt niet op, dus duw ik haar weer weg, maar ze stort zich weer op me. Ten slotte spring ik op uit mijn stoel, ren naar de slaapkamer en kom terug met een lange zwarte sok, misschien wel dezelfde die me in Disney World zulke goede diensten heeft bewezen. En nu komt de trouwe sok me voor de tweede keer te hulp. Behalve dan dat de sok, nu ik erover nadenk, me de vorige keer eigenlijk niet zo goed heeft geholpen.

Ik ga voor Sara staan, vlak bij de bank en zeg: 'Ga zitten.'

Ze gaat op de sofa zitten.

'Nee, op de vloer.'

Ze doet wat ik zeg.

'Ga liggen.'

'O jeetje,' zegt ze, en gaat op de vloer liggen; haar blinkend witte, naakte lichaam straalt me met een plagerige gloed tegemoet.

'Doe je armen boven je hoofd,' zeg ik tegen haar.

Ze doet ze omhoog, en ik leg ze aan weerskanten van de poot van de bank en bind dan haar polsen samen met de sok.

'Fantastisch,' zegt ze. 'Nu doen we wat bondage. Dat betekent toch dat je opgewonden bent, niet?'

Ik negeer haar en ga weer naar mijn brief.

'Jeremy, je werd verondersteld hier te blijven,' zegt Sara.

'Nee, hoor.'

'Goed, dan kom ik wel naar jou toe.' En met gemak bevrijdt ze haar handen uit de vastgeknoopte sok en ligt weer helemaal over me heen.

De sok heeft me voor de tweede keer teleurgesteld. Bij de volgende wasbeurt gebruik ik geen wasverzachter meer. Niet omdat Sara, als de sok minder zacht was geweest, haar handen er niet zo makkelijk uit had kunnen bevrijden. Nee, ik ben niet zo achterlijk dat ik denk dat het extra gebrek aan zachtheid een belangrijk verschil zou hebben gemaakt in het gemak waarmee ze ontsnapte. De reden waarom ik bij de volgende wasbeurt van de sok geen wasverzachter zal gebruiken is natuurlijk om de sok te straffen voor de herhaalde teleurstelling.

Ik loop naar de badkamer, klim op het toilet en haal mijn handboeien van het plafond.

Als Sara de handboeien ziet, houdt ze abrupt haar adem in en zegt: 'Te gek, Jeremy. Handboeien. Opwindend iemand ben jij.'

Met de handboeien maak ik Sara's polsen aan de poot van de sofa vast, in dezelfde positie als eerst. Ze verzet zich niet. Ze lijkt er plezier in te hebben, waarschijnlijk omdat ze macht en uitdaging voelt en denkt: Je kunt met me doen wat je wilt, Jeremy, maar je zult zien dat ik je toch te pakken krijg.

Ik ga weer naar de tafel en staar naar het 'Beste Henrietta' op het papier.

'Jeremy?'

Ik negeer haar en probeer me te concentreren. Ik vraag me af of ik zou moeten beginnen met: 'Ik heb een vreselijk misdrijf begaan', of met: 'Dit is een bekentenis.'

'Jeremy, kijk eens naar me?'

Ik kijk haar aan. 'Wat is er?'

'Kun je niet wat dichterbij komen zitten?'

'Nee.' Ik kijk weer voor me naar het papier. Of zou ik moeten beginnen met: 'Het spijt me heel erg dat ik je deze bekentenis moet schrijven'? Uiteindelijk streep ik 'Beste Henrietta' door en schrijf daaronder: 'Geachte mevrouw'. Dat is de eerbiedigste opening die ik kan verzinnen. Dan zou ik kunnen verdergaan met: 'Ik zou het u niet kwalijk nemen als u me na het lezen van deze brief zou willen vermoorden.'

Sara zegt: 'Ik heb nog nooit zoveel lol gehad. Dit is opwindend. Maar je moet me niet te veel plagen. Laat me niet te lang vastgeketend liggen.'

Ik negeer haar, maar Minou niet. Ze neemt Sara met grote verbazing op. Ze heeft nog nooit iemand zo op de vloer zien liggen. Maar al gauw is het nieuwtje eraf, en gaat ze weer krols op haar rug liggen rollen.

Sara is een poosje stil, neuriet dan wat en zegt vervolgens: 'Zijn sterke armen rustten op de tafel. Zijn grote mannelijke, doch gevoelige rechterhand hield een pen vast. Hij was een brief naar haar moeder aan het schrijven, een brief waarin alle verachtelijke details werden beschreven, de zonde die was begaan in het pretpark. De pen, die gelukkige pen, die door deze lange, sierlijke mannelijke vingers werd vastgehouden, gleed over het papier zoals zij wilde dat zijn wang over haar buik zou glijden. Zij, de arme jonge vrouw, lag naakt als een worm op de koude, harde vloer, haar handen met handboeien om de poot van de bank bevestigd. Was het maar zijn voet in plaats van de poot van de bank, dan zou ze zich getroost voelen. Ze had het masker voor haar gezicht, het masker dat hij haar zo wreed dwong te dragen, omdat hij de aanblik van haar lelijke gezicht niet kon verdragen. Maar haar lichaam, o, haar lichaam was de schoonheid zelve. Ze was als een zwaan, als een naakte prinses.'

Sara zwijgt weer. Dan zegt ze: 'Jeremy, maak me los.'

'Nee,' antwoord ik.

' "Jeremy, maak me los," herhaalde ze,' vervolgt Sara. 'Ze zei het keer op keer, maar hij bleef nee, nee, nee zeggen. "Jeremy, maak me los, maak me los, maak me los." '

Ik negeer haar. En dan hoor ik een zwaar, schuivend geluid. Ik kijk op, en ze zeult langzaam de sofa over de gladde houten vloer. Ze zet zich met haar blote voeten af tegen de vloer en trekt haar lichaam naar voren en komt op haar rug met haar benen vooruit op me af en zeult de bank achter zich aan. Ze vordert heel langzaam. Ze kreunt van inspanning. Minou is volslagen verbijsterd door dit spektakel. Ze is het niet gewend dat de bank zich voortbeweegt en geluid maakt. Ze rent naar de keuken om zich te verstoppen.

Ik ga weer verder met mijn brief, en Sara zegt: 'En dus zeulde de arme ziel, het arme, wanhopige vogeltje, de bank achter zich aan, wat vreselijk inspannend was voor haar magere, miezerige armpjes. Het gaf een luid, schraperig geluid, en het maakte krassen op zijn vloer, wat hem meer stoorde dan de schade die het aan haar lichaam toebracht. Ze zou in de toekomst misschien zelfs geen kinderen kunnen krijgen, omdat haar arme, verrukkelijke, frêle, wellustige lichaam werd uitgerekt als een elastiekje.'

'Hou eens op met die sofa,' zeg ik haar.

'Haar lichaam brandde van verlangen, en het zijne ook. Ze verlangden er allebei wanhopig naar hun vachtje te luchten. Hij probeerde zich op zijn brief te concentreren en niet naar haar te kijken, maar dat viel niet mee.'

Wat ze zegt is waar. Ze gaat verder. 'Haar huid herinnert zich zijn aanraking in het pretpark, en haar huid smeekte om hem; als hij nu maar opkeek van zijn brief, zou hij zien dat elk van haar kleine haartjes geknield lag in gebed, biddend dat hij verstandig zou worden en naar haar toe zou komen.'

Ik kijk haar even aan en sla mijn blik weer neer naar mijn brief, mijn geest verhit alsof ik koorts heb. Ik ben opgewonden. Ik haal diep adem en lees hardop voor: 'Geachte mevrouw', in de hoop dat het geluid van mijn stem zal helpen mijn aandacht te richten. Terwijl ik schrijf, lees ik voor: ' "Het spijt me zeer u deze brief te moeten schrijven." '

' "Maak me los, maak me los, mijn meester, ik smeek u," riep ze, maar hij luisterde niet, of deed alsof hij niet luisterde.'

' "Er is in Disney World iets voorgevallen dat nooit, nooit had mogen gebeuren, iets vreselijks," ' lees ik hardop.

'Hij was vreselijk opgewonden, wilde dolgraag opstaan en naar haar toe gaan, maar bestreed dit verlangen met alles wat in zijn vermogen lag, en hij was een sterke man, een sterke, gespierde man met rollende spierbundels en harde mannelijkheid tussen zijn benen, de mannelijkheid die hij haar wilde geven, maar niet durfde geven, omdat hij wist dat het zondig was. Ik weet dat het zondig is, dacht hij bij zichzelf.'

' "Uw dochter en ik hebben een heerlijke tijd gehad in Disney World, maar op een avond hebben we ons laten meeslepen en hebben ons hoofd verloren, hoewel ik eigenlijk moet zeggen dat ík mijn hoofd heb verloren, omdat zij een minderjarige is, en we 'het' gedaan hebben, gevrijd hebben." '

Ik stop met lezen, omdat de scène die ik nu beleef me een erg sterk gevoel van déjà vu geeft. Ik heb deze scène, of iets wat er veel op lijkt, eerder gezien, hoe ongeloofwaardig dat ook klinkt, omdat het zo'n merkwaardig tafereel is, maar ik weet het zeker. En dan herinner ik het me. Het was in de film *The Exorcist*. Sara doet me denken aan het kleine meisje dat door de duivel werd bezeten en meubilair verplaatste. Het meisje was aan bed vastgebonden, zoals Sara aan de sofa geketend ligt. Ik ben de priester die uit de bijbel leest en de duivel met heilige woorden probeert te vernietigen, terwijl het duivel-meisje tegen me praat, me probeert te verleiden, haar gezicht een masker van kwaad. Het meisje en de priester praatten allebei tegelijk tegen elkaar, probeerden allebei te winnen, probeerden de ander te overweldigen.

Plotseling houdt Sara op met het voortzeulen van de bank. Ze is nu zo dicht bij me dat ze met de punt van haar voet mijn voet kan aanraken als ze haar been helemaal uitstrekt. Ze ligt helemaal languit op haar rug onder me, hijgend en zonder iets te zeggen, maar dan zegt ze: 'Hij heeft zijn brief af. Hij heeft de hele waarheid onthuld en kijkt op haar neer en weet dat hij haar nu naar huis hoort te brengen, maar hij weet alleen niet of hij daartoe in staat zal zijn, omdat hij weet dat ze boven op hem zal springen als hij haar losmaakt, en hij zich dan niet meer tegen haar zal kunnen verzetten, dus wat heeft het voor zin het ook maar te proberen? Wat heeft het voor zin? Maar hij zou nu echt haar handboeien moeten losmaken. Haar polsen zullen wel pijn doen nadat ze de sofa dat hele eind heeft meegezeuld, en hij is niet zo wreed als hij lijkt; hij heeft een nobel, edelmoedig hart onder dat viriele, mannelijke uiterlijk. Hij zou echt even naar die kleine polsen van haar moeten kijken. Ze kunnen wel bloeden, en dan zou hij ruzie krijgen met haar moeder. Hij moet die polsen verzorgen als ze bloeden, voor ze geïnfecteerd raken door het vuil op de grond. Dus komt hij overeind.'

Minou zit in de deuropening van de keuken en kijkt van een veilige afstand naar Sara. Ze lijkt haar krolsheid even te zijn vergeten. Het is allemaal blijkbaar iets te merkwaardig geworden naar haar smaak.

Sara is even stil. 'Hij staat op!' zegt ze nog eens, luider nu. Daarna zwijgt ze weer en zegt dan: 'Jeremy, wil je alsjeblieft opstaan?'

Ik sta op.

'En hij loopt naar haar toe,' zegt ze.

Ik loop langzaam, zachtjes naar haar hoofd en kijk omlaag terwijl ik boven haar uittoren.

'En hij knielt naast haar gezicht.'

Ik buig me langzaam.

'En hij voelt medelijden in zijn hart. Hij wil haar ergens een geruststellend klopje geven, maar hij weet niet goed waar, omdat er geen plekje van haar lichaam is dat niet erotisch is gezien de houding en staat van ontkleding waarin ze verkeert, dus haalt hij het sleuteltje uit zijn zak en maakt haar handboeien los.'

Ik maak haar handboeien los.

Ze zegt: 'Hij bekijkt haar polsen, en die zijn behoorlijk rood en geïrriteerd, maar bloeden niet.'

Ik bekijk haar polsen. Haar beschrijving is accuraat.

'Ze gaat overeind zitten,' zegt Sara en gaat overeind zitten, 'en kijkt hem lang in de ogen, door de gaten van het Mickey Mouse-masker.'

Sara kijkt me in de ogen. 'Ze staat op en trekt hem overeind.'

Sara staat op, pakt me bij de hand en trekt me overeind. Ik zwicht.

'Ze voert hem mee naar de slaapkamer,' zegt Sara, en voert me mee naar de slaapkamer. Halverwege blijft ze staan en zegt: 'Híj voert háár mee naar de slaapkamer.'

Ik voer haar mee naar de slaapkamer.

Sara zegt: 'Ze wil dat hij haar vachtje lucht, zoals een echte man het vachtje van een echte vrouw lucht.'

'Niet als de vorige keer?' vraag ik.

'Vroeg hij. "Nee," antwoordde ze. "De laatste keer hebben we elkaars vachtje gelucht zoals een vrouw het vachtje van een man lucht." '

'Echt waar?' zeg ik. 'Zie jij het zo? Is dat hoe jij denkt dat vrouwen met mannen vrijen?'

'Vroeg hij. "Nou, als het dat niet was," antwoordde ze, "was het op zijn minst zoals kleine meisjes met mannen vrijen." '

Ik moet met haar vrijen zoals een echte man met een echte vrouw vrijt. Maar ze is geen echte vrouw. En je zou, denk ik, kunnen stellen dat ik geen echte man ben.

Ik doe een condoom aan en ga boven op haar liggen en

bemin haar. Minou kijkt toe hoe ik met deze muis naar bed ga. Ik heb de ongelooflijke drang en behoefte om Sara's gezicht te kussen, maar ik durf haar masker niet af te doen omdat ik bang ben haar onderliggende extreme jeugdigheid te zien. Ik steek mijn tong in de ogen van haar masker en in de mond van haar masker, en mijn tong gaat helemaal stuk in een van de ogen door de scherpe rand van het plastic. Het gaat bloeden en er vallen een paar druppels op het masker. Ze lopen langs de wang omlaag, waardoor Mickey Mouse eruitziet alsof hij bloed huilt, wat me ontzettend stoort, dus doe ik mijn ogen dicht en leg me erop toe een echte man te zijn.

Na afloop verdwijnt Sara naar de badkamer, draait de douche open en blijft een half uur weg. Ik begin nerveus te worden dat Charlotte misschien zo thuis zal komen. Als ik op de deur klop en Sara vraag waarom ze zolang bezig is, antwoordt ze: 'Vind je het erg? Ik ben mijn vrouwelijkheid aan het wassen.' Ik vraag of ze wil opschieten, maar dat doet ze niet, dus uiteindelijk zeg ik dat ze moet stoppen met douchen, maar ze antwoordt dat ze nog niet klaar is met het wassen van haar vrouwelijkheid. Ten slotte pak ik een mes om de deur van het slot te halen, omdat ik denk dat er misschien iets aan de hand is. Sara zit op de wc, met het deksel omlaag, mijn jongensdagboek te lezen dat ze van het plafond heeft gehaald.

'Dat is een heel boeiend verhaal over dat kleine witte olifantje,' zegt ze.

'Ja,' zeg ik, pak het dagboek uit haar handen en sla het dicht.

'Heb je dat olifantje nog?'

'Ja.'

'Wens je nog wel eens iets?'

'Nee, natuurlijk niet.'

'Mag ik hem zien?'

'Nee. Ik weet niet waar hij is en ik ga je nu naar huis brengen.'

Ik breng Sara met een taxi naar huis. Vlak voor ze uitstapt, zegt ze: 'Mijn moeder is morgen de hele avond uit met vrienden. Ik wil dat je rond een uur of vijf komt om mijn vachtje nog eens te luchten.'

'Nee, ik kom niet,' zeg ik.

'Ik zal op je wachten,' zegt ze en stapt uit.

De taxichauffeur neemt me in de achteruitkijkspiegel met een achterdochtige frons op, geloof ik. Dan ga ik weer naar huis.

Ik heb de brief aan Henrietta nog niet verstuurd, omdat ik moet beslissen of opbellen niet een beter idee zou zijn.

8

De volgende dag ga ik weer niet naar mijn werk. Ik moet thuisblijven om te beslissen of ik het echt wil opbiechten of niet. Het is geen makkelijke beslissing. Nadat ik er de hele ochtend over heb nagedacht, kom ik tot de conclusie dat ik het misschien niet hoef op te biechten, omdat het Sara duidelijk geen kwaad heeft gedaan en ik het nooit meer zal doen. Er is geen greintje begeerte meer in me. Ik kan verder gaan met mijn leven.

Om twee uur echter begin ik al weer enige begeerte te voelen en dat jaagt me angst aan. Deze eerste opwelling van verlangen neemt langzaam maar onstuitbaar toe. Ik voel me als Humpty Dumpty, die het moment van uitkomen steeds dichter nadert. Er leeft een monster binnen in me, een wellustig monster, en dat zal er zo uitkomen, en het zal met plezier Sara's uitnodiging aannemen om tegen vijf uur op bezoek te komen om haar vachtje te luchten. Ik ben bang voor mezelf. Ik moet mezelf in de boeien slaan nu ik nog gemengde gevoelens heb, nog aarzel.

Ik haal mijn handboeien van het plafond van de badkamer en neem ze mee naar de keuken. Met de handboei maak ik mijn linkerpols aan de ovendeur vast en ga op een stoel zitten. Ik gooi het sleuteltje een heel eind de woonkamer in. Minou duikt erop, denkend dat het een spelletje is, speelt ermee en slaat hem uiteindelijk buiten mijn gezichtsveld. Ik zal zo blijven wachten tot Charlotte om half zes thuiskomt en me losmaakt.

Minou, die eindelijk genoeg heeft gekregen van het spelen met het sleuteltje, gaat in de deuropening van de keuken zitten en neemt me aandachtig op. Ze zegt: Ik hoop dat je het niet vervelend vindt als ik vraag wat je aan het doen bent.

Ik zweer dat je me soms zo doet denken aan de portier bij Henrietta, met je mooi gepolijste zinnetjes, antwoord ik.

Oké, zegt ze. Hoe is dit: Wat ben je in godsnaam aan het doen?

Laat me met rust. Ik ben aan het uitkomen.

Aha. Laat het me even weten als je klaar bent.

Ik heb bijna het punt bereikt waarop ik, als ik geen handboei om had, Sara zonder aarzelen zou gaan opzoeken. Ik heb nog maar een drupje twijfel, een greintje schuldgevoel. Ik zeg: Ik sta op springen.

Dat is handig om te weten, zegt Minou.

O god, het gebeurt echt. Ik voel de eerste barst al.

Kan ik iets voor je doen?

Ik sla mijn handen voor mijn gezicht. Ik verlang naar Sara, daar is geen twijfel aan, er zit geen schuldgevoel bij; ik wou dat ik die handboei niet om had. Ik kan me niet meer voorstellen dat ik heb gedacht dat ik naar de gevangenis zou gaan omdat ik met haar naar bed ben geweest. Zo afschuwelijk, zo vreselijk was het nu ook weer niet. Het was niet zo heel erg verkeerd. Laat ik niet overdrijven. Waarom kwel ik mezelf er zo mee? Ik weet dat ik vanavond naar Sara ga. Het mag dan een beetje verkeerd zijn, niet zo wenselijk, niet zo behoorlijk en niet zo prijzenswaardig, maar zo'n verachtelijk misdrijf is het nu ook weer niet. Ik slaak een diepe zucht, til mijn hoofd op en zeg: Oké, het is voorbij. Ik ben eruit.

O ja?

Ja.

En nu?

Ik wou dat je me de sleutel kon brengen.

Dat begrijp ik, zegt ze.

Wil je het proberen?

Room. Slagroom. Een maandlang, elke dag. In ruil voor het sleuteltje.

Goed, zeg ik.

Minou glimlacht, gaat liggen en valt in slaap.

Jij waardeloos kattebeest, zeg ik.

Ja, ja, uitstekend, Jeremy, antwoordt ze in haar slaap.

Mijn enige keus is nu te wachten tot Charlotte thuiskomt en me losmaakt. Wat zal ze niet denken als ze me zo ziet? Ze zal een verklaring willen. Misschien kan ik zeggen dat ik me depressief voelde en een theorie testte die stelt dat je je moet vastketenen aan een berucht zelfmoordmiddel om van je depressie af te komen. Je noodgedwongen in de buurt van een zelfmoordmiddel bevinden zou je levenslust hernieuwd doen opbloeien, zal ik zeggen. Ovens zijn een klassiek zelfmoordmiddel, hoewel ze niet meer als zodanig gebruikt kunnen worden, maar dat doet er niet toe, het is de symboliek die telt, de associatie die ovens bij ons oproepen. Het meeste daarvan is onderbewust, weet u.

'Ja, dat weet ik,' zal Charlotte antwoorden, want ze is psychologe en zal daarom alles beamen waar het woord 'onderbewust' in voorkomt.

Het wordt vijf uur en later. De telefoon gaat. Via mijn antwoordapparaat hoor ik Sara zeggen: 'Jou kennende durf ik te wedden dat je vandaag niet naar je werk bent gegaan. Het is kwart over vijf en je bent laat. Ik wil dat je nu meteen mijn vachtje komt luchten, hoor je me? Ik wacht op je.' Ze hangt op.

Ik moet me niet zo opwinden over wat ze zegt. Ik probeer mijn aandacht ergens anders op te richten.

Het excuus van het zelfmoordmiddel is misschien iets te ver gezocht. Ik zou gewoon tegen Charlotte kunnen zeggen dat ik met mijn nieuwe handboeien aan het spelen was en dat ik per ongeluk de sleutel te ver heb weggegooid. Ze zal vragen waarom ik handboeien heb gekocht en dan zal ik zeggen dat het me leuk leek. Maar ze zou er meer betekenis aan kunnen hechten dan ik bedoelde, en ze zou kunnen zeggen: 'Je hebt gelijk, we zouden een boel plezier kunnen hebben met die handboeien. Laten we er na het eten wat mee spelen.' Die gedachte vervult me met zoveel frustratie en afgrijzen dat de tranen me in de ogen springen. Als een wanhopig kind ruk ik boos aan de ovendeur, die zo uit zijn scharnieren schiet, zo makkelijk als wat. Een fractie van een seconde vraag ik me af of het een optische illusie is. Ik wist niet dat je een ovendeur eruit kon halen. Je hoeft er maar aan te trekken en hij schiet los. Bingo! Als ik dat had geweten, zou ik me aan de deur van de koelkast hebben vastgeketend. Maar nu dank ik God voor mijn onwetendheid.

Ik ren naar de woonkamer om de sleutel te pakken zodat ik mezelf los kan maken van de ovendeur, maar ik kan hem niet vinden. Minou moet ermee gespeeld hebben tot hij op een onbereikbare plek terecht is gekomen. Ik zoek ernaar, maar kan hem niet vinden, en ik heb zoveel haast om naar Sara te gaan dat ik uiteindelijk het huis uitga en de ovendeur als een aktentas met me meedraag. Ik vind het gênant om zo bij Sara op bezoek te gaan, want het maakt dat ik wanhopig en pathetisch lijk, maar nou ja, de aantrekkelijke kanten die ik kwijtraak door met een ovendeur te komen opdagen, kan ik proberen terug te winnen door er een geestige verklaring voor te verzinnen. Als Sara die door haar jeugdige leeftijd gelooft, des te beter.

Als ik arriveer, heeft Sara een witte badjas aan, en hoewel haar gezicht schuilgaat achter het Mickey Mouse-masker, kan ik duidelijk zien dat ik haar afschrik.

'Je staat naar mijn ovendeur te staren,' zeg ik.

'Waar is die voor?'

'Het is gewoon een aardigheidje dat ik voor mezelf heb gekocht, een onbenullig speeltje van weinig waarde dat een Imitatie Handboei Armband wordt genoemd, waar je naar keuze verschillende amuletten aan kunt bevestigen. Vandaag heb ik toevallig gekozen voor deze leuke namaakovendeur. Volgende week doe ik er misschien de deur van een koelkast bij. Het is een aangenaam mannelijke armband omdat, zoals je ziet, de amuletten niet overdreven sierlijk of verfijnd zijn.'

'Arme Jeremy. Je hebt zeker geprobeerd me te weerstaan? Ik had je toch gezegd dat dat zinloos was.'

En ze stort zich in mijn armen en ik omhels haar en kus haar nek. Ze rukt haar Mickey Mouse-masker af en gooit die de kamer door in een gebaar van volkomen bevrijding. Ik ruk mijn ovendeur omhoog om mijn gezicht af te schermen tegen deze aanblik, maar ongelukkigerwijs kan ik haar door het ruitje nog zien. Sara komt dichterbij en kust me op de ovendeur. Ik dwing mezelf geen angst te voelen voor haar jeugdigheid. Maar wat uiteindelijk nog frappanter is dan haar jeugd, is het feit dat haar gezicht niet langer bevroren is tot een starre Mickey Mouse-lach. Haar gezicht overstelpt mijn ogen met de uitingen van haar gedachten, bijna net alsof ik haar gedachten kan lezen. Ze ziet er heel veranderlijk en ernstig uit vergeleken met de verlamde hilariteit waar ik aan gewend was geraakt.

Ze pakt mijn handen beet en laat mijn ovendeur zakken zoals een man de sluier van een Egyptische vrouw zou kunnen afdoen. Ze kust me op de lippen, eerst zacht en dan uitzinnig, wat begrijpelijk is omdat we wat het kussen van elkaars gezicht betreft zoveel te kort gekomen zijn.

We gaan liggen, ik op mijn rug, en proberen te vrijen, maar ik kan niet opgewonden raken omdat ik de aanblik van haar gezicht niet kan verdragen, omdat die zo direct en overdonderend is, zo zuiver en onvervalst. Enigszins gegeneerd houd ik de ovendeur voor mijn gezicht. Hoewel ik haar door het glas nog kan zien, kan ik deze maskerloze realiteit aan, omdat we tegen elkaar beschermd zijn door het ruitje, dat verhindert dat we elkaar aanraken. Het glas plet mijn wang en duwt mijn neus scheef, maar het stelt me op mijn gemak, ontspant me en maakt dat ik met haar kan vrijen. Ik kijk haar met een groot oog aan terwijl mijn adem het ruitje doet beslaan. Ze tikt tegen het glas om mijn aandacht te trekken, die ze al heeft, en roept me in de oven toe: 'Vind je het niet raar om je gezicht te pletten met je amulet, of moet ik gewoon nog een heleboel leren over seks?'

Ik geef geen antwoord.

Later, als ik weg wil gaan, zegt Sara: 'Mamma is er morgenavond weer niet. Je kunt om vijf uur komen om mijn vachtje te luchten.'

'Nee, ik kom niet.'

'Ik wacht op je.'

Ik ga naar huis, en walg van mezelf omdat ik voor de derde keer met Sara heb geslapen. En wat moet ik tegen Charlotte zeggen als ik thuiskom? Wat voor verklaring moet ik geven voor de ovendeur die aan mijn pols vastzit? Ik zou misschien kunnen zeggen dat ik die vanmorgen toen ik naar mijn werk ging per ongeluk heb meegenomen in plaats van mijn aktentas, dat ik gewoon een beetje afwezig was. Vreselijke leugen. Ik weet nog niet wat ik tegen haar ga zeggen.

Als ik thuiskom, ligt er een briefje van Charlotte op de tafel in de woonkamer, waarin ze schrijft dat ze uit eten moest en wat later thuiskomt. Ik ben zo opgelucht. Ik scharrel overal rond, op zoek naar de sleutel en vind hem uiteindelijk onder de verwarming. Ik maak de handboei los en schuif de ovendeur weer in zijn scharnieren.

Ik ga weer niet naar mijn werk. Ik blijf thuis op de sofa zitten en denk na over wat ik moet doen. Uiteindelijk klink ik me met de handboeien aan de koelkast vast. Na een poosje begin ik weer uit te komen. Ik heb ontdekt dat uitkomen vaker kan voorkomen.

Om kwart over vijf belt Sara en spreekt op mijn antwoordapparaat in: 'Waarom ben je te laat vandaag, meneer Acidophilus? Ik weet hoe je denkt en ik durf er alles onder te verwedden dat je nu vastgeboeid zit aan de koelkast. Ik heb de deur van onze koelkast goed bekeken om te zien of er een manier is waarop je kunt loskomen, en ik geloof dat je alleen

een kans maakt als je de handgreep losschroeft. Als dat je niet lukt, moet je maar gewoon afwachten tot je vriendin thuiskomt en een goede smoes verzinnen waarom je aan de koelkast vastzit. Dan moet je deze boodschap wissen, want het bandje is niet

zelfvernietigend zoals in *Mission Impossible*. En dan kom je mijn vachtje luchten. Maar je hoeft niet te komen als je de koelkastdeur met je meesjouwt. Dat is geen doen.'

Ik kan de handgreep van de koelkast niet losschroeven, omdat ik alle schroevedraaiers en messen buiten mijn bereik heb gelegd.

Charlotte komt thuis. Ze loopt de keuken binnen en kijkt met enorme verbazing naar me, en komt dan heel dichtbij om zich ervan te overtuigen dat haar ogen haar niet bedriegen.

'Wat ben je aan het doen?' vraagt ze.

'Ik ben op een speciaal dieet dat gebruik maakt van omgekeerde psychologie. Daarbij word je geacht je met handboeien aan de koelkast vast te maken. Het probeert je een afkeer bij te brengen van toegeeflijkheid en vrijheid en goedkeuring, door de verboden vruchten niet langer te verbieden. Het motto is: "Je hebt wat je wilde. Zie het nu maar zat te worden." '

'Je meent het niet.'

'Jawel. En het dieet stelt dat het niet genoeg is alleen maar toe te geven aan de verleiding; je moet je eraan vastklampen. In plaats van de koelkast op slot te doen, klamp je jezelf bij dit dieet aan de koelkast vast. Het meeste hiervan werkt onderbewust, weet je.'

'Ja, dat weet ik,' zegt ze. 'Maar het is een merkwaardige vorm van psychologie.'

Ik vraag haar of ze me alsjeblieft wil losmaken. Ze pakt de sleutel en doet wat ik heb gevraagd. Ik loop naar het antwoordapparaat en wis Sara's boodschap. Ineens besef ik dat ik Sara vanavond niet zal gaan opzoeken, omdat alleen Charlottes aanwezigheid al mijn schaamte opwekt en mijn geweten meer in opschudding brengt dan ik kan verdragen, om nog maar te

zwijgen over het feit dat louter die nadrukkelijke aanwezigheid van haar altijd het merkwaardige vermogen heeft om
mijn sensuele verlangens op een fascinerend onverbiddelijke
manier te temperen, om het vriendelijk uit te drukken.

De volgende ochtend zit ik op de bank, met de wetenschap dat ik Sara weer wil zien, met de wetenschap dat
ik me weer aan de koelkast moet vastmaken, en ik besluit dat
ik het niet aankan nog een dag vastgeketend te zitten als een
hondsdol beest.

Ik pak de telefoon en draai Henrietta's nummer, omdat ik
weet dat het de enige oplossing is, en sta mezelf niet toe er ook
nog maar een seconde over na te denken.

Henrietta neemt op.

'Er is iets wat ik met je wil bespreken,' zeg ik.

'O ja?'

'Ja.'

'Wat dan?'

'Iets wat in Disney World is gebeurd.'

'O ja?'

'Ja.'

'Wat dan?'

'Iets vreselijks waarover je erg van streek zult raken. Er is
iets naars met Sara gebeurd.'

'Ze lijkt me heel gelukkig. Wat is er dan gebeurd?'

'Ik heb iets met haar gedaan.'

'O ja?'

'Ja.'

'Wat?'

'Ik moet toen niet goed bij mijn verstand zijn geweest. Ik
moet niet goed wijs zijn geweest. We konden echt goed met
elkaar opschieten. Ze was erg aardig tegen me en heel aanhankelijk, en ik heb mijn zelfbeheersing verloren. We zijn met
elkaar naar bed geweest.'

'Dat weet ik. Dank je wel. Dat wilde ze al heel lang. De
eerste keer dat ze je ontmoette, is ze voor je gevallen.'

Ik houd de hoorn iets van mijn oor en staar ernaar. Ik houd hem weer tegen mijn oor en zeg: 'Wat bedoel je?'

'Maak je geen zorgen, Jeremy. Je hebt niets verkeerds gedaan.'

'Ik ben in Disney World met je elfjarige dochter naar bed geweest!'

'Schreeuw niet zo. Het geeft niet. Ik vind het prima.'

'Waarom heb je me dat niet meteen verteld? Je wist dat ik me schuldig zou voelen en door een hel zou gaan, zou wachten tot de politie aan de deur kwam, en dan zou proberen, maar er niet in zou slagen, de herhaaldelijke verleidingspogingen van je dochter te weerstaan. Waarom heb je me dit niet meteen verteld toen ik terugkwam?'

'Ik wilde geen inbreuk maken op je privacy of je uit je evenwicht brengen, voor het geval je er niet over wilde praten. Maar blijkbaar wil je er wel over praten, en dat zullen we dus doen, maar als je gekalmeerd bent. Je kunt vanavond langskomen, dan zal ik het uitleggen.'

'Ik wil niet dat Sara erbij is.'

'Vanzelfsprekend.'

Ze hangt op. Ik blijf op de sofa zitten. Charlotte komt vanuit de slaapkamer langzaam op me aflopen en zegt: 'Je bent met een elfjarig meisje naar bed geweest?'

Ik kijk haar aan. Ik was vergeten dat het een zaterdag was en dat ze niet naar haar werk was.

'Ik heb alles gehoord,' zegt ze. 'Het is afschuwelijk. Ik ga het je moeder vertellen.'

'Waarom mijn moeder? Waarom niet de politie?'

'Omdat het een familieaangelegenheid is.'

Ze loopt naar de telefoon. Ik versper haar de weg.

'Ik kan overal vandaan bellen,' zegt ze.

'Ik wil niet hebben dat je mijn moeder belt.'

'Dat doe ik toch, lieverd. Het is voor je eigen bestwil.'

Ik voel alle kwaadheid die zich in de loop der maanden over haar in me heeft opgehoopt. De druppel die de emmer doet overlopen. Ik geef haar een enorme lel, met de bedoeling haar buiten westen te slaan.

Ze ligt roerloos op de grond. Ik voel me meteen schuldig. Ik heb het gevoel dat ik steeds dieper zink, eerst door naar bed te gaan met een elfjarig meisje, daarna door opzettelijk mijn vriendin buiten westen te slaan. Wat moet ik nu met haar aan, haar vermoorden? Het zou me niet verbazen. En toch voel ik me door die klap een stuk beter. Iets van de woede is uit me verdwenen.

Ik kniel naast haar neer. Ze tilt haar hoofd op.

'Het spijt me,' zeg ik. 'Bel mijn moeder maar als je wilt. Anders bel ik haar wel.'

Ik pak de telefoon, maar ze houdt me tegen. 'Het doet er niet toe,' zegt ze.

Alles lijkt weer normaal te worden. Charlotte gaat boodschappen doen. Een uur later belt mijn moeder op.

'Charlotte heeft me alles verteld.'

Ik kan het niet geloven.

'Ik kan het niet geloven,' zegt ze. 'Ben je met Sara naar bed geweest toen we in Disney World waren?'

'Heeft Charlotte je gebeld?'

'Ja, godzijdank. Je hoort gestraft te worden.' Ze hangt op.

Ik ga het uitmaken met Charlotte. Ik kan haar niet meer verdragen. Ik zal ervoor zorgen dat ze hier weggaat.

Ik ga naar Lady Henrietta.

Ik vraag haar: 'Hoe kun je nu goedkeuren dat je dochter op haar elfde met iemand naar bed gaat? Geen moeder accepteert dat.'

Ze antwoordt: 'Ik ben altijd heel openhartig tegen mijn dochter geweest, en zij is openhartig tegen mij. Ik heb ervoor gezorgd dat ze overal met me over kan praten, over jongens waar ze op valt, over wat voor soort relatie ze met hen hoopt te hebben.

Ik ben een voorstandster van de seksuele bevrijding van kinderen,' vervolgt ze. 'Waarom zou het verkeerd zijn als kinderen vrijen als ze daar zin in hebben? Welk recht hebben we om hen tegen te houden? Maar ze moeten er natuurlijk wel zin in hebben. Dat bepaalt de grens tussen seksuele bevrijding van kinderen en kindermisbruik. Ik ben net zo tegen het laatste als ik voor het eerste ben. Ik wilde op mijn twaalfde vrijen. Maar ik deed het niet omdat de maatschappij zei dat het verkeerd was, en ik dacht: de maatschappij zal er wel een goede reden voor hebben te vinden dat kinderen niet horen te vrijen, een goede reden die ik niet begrijp omdat ik te jong ben. Maar over een paar jaar zal ik het wel begrijpen en blij zijn dat ik heb gewacht.'

Ze vervolgt: 'Ik herinner me dat ik in bed lag toen ik dertien was en me afvroeg hoe ik het zou kunnen uithouden tot de acceptabele leeftijd, die naar ik dacht rond de achttien lag. De gedachte nog vijf jaar te moeten wachten was afgrijselijk. Toen ik zestien was, heb ik het bijna gedaan, maar ik besloot het niet te doen, omdat ik nog niet helemaal de acceptabele leeftijd had bereikt. Ik wist nog steeds niet waarom ik het niet zou mogen doen, en dacht dat ik nog steeds te jong was om het te begrijpen. Ik ben nu dertig, en ik heb nog steeds niet ontdekt wat de reden was dat ik tot mijn achttiende moest wachten om te vrijen en ben daar boos over. Ik heb besloten dat mijn kind die onzin niet hoefde door te maken. Iedereen is anders. Sommige mensen vinden het idee van vrijen niet aan-trekkelijk tot ze negentien of twintig zijn. Sommigen vinden er nooit iets aan. Anderen willen al beginnen als ze nog jonger zijn dan ik was. En ik heb het nu niet over onschuldige nieuwsgierigheid. Ik heb het over echte seksuele opwinding, dezelfde die volwassenen voelen.'

Ze kijkt me even zwijgend aan en zegt dan: 'Voor jij op het toneel verscheen, heeft Sara nooit de wens te kennen gegeven dat ze met iemand naar bed wilde. Ze had het vaak over bepaalde jongens met wie ze zou willen zoenen of zelfs knuf-felen. Maar toen ze jou ontmoette, begon ze meteen met me over jou te praten. Ze zei dat ze je fantastisch vond, dat ze verliefd op je was en met je wilde vrijen. Ik wist toen niet goed wat ik van je moest vinden. Je bent nu niet bepaald een door-snee type. Ik bedoel het niet vervelend, maar ik vond je een beetje vreemd, vooral toen je de eerste keer naar mijn atelier kwam om te poseren. Ik zag bloed in je mond. Dat maakte me een beetje bang. Ik dacht dat je misschien niet helemaal normaal was. Dat heb ik je altijd nog willen vragen. Hoe kwam je mond zo vol bloed?'

'Ik steunde met mijn tand op de punt van mijn pen,' leg ik uit, 'en die gleed weg en stak in mijn verhemelte. Het bloed stroomde eruit, maar ik dacht dat ik het snel genoeg wegslikte, zodat je niets zou merken.'

'Nou, dat is een eenvoudige verklaring, veel minder eng dan ik vreesde. Toen ik je beter leerde kennen, besefte ik dat ik gelijk had. Je bent geen doorsnee man. Maar ik realiseerde me ook dat je beter was dan een doorsnee man, dat je zachtmoedig en aardig was, en dat er niemand was op wie ik mijn dochter liever verliefd zag worden dan op jou. Toch dacht ik dat haar belangstelling wel zou verflauwen. Om je de waarheid te zeggen, hoopte ik dat zelfs, want hoewel het volkomen duidelijk was dat Sara zou moeten doen waar ze zin in had, was er toch een deel van me, van vroeger, dat vond dat ik misschien te jong was om te begrijpen waarom kinderen niet zouden moeten vrijen. Hoe dan ook, Sara's belangstelling voor jou nam zeker niet af; het werd een hartstocht. Tegen die tijd was ik gewend geraakt aan het idee dat ze vastbesloten was je te verleiden. Ik begon me er zorgen over te maken hoe teleurgesteld ze zou zijn als je haar liefde niet zou beantwoorden. Ik was er vrijwel zeker van dat je nooit in haar geïnteresseerd zou zijn, omdat ze zo jong was en omdat je belangstelling voor mij toonde. Dat heb ik haar heel wat keren gezegd. Ik wilde niet dat ze te veel hoop zou gaan koesteren. Ik heb haar gezegd dat ze zich beter kon richten op iemand van haar eigen leeftijd, maar daar wilde ze niets van weten. Toen kwam ze met het idee van Disney World. Het was haar idee, en ze sprak er op zo'n rationele, intelligente en volwassen manier over dat ze me wist te overtuigen dat ik haar met jou op stap moest laten gaan.'

Hoe langer ik naar Lady Henrietta luister, des te meer vloeien mijn schuldgevoel en gespannenheid uit me weg.

'Hoe oud was jij toen je voor het eerst wilde vrijen?' vraagt ze me.

'Een jaar of tien.'

'Hoe oud was je toen je het deed?'

'Eenentwintig.'

'Was het wachten vervelend?'

'Ja.'

'Frustrerend?'

'Ja.'

'Zacht uitgedrukt?'

'Ja.'

'Mag ik zo ver gaan te stellen dat het een vorm van marteling was?'

'Ja.'

'Kinderen moeten voorgelicht worden, niet onwetend worden gehouden. Ziekte en zwangerschap zijn voor hen de enige risico's.'

'Ik wil niets meer van Sara horen en ik wil haar niet meer zien,' antwoord ik. 'Zeg haar dat ze ophoudt me te bellen. Jíj mag dan denken dat wat gebeurd is niet erg is, maar ik wil zo niet leven. Ik had gehoopt dat jij er een einde aan zou maken. En in zeker opzicht heb je dat ook gedaan. Ik kan nooit meer met Sara doen wat ik gedaan heb, nu ik weet dat jij ervan weet.'

* * *

Ik voel me een stuk beter, maar ik realiseer me dat ik Lady Henrietta niet meer zo aardig vind als eerst. Omdat ik zo gekwetst ben, snak ik naar normaliteit.

Ik ga terug naar huis. Charlotte is er.

'Je hebt mijn moeder gebeld,' werp ik haar voor de voeten.

'Je had gezegd dat het mocht.'

'Maar jij had gezegd dat je het niet zou doen.'

'Ik ben van gedachten veranderd.'

'Ik ook,' zeg ik. 'Ik vind dat we elkaar een poosje niet moeten zien. Ik zou graag willen dat je je spullen pakt. Ik wil weer alleen wonen.'

'O.'

'Ik wil dat je morgenavond verdwenen bent. Vanavond slaap ik op de bank.'

De volgende dag ben ik in de supermarkt om eten te kopen. Ik sta bij het vak met citroenen en kijk naar al de stevige gele citroenen. Als ik citroenen zie, krijg ik altijd een sterk gevoel van identificatie, en nu, terwijl ik naar een hele berg ervan sta te kijken, krijg ik een gevoel van thuis-zijn, van acceptatie. Ik voel me alleen bij citroenen zo, omdat we bitterheid gemeen hebben. Er komt een vrouw naast me staan die zegt: 'U bent lang; zoudt u alstublieft een pak van die vuilniszakken daarboven willen pakken?'

'Wilt u die lange vuilniszakken voor in de keuken of de grotere?' vraag ik.

'Die lange.'

Ik geef haar het pak aan.

'Ontzettend bedankt,' zegt ze. 'Ik ga deze vuilniszakken vanavond gebruiken om mijn dochter te leren hoe ze dingen moet weggooien. Ze is elf en ze gooit nooit iets weg. Toch is ze niet dom. Ze is vrij volwassen voor haar leeftijd, maar natuurlijk niet volwassen genoeg om met een man naar bed te gaan.'

De vrouw draait zich om en loopt weg. Ik sta naar haar rug te staren. Ik heb haar nooit eerder gezien.

Als ik thuiskom, vraag ik aan Charlotte: 'Heb je een vriendin van je langsgestuurd om me lastig te vallen?'

'Nee, hoezo? Heeft iemand je lastig gevallen?'

'Er kwam een vreemde vrouw naar me toe die over seks en kleine meisjes begon.'

'Dat is de straf van je schuldige geweten.'

Die avond belt Lady Henrietta me op en nodigt me uit de volgende avond langs te komen. Ik aarzel.

'Waarom nodig je me uit?' vraag ik.

'Omdat ik wil dat we vrienden blijven. Ik wil niet dat wat gebeurd is onze vriendschap bederft. Laura komt ook. Ik weet dat ze je graag wil ontmoeten.'

Ik ben buiten mezelf. Houdt dat gedoe met Laura dan nooit op?

'Laura en ik liggen elkaar niet,' zeg ik. 'Ze is het saaiste mens dat ik ooit heb ontmoet.'

'Dat zie je verkeerd. Ze is gewoon verlegen. Als je haar eenmaal beter leert kennen, wordt ze echt ontzettend interessant. Ik heb haar beloofd dat je gauw weer eens zou komen. Ontmoet haar in ieder geval deze ene keer nog, en daarna laten we het erbij.'

'Is Sara er ook?'

'Ja.'

'Dan kom ik liever niet.'

'Ik vind dat je haar moet zien. Ik geloof dat ze je het een en ander wil vertellen.'

'Vast wel.'

'Je gaat er niet dood van. Zie haar in ieder geval deze ene keer.'

Het is tien uur 's avonds en Charlotte is nog steeds in mijn huis, ligt vredig te lezen in bed. Ik ga de confrontatie aan.

'Ik had je gevraagd vanavond weg te zijn.'

'Ik ben het er niet mee eens,' zegt ze.

'We zijn uit elkaar. We zijn geen vriend en vriendin meer.'

'Ik ben het er niet mee eens dat we uit elkaar zijn.'

Ik ben te moe om tegen haar in te gaan. Daar wacht ik wel mee tot ze in een betere bui is. Ik slaap op de bank.

Net als ik in slaap val, belt mijn moeder op.

'Heb je genoten van mijn citroenenvrouw met de vuilniszakken?'

'Heb jij die vrouw naar me toegestuurd om me aan te spreken?'

'Correctie. Ik heb haar ingehuurd.'

Ik voel me opgelucht dat ik niet gek aan het worden ben. Maar ik voel niet de woede die ze waarschijnlijk van me verwacht had. Ik voel me moe en onverschillig.

'Wat wil je eigenlijk?' vraag ik.

'Ik wilde weten of je genoten hebt van mijn citroenenvrouw.'

'Nee, maar jij blijkbaar wel.'

'Daar vergis je je in, Jeremy. Ik speel niet zomaar een spelletje. Ik geef al mijn spaargeld uit aan het in dienst nemen van mensen om jou te straffen. Dat is de enige manier waarop ik je kan helpen en redden. Je hebt een lesje nodig.'

'Je moet je geld niet aan mij verspillen.'

'Toch is dat wat ik wil doen, en daar kun je uit opmaken hoeveel ik van je houd.'

'Ik waardeer het gebaar, maar het is werkelijk niet nodig.'

'Ik denk van wel.'

'Dan moet je het zelf maar weten.'

Als ik de volgende dag van mijn werk naar huis loop, botst er op straat een man tegen me op. Hij draait zich om en zegt: 'Neem me niet kwalijk.'

'Geeft niets,' zeg ik.

Hij begint te praten: 'Ik vind het altijd zo vervelend als ik tegen iemand opbots, vooral tegen een man, omdat ik bang ben dat hij zal denken dat het een bedreiging is, net als in de film. Vooral in westerns, geloof ik. Ik kijk vaak naar dat soort films met mijn stiefdochter. Ze is twaalf. Zo knap en aanhalig, maar ik zou me seksueel nooit aangetrokken kunnen voelen tot een klein meisje. Een normale man kan dat niet.'

En hij haast zich weg. Ik blijf staan en kijk hem na tot hij om de hoek verdwijnt.

Als ik mijn voordeur opendoe, gaat mijn telefoon. Ik neem op.

'En vond je deze leuk?' vraagt mijn moeder.

'Knap hoor. Schrijf jíj de scenario's?'
'Ja.'

En dan begint ze kritiek op me te leveren, vertelt me hoe vreselijk het was wat ik in Disney World heb gedaan, hoe het mogelijk is dat een kind van haar zoiets doet, enzovoort, enzovoort. Ik zeg dat ik weet dat het waar is, het was vreselijk, onvergeeflijk, ik bén een monster enzovoort, enzovoort. En ik meen het ook. We hangen op. Ik ruik pis. Ik kijk om me heen, maar ik zie niets. Dan ineens wel. Ik zit erop. Minou is haar derde krolse periode begonnen met op de bank te plassen. Het volgende uur doe ik een poging het eruit te krijgen, eerst met toiletzeep, wat niet lukt, dan met te veel Woolite, die ik er naderhand niet meer kan uitspoelen. Het ziet er slijmerig uit en blijft schuimen.

Die avond ga ik naar het huis van Lady Henrietta. Laura is er nog niet, maar Sara wel. Haar moeder laat ons alleen.

Sara zegt als eerste iets. 'Ik ben bang dat ik misschien een vergissing heb begaan.'

'Ik heb ook een vergissing begaan,' zeg ik.

'Nee, dat is niet waar. Ik wel. Ik heb onze vriendschap in gevaar gebracht. Onze vriendschap betekent alles voor me, en ik zou je nooit hebben proberen te... verleiden als ik had gedacht dat het de rest in gevaar zou brengen.'

'Het spijt me heel erg wat er gebeurd is,' zeg ik haar. 'Ik ben een zwakke man en wat ik gedaan heb was erg verkeerd.'

'Ik heb er geen spijt van. De keren dat ik bij je was waren heerlijk.'

Ik kijk haar zwijgend aan. Ze gaat verder: 'Ik begrijp dat je je nu niet op je gemak voelt bij me. Daar had ik eerder aan moeten denken, maar helaas. Ik weet dat je niet van me kunt houden als van een oudere vrouw, dus is het enige wat ik van je vraag je vriendschap. We kunnen vergeten wat er is voorgevallen, en ik beloof je dat ik je niet opnieuw zal proberen te verleiden. Ik zal gewoon heel eerlijk en direct zijn. Geen uitdagend gedoe en geen geflirt meer. Er zal niets meer gebeuren waardoor je je geneert. Maar wil je me af en toe nog wel zien, als je bij mijn moeder op bezoek bent?'

'Natuurlijk.'

'Fijn,' zegt ze.

Daarna praten we nog wat over oppervlakkigheden, en gaat ze weg.

Henrietta komt weer binnen, en Laura komt. Zodra ik Laura zie, realiseer ik me dat ze precies degene is die ik nodig heb. Precies die trekjes van haar die ik eerst vervelend had gevonden, zijn nu begerenswaardig. Haar gezondheid, haar normaliteit. Ik aanbid elk woord dat ze zegt. Ik vind het heerlijk als ze zegt: 'Hoe gaat het met je, Jeremy? Ik heb je een hele tijd niet gezien.'

'Ik heb je gemist,' zeg ik tegen haar, en kan nauwelijks geloven dat ik het zeg. Ik werp een blik op Henrietta om te zien of ze me heeft gehoord. Ze zit me verbaasd aan te kijken. Ik laat me er niet door van de wijs brengen.

Laura kijkt me ook verbaasd aan, maar voornamelijk vergenoegd.

'Hoe is het met jóu?' vraag ik haar als we op de bank gaan zitten.

'Uitstekend, dank je.'

Ik informeer naar haar voorstelling en pijnig mijn hersens af op zoek naar iets anders wat ik kan zeggen, maar ik weet niets te verzinnen, en zij ook niet, omdat we niet veel gemeen hebben. Het is heerlijk iemand te treffen tegen wie je niets te zeggen hebt. Zo normaal en gezond. Stukken beter dan tientallen rare opmerkingen uit te wisselen met Henrietta.

De volgende dag ben ik met Tommy (mijn vriend met de button op zijn kruis) in een boekhandel. We kopen *Cliffs Notes* voor hem. Er komt een oude vrouw met een paraplu op ons aflopen. We zien haar aankomen, maar besteden er niet echt aandacht aan. Ze blijft voor ons staan. Ze pakt het handvat van haar paraplu met beide handen beet en houdt het als een honkbalknuppel omhoog. Ze haalt uit en geeft me een ontzettende klap op mijn heup.

'Au!' zeg ik, met mijn hand tegen mijn heup.

Tommy doet een stap achteruit in de veronderstelling dat hij nu aan de beurt zal zijn, maar de oude dame besteedt geen aandacht aan hem; al haar aandacht is op mij gericht. Ze kijkt me boosaardig aan en zegt: 'Je bent een schande voor je familie! Je bent een monster.'

Een paar mensen kijken haar na als ze wegloopt.

'Ken je haar?' vraagt Tommy.

'Niet echt.'

'Wat bedoel je met niet echt?'

'Nee... ik bedoel nee.'

'Waarom heb je me niet verteld dat je een schande voor je familie was?'

'Ik heb niet echt familie.'

'Behalve dan je moeder.'

'Ja.'

'Arme Jeremy. Dit soort dingen overkomt jou alleen. Heb je iets heel ondeugends gedaan wat zo'n giftige reactie zou kunnen oproepen?'

'Ik heb haar zelfs nooit eerder gezien. Ze is gek.'

'Je hebt mijn vraag niet beantwoord, dus moet ik aannemen dat je inderdaad iets heel ondeugends hebt gedaan.'

Een uur later ben ik weer thuis, en lig geknield op de grond de pas bepiste bank schoon te boenen, als de telefoon gaat.

'Wat vond je van deze?' zegt de stem van mijn moeder, die me een misselijk gevoel bezorgt.

'Het deed pijn,' antwoord ik. 'Hoorde het geweld in je scenario thuis, of heeft je medewerkster geïmproviseerd?'

'Niets is geïmproviseerd.'

'Wat ga je hierna doen? Laat je me door een van je afgezanten met de auto overrijden?'

'Hoe durf je zo tegen me te praten. Hoe durf je zoiets zelfs maar te insinueren?'

Ze hangt op, maar belt me nog talloze keren om me lastig te vallen. Ik verpest bijna mijn hele avond door met haar aan de telefoon te hangen. Uiteindelijk waarschuw ik haar dat ik een ander nummer ga aanvragen als ze niet ophoudt me te bellen.

Noteer dat ik niet mijn kleine witte olifantje pak om de wens uit te spreken dat de afgezanten zullen wegblijven. Waarom? Omdat ik weet dat het zinloos is. Maar waarom ben ik dan zo hoopvol als ik wens dat bepaalde mensen van me zullen gaan houden? En, wat belangrijker is, waarom stoot het idee me niet af een bepaald iemand op een onnatuurlijke manier, tegen haar zin, van me te laten houden door toverkracht toe te passen? Zou ik het niet prettiger vinden als haar liefde voor me echt was?

Charlotte is niet vertrokken. Ik blijf het haar vragen, eis het van haar, maar ze doet het niet. Ze weigert te accepteren dat we uit elkaar zijn.

Ik probeer haar het begrip 'uit elkaar gaan' uit te leggen. 'Daar heb je geen twee mensen voor nodig. Als van een stel een van de twee uit elkaar wil gaan, dan is het stel uit elkaar.'

'Daar ben ik het niet mee eens.'

'Ik heb trouwens iets met iemand anders.'

'Is het dit keer een klein jongetje?'

Ik heb veel over Laura nagedacht. De gedachte aan haar normaliteit is rustgevend. Ik ga vaak naar het huis van Lady Henrietta om Laura te ontmoeten.

Op een dag nodig ik haar uit om in een restaurant in de buurt iets met me te gaan eten. Als we daar naartoe lopen, botst een passerende vrouw zachtjes tegen me aan. Ze draait zich om en zegt: 'Neem me niet kwalijk.'

'Laat me met rust!' snauw ik.

Ze loopt door en kijkt verbijsterd. Laura kijkt niet minder verbijsterd. 'Wat is er aan de hand?' vraagt ze.

'O, niets. Neem me niet kwalijk; ik maakte een vergissing.'

'Wat voor vergissing?'

Ik probeer een verklaring te verzinnen. 'O, ik weet het niet. Ik liep een beetje te suffen en schrok van haar.'

Laura trekt haar wenkbrauwen op bij mijn weinig overtuigende verklaring, maar vraagt niet verder.

Tijdens het eten praten we over niets dat ook maar enigszins interessant is, en ik vind het heerlijk. Ik hoor dat ze een jaar jonger is dan ik. Ik had van tevoren een paar dingen bedacht die ik haar zou kunnen vragen, zodat we iets zouden hebben om over te praten. Ik vraag haar hoeveel leerlingen ze heeft. Ze zegt tien. Ze vertelt me ook dat pas geleden, tot haar teleurstelling, drie kinderen ermee zijn opgehouden toen hun ouders erachter kwamen wat het precies was waarvoor ze betaalden.

Ik vertel haar mijn jeugdverhaal over het kleine witte olifantje, denkend dat het haar misschien interesseert omdat het met magie te maken heeft. Ze vindt het schattig. Maar ik vertel haar niet dat ik het olifantje nog steeds op mijn nachtkastje heb staan. Daarvoor zijn we nog niet vertrouwd genoeg.

Als we na het eten over straat lopen, houdt een oude man ons aan en vraagt: 'Neem me niet kwalijk, maar zou u me misschien kunnen zeggen waar Bloomingdale's is?'

Ik sta er knarsetandend bij, terwijl Laura hem de weg wijst. Ik kijk hem met opkomende haatgevoelens aan, popelend te zeggen dat hij moet opdonderen, maar weet dat ik in Laura's bijzijn geen tweede vergissing kan riskeren. Als ze klaar is, zegt Laura tegen hem: 'Maar Bloomingdale's is nu dicht.'

'Ja, dat weet ik,' zegt hij. 'Ik wil me er alleen van overtuigen waar het is, omdat ik er morgen met mijn kleindochter naartoe ga. Ze is elf, en ik kan haar daar niet alleen naartoe laten gaan. Stel je voor dat de een of andere smeerlap haar probeert op te pikken omdat hij met haar naar bed wil. Vindt u dat ik dat zou moeten laten gebeuren?' vraagt hij aan Laura.

'Nee,' zegt ze, en begint aan mijn arm te trekken om bij hem vandaan te komen.

Met groot genoegen geef ik toe aan haar getrek.

De man roept ons na: 'Ho eens even, meneer, wat vindt u

ervan? Vindt u dat ik met een elfjarig meisje naar bed mag gaan?'

Ik zweet ervan als we weglopen. De rest van de avond verloopt heel aangenaam. Diezelfde avond nog beginnen we een verhouding, want het voelt te goed om ermee te wachten.

Als ik weer thuis ben, begint de bezoeking opnieuw. 'Wat vond je van die?' kraakt de stem van mijn moeder.

Ik hang op. Ringring. Ik neem op en hang op. Ringring. Opnemen, ophangen. Ringring.

Charlotte is ergerniswekkend onverstoorbaar, leest een boek, besteedt geen aandacht aan de telefoon.

Noteer dat ik niet het kleine witte olifantje pak en wens dat Laura van me zal gaan houden. Dat is omdat ik het gevoel heb dat ze dat waarschijnlijk al doet, en omdat dat het geval is, zou ik niet willen denken dat haar liefde voor mij door magie is veroorzaakt, dat ze betoverd is. Anderzijds, als ik niet het gevoel zou hebben dat ze al van me hield en ik dat wel heel erg graag wilde, zou ik geen moment aarzelen het witte olifantje in te zetten, hoewel het in het verleden nooit gewerkt heeft als ik het op bepaalde mensen uitprobeerde.

Ringring. Opnemen, ophangen. Ringring.

Ik vlucht naar buiten, de nacht in, maar ik realiseer me dat ik niet alleen kan zijn, ongeacht waar ik naartoe ga. Een willekeurig iemand van al die mensen die over straat lopen, of winkelen in een supermarkt, of in een bioscoop zitten, kan door mijn moeder zijn ingehuurd.

Ik moet greep op mijn leven zien te krijgen. Ik loop een winkel binnen, koop een avocado, loop naar het park en ga op een bankje zitten. Ik neem een hap van de avocado, met schil en al, draai het stuk dan rond in mijn mond, maak met mijn tong het vruchtvlees los van de schil, en spuug de schil uit. Ooit heb ik in de metro een oosterse vrouw zo een kiwi zien eten.

Ik eet nog drie happen volgens deze methode, daarna leg ik de afgehapte avocado naast me op de bank, haal een stukje papier te voorschijn en mijn Bic-pen, en maak een lijstje van dingen die ik moet doen:

1. Minou laten steriliseren.
2. Charlotte mijn huis uitschoppen.
3. Een geheim telefoonnummer aanvragen.
4. Mijn huis schoonhouden.
5. Laura vaker zien.

Ik probeer andere besluiten te verzinnen die ik er misschien aan kan toevoegen. Ik wil een echte lijst, een lekkere, volle lijst. Ineens komt er een zesde besluit in me op.

6. Promotie vragen bij het tijdschrift.

Als ik thuiskom, haal ik mijn kleine ivoren olifantje te voorschijn en denk: als je toverkracht bezit, wens ik dat ze me op mijn werk met alle plezier promotie zullen geven als ik daarom vraag. Ze zullen er op een of andere manier zelfs blij om zijn dat ik het eindelijk heb gevraagd.

De volgende ochtend, als Charlotte naar haar werk is gegaan, laat ik mijn sloten veranderen. Ik pak al haar spullen en zet ze in de hal buiten mijn voordeur. Daarna bel ik de dierenarts en maak een afspraak voor de volgende dag. En daarna bel ik de telefoondienst om mijn nummer te laten wijzigen. Ze veranderen het over drie dagen. Beter dan nooit.

Ik ga naar mijn werk. Ik zal het hun vandaag vragen. Hoe moet ik optreden? Sterk en vol zelfvertrouwen? Of vriendelijk, charmant en nederig? Promotie vragen is op zich al een daad die getuigt van kracht en zelfvertrouwen, dus misschien moet ik vriendelijk en charmant zijn tijdens de uitvoering ervan.

Ik klop op de openstaande deur van mijn baas.

'Ja?' zegt hij.

'Heeft u een ogenblik voor me? Ik wil even met u praten,' vraag ik glimlachend.

'Dat is goed.'

Ik ga tegenover hem zitten en veeg mijn klamme handpalmen af aan mijn knieën. Annie komt binnen om wat boeken te ordenen die in de kast staan. Het stoort me dat ze er is, maar mijn baas besteedt geen aandacht aan haar en wacht tot ik begin te praten, dus steek ik van wal. 'Ik doe wat van me gevraagd wordt,' zeg ik tegen hem. 'Ik doe al heel lang archiefwerk. Ik heb wat feiten nagetrokken, maar niet veel. Ik vroeg me af of ik promotie zou kunnen maken.' Ik kijk even naar Annie. Ze kijkt sceptisch terug, misschien zelfs met verachting; op zijn minst met neerbuigendheid.

'Echt waar?' vraagt mijn baas en kijkt verbaasd.

'Ja. Waarom verbaast dat u zo?'

'Ik weet het niet. Tot wat wil je gepromoveerd worden?'

'Ik denk tot full-time feitenchecker. Op zijn minst.'

Hij knikt nadenkend. 'Ik moet dit met Cathryn bespreken,' zegt hij. Cathryn is de hoofdredactrice. 'Ik zal je laten weten wat haar beslissing is.'

'Goed,' zeg ik, en veeg mijn handpalmen nog eens aan mijn broek af en sta op. 'Nou, bedankt. Dat stel ik op prijs.' Ik knik naar hem en loop zijn kamer uit.

Ik begin zenuwachtig te archiveren en houd mezelf voor dat ik niet zenuwachtig moet zijn. Het ergste wat kan gebeuren is immers dat ze 'nee' zeggen? En waarom zouden ze dat doen? Ik ben een aardig mens en ben goed in archiveren. Ik mag dan sloom en saai zijn, maar niemand kan toch zeker zeggen dat ik niet aardig ben. Stel je er maar op in dat je lang moet wachten, houd ik mezelf voor. Verwacht niet dat je vandaag al iets van hen hoort. En morgen waarschijnlijk ook niet. Het kan wel een week duren voor ze je hun antwoord geven. Misschien vergeten ze het zelfs. Als ze over een week nog niets hebben laten horen, moet ik hen eraan herinneren.

De tijd vliegt sneller om dan gewoonlijk. Zo'n twee uur later komt Annie naar me toe en zegt: 'Of je nu even bij hem op kantoor wilt komen.'

'O, goed,' zeg ik verbluft.

Ze loopt met me mee het kantoor binnen en begint de boeken in de kast weer te ordenen.

Ik ga tegenover mijn baas zitten.

'Ik heb zojuist met Cathryn gepraat,' zegt hij, 'en na enig overleg waren we het er allebei over eens dat we je niet langer nodig hebben.'

'Hoe bedoelt u?'

'We zouden het op prijs stellen als we morgenochtend uw ontslagbrief konden krijgen, als dat u schikt.'

'Ik ben bereid te blijven archiveren.'

'Dat komt ons niet goed uit. We geven er de voorkeur aan dat u uw ontslag indient. Daar zouden we dankbaar voor zijn.'

'Waarom? Hoe bent u hiertoe gekomen?'

'Door mijn gesprek met Cathryn. We hebben je voorstel besproken en zijn tot de conclusie gekomen dat we je voor het archiefwerk net zomin nodig hebben als voor het checken van feiten.' Hij kijkt me uitdrukkingsloos aan.

Ik kijk naar Annie, in de hoop een medelevende blik van haar te krijgen, maar ze heeft haar rug naar me toegekeerd.

Ik ga naar huis. Ik ben assertief geweest, en kijk eens wat er gebeurd is. Hoeveel slechter kan het nog gaan? Kloteolifant.

Misschien is het maar beter zo. Ik zal op zoek gaan naar een andere baan, die waarschijnlijk beter zal zijn dan mijn oude. Vrijwel elke baan zou beter zijn. Maar eerst neem ik even vakantie. Een week of twee, voordat ik mijn curriculum ga versturen. Net voldoende tijd om me te herstellen en orde op zaken te stellen in mijn leven.

Noteer dat ik over mijn olifantje praat als over God. 'Misschien is het maar beter zo' is het excuus dat je aanvoert als God een miskleun maakt.

Als Charlotte thuiskomt van haar werk, ziet ze haar spullen

buiten staan, probeert mijn deur open te maken, slaagt er niet in, belt aan, schreeuwt, bonkt op de deur, roept beledigingen, huilt, schopt, dreigt met zelfmoord, dreigt de politie te bellen, me aan te geven, en wordt eindelijk stil. Ik gluur door het kijkgaatje. Haar spullen staan er nog, maar zij is er niet meer. Ik doe mijn deur een paar centimeter open, en dan springt ze op en werpt zich ertegenaan. Op die truc was ik voorbereid, zodat ik me niet laat overrompelen en de deur nog met gemak kan sluiten.

En dan begint alles van voren af aan: het gebonk, het geschreeuw, de beledigingen, de tranen. Ik neem een bad, met oordopjes in. Ik laat het warme water mijn spieren ontspannen. Een paar minuten later doe ik een oordopje uit. Ze staat nog steeds te bonken.

'Ik ben ontslagen!' roep ik haar vanuit de badkuip toe.

Het gebonk houdt even op, maar begint dan opnieuw.

'Ik heb geen werk meer, en ik ga niet meer werken ook,' schreeuw ik, in de hoop dat deze informatie ervoor zal zorgen dat ze zich minder gretig aan me vasthoudt. 'Heb je me gehoord?' roep ik.

'Doe de deur open,' schreeuwt ze terug.

'Heb je gehoord dat ik ontslagen ben? Heb je dat wel gehoord?' schreeuw ik uit alle macht.

'Ja, dat heb ik gehoord, maar je krijgt wel weer ander werk...'

Ik duw het oordopje terug in mijn oor, sluit mijn ogen en ben voldaan. Ze heeft het gehoord. Dat is het belangrijkste.

Door mijn oordoppen heen hoor ik de telefoon gaan. Ik neem niet op. Nog maar drie dagen en ik heb geen last meer van de telefoon, en misschien niet van mijn ex-vriendin, en misschien niet van mijn poes, en als ik geluk heb zelfs niet meer van vreemden op straat, hoewel ik op dat laatste niet erg durf te hopen.

De volgende ochtend ga ik met mijn ontslagbrief in de hand naar mijn werk. Ik loop met de staart tussen mijn benen, met hangende schouders. Ik ben een verliezer, een mislukkeling.

Nee, dat ben ik niet. Zíj zijn dat. Hun leven is zo leeg en saai dat ze zich vermaken met kleine wreedheden. Ik moet er binnenlopen als een vorst. Voor deze ene keer moet ik nu eens de hooghartige zijn, de verachtende, de neerbuigende.

Ik steven het tijdschrift binnen, met geheven hoofd, mijn neus in de lucht, en leg mijn ontslagbrief op het bureau van mijn baas neer. Hij is niet in zijn kantoor. Ik ga beslist niet wachten tot hij terug is om gedag te zeggen. Als ik naar de uitgang loop, kom ik langs Annie die aan haar bureau zit, en zeg: 'Ciao, Annie. Veel plezier in het archief.'

Ik breng Minou naar de dierenarts en laat haar steriliseren. Twee dagen later ligt ze op mijn bureau en kijkt me met een lege blik aan. Ik aai haar kop, maar ze is zo toeschietelijk als een ijspriem. Ik probeer haar op te tillen, maar ze gromt en verstijft, dus laat ik haar los. Ze gaat weer liggen, en ik zie iets oranjekleurigs onder haar uitsteken.

Wat is dat? vraag ik.

Rot op, zegt ze, en probeert het oranje voorwerp beter te bedekken met haar lichaam.

Wat is dat voor iets? herhaal ik.

Ze wendt haar kop af.

Waag het niet me te krabben, zeg ik, en steek mijn hand onder haar lijf.

Ze draait zich woedend om en bijt in mijn hand. Die bloedt. Ik schreeuw het uit. Ik voel een onweerstaanbare neiging om haar op te pakken en door de kamer te smijten, maar ik beheers me omdat ze pas geopereerd is.

Je bent een kreng, zeg ik.

Je zei alleen dat ik niet mocht krabben, niet dat ik niet mocht bijten, antwoordt ze voldaan.

Ik trek het oranje voorwerp onder haar vandaan. Het is de keukenschaar.

Wat moet dit voorstellen? vraag ik.

De keukenschaar.

Heb je die helemaal hier naartoe gesjouwd?

Ja.

Je moet niet met zware dingen sjouwen na je operatie. Wat wil je ermee?

Je ballen afknippen.

Sinds gisteren heeft mijn moeder me niet meer kunnen bellen omdat mijn telefoonnummer is gewijzigd. Charlotte laat me eindelijk met rust, Minou trekt bij, maar op straat komen er nog steeds mensen op me af om over kleine meisjes te praten. Ik bel mijn moeder op en vraag haar ermee op te houden haar afgezanten op me af te sturen. Dat weigert ze.

Ik zie Laura vaker en Lady Henrietta minder vaak, omdat er sinds kort iets is veranderd. Sara is niet meer zo aardig en heeft gezondheidsproblemen. Ze heeft heel erge aanvallen van hoofdpijn en moet vaak overgeven. Dat maakt haar chagrijnig en klierig, wat zijn uitwerking heeft op haar moeder. Lady Henrietta nodigt me tegenwoordig nog maar zelden uit, en als ik op bezoek kom, lijkt ze nooit blij me te zien. Ik maak me zorgen over Sara, maar ik vermoed dat ze een hardnekkige griep heeft en met haar moeder alleen moet worden gelaten.

* * *

Ik ben blij te kunnen aankondigen dat Laura officieel mijn vriendin is en ik haar vriend ben. Dat is in feite al het geval vanaf de eerste avond, maar ik zeg het nu voor het geval het niet duidelijk was. We zijn geknipt voor elkaar. Zij maakt mij normaler, en ik maak haar minder normaal. Ik heb haar verteld over het slapen met mijn olifantje. Ze vatte het goed op.

Ze vatte het ook goed op toen ik 'ontslag nam'. Hoewel zij alleen uit fatsoen werkt, en niet voor het geld, eist ze niet dat anderen werken. Ze is ongelooflijk evenwichtig. Mensen die heel erg evenwichtig zijn, hebben geen ambitie nodig om gelukkig te zijn. Ze hebben geen doelen nodig. Ze genieten van het leven. Ze leven één dag tegelijk en genieten van elke dag. Ze roept diezelfde sereniteit in mij op.

Laura is aan de lange kant, maar niet ongewoon lang voor een vrouw, wat mooi is, want voor een man ben ik ook niet zo lang. Ze is volmaakt gebouwd, en ze is zo mooi als een fotomodel uit een tijdschrift, haar lichaam ook. Ze heeft lichtbruin haar en warme bruine ogen. Ze is een bruinig mens: bruin als in bruine wimpers. Heel verstandig, maar gevoelig; nuchter, maar hartelijk; gematigd, maar in staat tot buitensporigheid. Afgezien van het feit dat ze een bruin mens is, is ze lichamelijk, mentaal en emotioneel zo fantastisch dat iedere man meteen met haar zou willen trouwen als hij zo fortuinlijk zou zijn het voorwerp van haar liefde te zijn, zoals ik ben.

Haar gezicht blaakt van gezondheid en haar wangen zien roze. Ze heeft een gezond ogend gebit dat niet al te wit is: het ziet er heel natuurlijk uit en past goed bij haar huidkleur. Haar ene oog loenst soms een beetje, o zo'n klein beetje maar en zo fantasierijk – ik bedoel 'ongewoon' – dat ik altijd denk dat het verbeelding van me is. Het geeft haar een zweem van echtheid, menselijkheid, van iemand die leeft en zal sterven, wat mensen doen.

Haar persoonlijkheid is ook bruin. Bruin als van de aarde, van geaard zijn.

De meeste tijd brengen we bij haar thuis door, niet bij mij, want hoewel ik mijn huis tegenwoordig schoonhoud, is het hare groter, comfortabeler, luxueuzer, gefinancierd door haar ouders. Het is een groot, licht appartement met veel zonlicht en weinig hinderlijke spullen, afgezien van een glanzend zwarte piano. Ze speelt niet goed, maar toch graag, en vindt het instrument mooi om te zien. Ze zegt dat ze zich altijd gelukkig heeft gevoeld in een kamer met een piano. Soms spelen we met het idee te gaan samenwonen, maar we besluiten te wachten tot het perfecte moment daar is, tot het op een keer als vanzelf gebeurt, haast zonder dat we erbij nadenken.

Om aardig te zijn en omdat ik van haar houd, ga ik naar vrijwel elk optreden van Laura. In mijn hart heb ik medelijden met haar en zou willen dat ik haar kon helpen. Ik lijd eronder dat iemand zichzelf zo voor gek zet. Vooral iemand die ik ken. Vooral iemand van wie ik houd.

Uiteindelijk kom ik tot de conclusie dat ik haar niet kan laten doorgaan met haar zielige vertoning zonder op zijn minst te hebben geprobeerd haar een beetje wakker te schudden. Op een zondagmiddag, bij haar thuis, breng ik door een terloopse opmerking het onderwerp ter sprake.

'Weet je, ik zat te denken dat het misschien niet zo'n slecht idee is om de lege laars te laten zien voor je de bloem eruit haalt.'

'Mijn voet zit erin. Is dat niet voldoende bewijs dat de laars leeg is?' vraagt ze.

'Natuurlijk niet,' zeg ik vriendelijk. 'Weet je wat ik me afvroeg? Je hebt me nooit verteld of je een van de meer gangbare goocheltrucjes kunt doen.'

'Je vindt mijn optreden niet goed,' constateert ze ronduit.

'O jawel! Ik dacht alleen dat het wat zou opfleuren door wat gangbare trucjes te doen, van het soort waarbij dingen echt verdwijnen enzo.'

'Dat soort dingen doe ik niet. Ik doe modern goochelwerk.'

'Mij lijkt het eerder kleutergoochelwerk,' zeg ik. 'Dat kan ieder kind. Sorry hoor.'

'Dat is wat onwetende mensen over abstracte kunst zeggen. Dit is abstracte goochelkunst, moderne goochelkunst, postmoderne goochelkunst, naïeve goochelkunst, experimentele goochelkunst, avantgardistische goochelkunst, iets wat je moet leren waarderen. Het dansen maakt mijn werk iets toegankelijker en commerciëler. Ik zou er ook nog bij kunnen zingen, maar dat zou te veel van het goede kunnen zijn.'

'Om moderne dingen te kunnen doen moet je het traditionele kennen,' houd ik haar voor. 'Je kunt niet je toevlucht nemen tot het moderne alleen omdat het makkelijker is. Goede moderne dingen worden uit keuze gedaan, niet uit het onvermogen iets anders te doen. Picasso kon heel realistische portretten van mensen maken. Hij besloot alleen zich niet op dat gebied toe te leggen.'

'Ik doe gewoon geen realistische goochelkunst. Dat is niets voor mij.'

'Dat weet ik, maar weet je hoe je dat doet?'

'Natuurlijk.'

'Mag ik een paar van je trucjes zien?' Ik voel me net een politieagent. Mag ik uw rijbewijs zien?

Ze staart me een paar lange seconden aan en gaat dan naar haar slaapkamer om haar attributen te halen.

Als ze terugkomt, gaat ze voor me staan met een hoge hoed en een toverstaf in haar hand. Ze begint de bekende, traditionele goocheltruc te doen die ik al tientallen keren in de metro en op tv heb gezien, waarbij ze een speelgoedkonijn uit een hoge hoed haalt, nadat ze me eerst de lege hoed heeft laten zien. Ze doet het stijfjes en onhandig. Ze heeft er echt geen aanleg voor. Het gaat niet soepel.

'Niet slecht, niet slecht,' zeg ik. 'Ik wil je niet met Picasso vergelijken, maar niet slecht. Maar kun je niets beters dan dat?'

Ze trekt een lelijk gezicht naar me en doet de bekende truc met de zilveren ringen, die ze aan elkaar vast- en weer losmaakt, terwijl het lijkt alsof ze niet vast of los te maken zijn. Ze is zo geconcentreerd dat het puntje van haar tong uit haar mond steekt. Niet erg indrukwekkend. Het is haast erger dan de kleutergoocheltrucs die ze op het toneel doet. Je hebt toch een minimum aan gratie en zelfverzekerdheid nodig.

'Is er niet één truc die je goed kunt?' vraag ik op een toon alsof ik een grapje maak. Ik wil niet te hardvochtig lijken, maar ook niet te zachtzinnig, anders is ze er niet bij gebaat.

'Je strijkt me wel tegen de haren in, meneer Acidophilus.' Ze is echt beledigd. Het is leuk dat ze er grapjes over kan maken en het luchtig opvat. Misschien heb ik een gevoelige plek bij haar geraakt. Misschien heeft ze wel een vreselijk complex omdat ze niet goed kan goochelen.

Maar ze gaat rustig verder met de truc waarbij een speel-kaart verdwijnt onder een zakdoek. Ze beweegt zich als een robot. Ze doet het zo slecht dat ik bijna kan raden waar ze de kaart heeft verstopt: in de voering van de zakdoek, in haar mouw, of waar speelkaarten dan ook verstopt worden.

'Is er dan niets wat je goed kunt?' vraag ik.

Boos smijt ze een muntstuk in haar handpalm, dat voor mijn ogen verdwijnt, terwijl haar hand geopend blijft.

'Kijk, dat is meer mijn terrein,' mompelt ze.

Ik kijk haar aan. Ze kijkt snel weg en herhaalt de traditio-nele truc met de zilveren ringen. Ik onderbreek haar.

'Laura, wat je net deed. Wat was dat?'

Ze bloost, kijkt benauwd en flapt er snel uit: 'Je ging ge-woon te ver. Je vernederde me. Ik dacht er niet bij na. Vergeet het maar. Ik zou het liefst in zwijm vallen.'

'Dat zal best,' zeg ik verbijsterd. 'Dat zal best,' herhaal ik onwillekeurig. 'In mijn ogen ging dat aardig de kant uit van een echte goocheltruc.'

'Natuurlijk niet. Dat is de enige truc die ik goed doe. Die doe ik gewoon goed omdat er geen vingervlugheid voor nodig is.'

'Omdat er geen vingervlugheid voor nodig is? Dat klinkt des te meer alsof het een echte goocheltruc was.'

'Nou, dat is het niet.'

'Laat me dan zien hoe je het deed.'

'Dat is te ingewikkeld om uit te leggen.'

'Probeer het eens.'

'Nee. Een goochelaar wordt geacht zijn trucs absoluut nooit uit de doeken te doen, wat er ook gebeurt. Maar in elke feestwinkel kun je de benodigdheden en een instructieboekje kopen.'

Dat is precies wat ik de volgende morgen vroeg ga doen. Ik ga naar een feestwinkel en vraag naar de truc waarbij je een muntstuk uit je geopende handpalm laat verdwijnen. Zoiets verkopen ze natuurlijk niet, omdat zo'n truc alleen door elfjes en heksen of op tv gedaan kan worden. Als ik thuiskom, vertel ik dat haar truc niet te koop was.

'Tja, nou ja, ik had niet verwacht dat je het zou navragen,' zegt ze. 'Ik wilde gewoon dat je me met rust liet. Eerlijk gezegd heb ik hem van mijn grootvader geleerd.'

'Eerlijk gezegd, geloof ik er geen woord van.'

'Je bent er alleen maar door geobsedeerd omdat er een muntstuk aan te pas komt, net als toen je klein was,' zegt ze. 'Als ik een knoop in mijn hand had gehad, of een vingerhoed of een ring of een kiezelsteen, had je er geen seconde meer over nagedacht.'

'Niet waar.'

'Wel waar.'

'Nietes nietes nietes.'

'Welles welles welles.'

'Niet, zeg ik je.'

'O, zeker wel.'

'Van je leven niet.'

'Van mijn leven wel.'

'Laat maar,' zeg ik, en wimpel haar met een handgebaar af. Maar dan draai ik me enthousiast naar haar om en roep uit: 'Doe het nog eens!'

'Geen sprake van. Laat die obsessie maar varen.'

'Nooit.'

We staren elkaar haast buiten adem aan. Ineens laat ik me uitgeput op de bank vallen. 'Ik begrijp je dilemma,' zeg ik temend. 'Je bent duidelijk niet goed genoeg in traditionele goochelarij, en het zou te riskant voor je zijn om je échte goochelkunst te doen, want zelfs als je probeerde het op namaakgoochelkunst te laten lijken, dan zou altijd de kans blijven bestaan dat je tegen de lamp zou lopen. Dus is dat postmoderne kleutergegoochel het enige wat je kunt doen. Ik begrijp je probleem en ik kan je beslissing nu respecteren.' Ik sluit mijn ogen: de zaak is rond. Hier kun je niets meer tegen inbrengen.

'O, alsjeblieft! Hou toch op,' zegt ze. 'Mijn échte goochelkunst? Ja hoor, Jeremy, wat mij betreft heb je gelijk.'

Niets meer tegen in te brengen.

We zíjn gewoon.
We staan op een straathoek, Laura en ik, zonder te bewegen, zonder elkaar aan te raken. We zijn gewoon, samen. Het genot van het samen-zijn is zo intens dat het pijnlijk is. We moeten gas terugnemen. We moeten ons bestaan en onze hartslag afremmen.

Als we samen zijn, raken we heel opgewonden door het ongemerkt aanraken van mensen. Het is bijna een wedstrijd tussen ons: wie de meeste mensen kan aanraken. Het mooiste is als we allebei tegelijk dezelfde persoon aanraken. De meest geschikte plaats om dat te doen is als we in een rij staan.

We praten nooit met elkaar over dat gedrag van ons. Het is niet een of ander spelletje dat we bewust gaan spelen. Het is zo geleidelijk en onmerkbaar begonnen dat ik niet zou kunnen zeggen op welke dag ik de eerste heb aangeraakt, of zelfs in welke week. Het aanraken van kleding is goed, dat telt, maar het aanraken van de persoon zelf is veel beter, hoewel het natuurlijk ook moeilijker is niet betrapt te worden. Het onopgemerkt aanraken van mensen is opwindend, gewaagd, gevaarlijk, en toch vriendelijk, liefdevol en intiem. Zelfs tegen iemand opbotsen of op straat langs iemand strijken is heerlijk. En het doet er niet toe of zij het voelen, omdat ze gewoon zullen denken dat het per ongeluk was en niet weten dat het gepland was, dat we het opzettelijk deden.

Als Laura en ik elkaar aanraken, is het genot zo intens dat het pijn doet. Daarom kunnen we veel meer plezier aan dit genot ontlenen wanneer het verzacht wordt door een tussenpersoon. Het genot dat we eraan beleven iemand tegelijkertijd aan te raken is zo verrukkelijk en volmaakt in zijn subtiele sensualiteit, dat de persoon in kwestie zich niet onbewust hoeft te zijn van onze aanraking. Als we iemand op bezoek krijgen, gaan we vaak aan weerskanten van hem staan, houden zijn arm vast, kloppen hem op de schouder, botsen speels tegen zijn zij, fluisteren iets in zijn oor (omdat zelfs onze adem tegen zijn wang ons genot verhoogt), brengen zijn haar door de war (en rechtvaardigen ons gedrag door te zeggen dat we zijn kapsel leuk vinden), en betasten zijn kleding (en recht-vaardigen ons gedrag door te zeggen dat we die mooi vinden). We zijn hier vrij bedreven in, zodat onze gast ons gedrag aan diepe affectie toeschrijft.

Ik wil hier niet mee zeggen dat we niet met elkaar vrijen. Dat doen we wel, maar niet zo vaak als mensen die minder van elkaar houden. Voor ons is vrijen een gevaarlijk genot dat we moeten proberen, zouden moeten proberen en daadwerkelijk proberen te weerstaan, omdat we na afloop misselijk en ver-dwaasd achterblijven.

Ik houd Laura goed in de gaten als ik bij haar ben, in de hoop haar erop te betrappen dat ze iets van haar echte goochel-kunst laat zien. Vaak vraag ik me af of ik me in de truc met de munt heb vergist. Misschien kan ze helemaal niet echt goo-chelen. Misschien verdween het kwartje niet echt uit haar handpalm zoals ik dacht. Misschien was ik aan het hallucine-ren, hoewel ik ervan overtuigd ben dat dat niet het geval was.

Hoe krachtig is haar magie, vraag ik me af. Welke andere trucs beheerst ze? Kan ze een stoel laten verdwijnen, of alleen kleine dingen? Kan ze ook dingen te voorschijn toveren, of alleen laten verdwijnen? Kan ze mensen van zich laten hou-den?

Kan ze mensen van zich laten houden? Heeft ze me beto-verd?

Soms vraag ik haar of ze me meer van haar echte goochel-werk wil laten zien, maar dan probeert ze me belachelijk te maken, te zorgen dat ik niet doorzeur. Ze zegt dingen als: 'Jeremy, je bent ongelooflijk. Wat ben jij nog een kleuter! Je gelooft nog steeds in goochelkunst. Hoe vaak moet ik je nog zeggen dat ik geen fee ben?'

Omdat ze er zo op gebrand is dat ik mijn obsessie laat varen, zou je verwachten dat ze gewoon uit de doeken zou doen hoe ze de truc met het muntstuk deed. Maar dat doet ze niet, en ik ben ervan overtuigd dat dat betekent dat er niets te onthullen valt, dat er geen oplossing, geen geheim bestaat; het is gewoon zuivere, onversneden magie.

Ik blijf naar haar voorstellingen gaan, maar soms val ik halverwege in slaap. Op een avond schrik ik plotseling op uit mijn gedoezel, omdat ik applaus hoor. Hè? Wat? Waar klappen ze voor? De voorstelling is nog niet afgelopen. Waar klappen ze dan voor? Ik hang voorover in mijn stoel en knijp mijn slaperige ogen samen tegen het felle licht. Ik zie niets vreemds of afwijkends. Heeft ze haar echte goochelwerk laten zien? Zou dat het zijn? Nee, ik betwijfel het, want als ze dingen op het toneel echt had laten verdwijnen, vlak voor hun ogen, zonder vingervlug trucje, dan zouden ze niet klappen; ze zouden flauwvallen of de politie erbij halen, of wegrennen en tekeergaan als gekken, of haar voeten kussen en haar aanbidden als een godin. Misschien draaf ik een beetje door. Maar ze zouden haar op zijn minst volkomen verbaasd aanstaren, net als ik toen ze het muntstuk liet verdwijnen. Ze zouden te verbijsterd zijn om te applaudisseren.

Ik heb niet gezien wat ze heeft gedaan om het applaus te verdienen. Ik heb het gemist. Nou ja, dat zal ik haar straks wel vragen. Maar ineens wordt er weer geklapt, en ik had mijn ogen niet dicht, en ik kan u vertellen dat ze níets gedaan heeft om het te verdienen. Het is haar oude vertrouwde stuiter-uit-de-mond-truc. Tijdens de rest van haar optreden zijn er twee tafeltjes met mensen die applaudisseren voor elke stomme rottruc die ze doet, en ik kijk hen vol ongeloof aan, en kijk dan naar Laura om te zien of ze er problemen mee heeft of dat ze er blij mee is. Ze kijkt wel een beetje verbaasd. Het kost haar moeite om zich te concentreren, dat kan ik zien, ze doet er langer dan gebruikelijk over om elk trucje en dansintermezzo tot een goed einde te brengen. Soms werpt ze een blik op de klappende tafeltjes en kijkt dan snel weer weg. Maar ze lijkt er wel mee ingenomen. Haar ogen zijn helderder dan normaal, en haar lippen zien rood en glimlachen op een verrukkelijk zachte manier.

Degenen die klappen zien eruit als studenten. Sommigen zien er ouder en verstandiger uit, alsof ze al zijn afgestudeerd. Ze hebben baarden.

Na afloop van haar optreden zeg ik dat ik het niet begrijp. Ze zegt: 'Mischien komt het door jou, Jeremy. Misschien breng je me geluk.'

Na haar volgende optreden, drie avonden later, zijn er vijf klappende tafeltjes.

De obers moeten tafeltjes bijzetten, en de kleine dansvloer schiet erbij in. Haar optreden groeit uit van tien naar twintig minuten tot een half uur, maar niet langer. Ze wil het niet overdrijven. Ze wil ze onvoldaan laten, snakkend naar meer. En dan realiseren we ons dat ze van de ene dag op de andere een sensatie is geworden.

Maar denk nu niet dat het dezelfde domme oude trucs zijn die zozeer de aandacht trekken. Nee. Het zijn haar nieuwe trucs, die nog stompzinniger zijn. Wat mensen betreft beschikt Laura over een groot instinct en veel intuïtie. Na haar eerste succesvolle avond voelde ze aan voor welke trucs bijzonder luid geapplaudisseerd werd, en die richting sloeg ze in. De subtielste trucs, waarvan nauwelijks opvalt dat het trucs zijn, zijn de meest bewonderde, zoals die waarbij ze haar bruine jasje uittrekt en laat zien dat de binnenkant rood is.

Haar trucs worden steeds idioter, en het applaus en het aantal applaudisserenden nemen toe. Laura haalt een snoepje uit zijn verpakking, ruikt eraan, en de mensen klappen. Dergelijke trucs kun je zelfs geen goochelarij meer noemen, toch noemen mensen ze met enthousiasme zo en zeggen dat ze een boodschap bevatten over het moderne leven en de maatschappij die ongeveer zo luidt: in onze tijd zijn routine, gewoonte, eentonigheid en herhaling zo diep ingeworteld, zo onvermijdelijk, dat het haast lijkt alsof niets anders dan magie de gewoonte van het opeten van het snoepje kan doorbreken. Het doorbreken van het patroon, door het onverwachte te doen, ook al is het maar heel even, zoals ruiken aan een snoepje, is zo ongebruikelijk en ongewoon dat het beslist magie genoemd dient te worden en zeker applaus waard is.

Wanneer Laura een papieren zakdoekje uit haar zak haalt en er haar voorhoofd mee afveegt, barst iedereen los in applaus, want de primaire functie van een zakdoekje is er je neus in te snuiten. Door haar voorhoofd af te vegen (een minder gebruikelijke, secundaire functie) bestrijdt Laura eentonigheid en een vast verwachtingspatroon.

De meest culturele mensen zijn degenen die de allersubtielste truc kunnen onderscheiden, en zij zijn het die applaudisseren. Als iemand ten onrechte klapt, om een van Laura's 'truc trucs', bijvoorbeeld als ze op haar horloge kijkt om te zien hoe laat het is, schudt ze heel even haar hoofd, en is diegene vreselijk vernederd en vallen hem verpletterend subtiele, neerbuigende blikken en verachtend tonggeklak ten deel van de andere leden van het publiek. Als er anderzijds iemand op het juiste moment applaudisseert, plooien Laura's lippen zich tot een lichte glimlach, en gaat iedereen meeklappen en zendt degene die zo gelukkig was als eerste te klappen blikken vol respect en bewondering toe.

Een gewone avond bestaat uit het volgende repertoire van basistrucs:

Laura windt haar horloge op. Een dappere toeschouwer waagt het erop een paar keer te klappen. Ze glimlacht nauw merkbaar. Ze reageren er allemaal op met bijval, en belonen de fortuinlijke eerste klapper met lachjes en oh's en ah's van bewondering. De primaire functie van een horloge is de tijd aan te geven, wat geen respect verdient omdat het alleen maar bijdraagt aan de monotonie van het moderne leven. Opgewonden te worden is de secundaire, minder gebruikelijke functie van een horloge en is veel respect waardig.

Laura haalt een kam en borstel uit haar doos vol attributen en begint het haar uit de borstel te kammen. Iemand uit het publiek klapt, ze krult haar lippen en de hele zaal klapt.

Ze doet haar parelcollier af en legt die op het tafeltje op het toneel. Iemand klapt, ze draait haar hoofd een fractie die richting uit – iedereen weet dat dat een negatieve reactie is – en mensen klakken met hun tong en grinniken en giechelen om de nu geruïneerde eerste klapper. Mensen zijn overmoedig geworden. Soms verwoorden ze zelfs hun afkeuring. Je hoort 'Tjezus!', 'Nou ja!' en 'Hij heeft geen idee waar het om gaat'.

Een van de redenen waarom haar optreden zo populair is, is dat er voor het publiek veel op het spel staat. Mensen kunnen in één klap hun reputatie maken of breken. Het is de snelle weg naar succes. Of mislukking.

Na de voorstelling praten mensen enthousiast met elkaar, zeggen dingen als: 'Ze is een genie; haar keuze van trucs is fenomenaal, exquis. Het vocabulaire is rijk, en het taalgebruik, grote goedheid, het taalgebruik is subliem. Toen ze de rode voering van haar jasje liet zien, dacht ik dat ik het bestierf!' Het sjiekst om te zeggen is: 'Hoe kríjgt ze het voor elkaar?' en haar zonder omhaal te vragen: 'Bestaat er een kans dat u ooit uit de doeken zult doen hoe u de truc met het jasje deed?' En wijselijk antwoordt ze: 'Het spijt me, ik vertel nooit het geheim van mijn trucs. Ik zou zo zonder baan op straat staan. Daar moet u begrip voor hebben.'

'Natuurlijk, wat onnadenkend van me.' En dan loopt diegene weg en zegt: 'Oh! Die schijnbare eenvoud! Ik ben dol op haar manier van goochelen.'

Hoe echt is haar magie, vraag ik me af. Hoe groot is haar macht? Kan ze maken dat mensen van haar houden? Heeft ze hen betoverd?

Weken van tevoren worden er al tafeltjes gereserveerd. Mensen bestellen een maaltijd, maar velen van hen raken hun eten nauwelijks aan, zo ontroerd en bewogen zijn ze door de voorstelling.

Mensen sturen hun kinderen naar haar toe om les te krijgen. Ze heeft zoveel leerlingen dat ze haar klas moet opsplitsen in drie moeilijkheidsgraden. De laagste is voor traditionele goochelkunst, waar gewone trucs worden onderwezen, zoals konijnen te voorschijn halen uit schijnbaar lege hoge hoeden. Deze elementaire trucs vormen een goede basis en achtergrond. In de tweede en iets moeilijker klas leren de studenten hoe ze bloemen en toverstokjes uit hun laars moeten halen en stuiters uit hun mond. De laatste en moeilijkste klas richt zich op trucs zoals het uittrekken van een jasje waarvan de binnenkant een andere kleur heeft dan de buitenkant.

Het past precies in het systeem, het feit dat de beginnersklassen moeilijker zijn dan die voor gevorderden, het feit dat leerlingen beginnen met het leren van vingervlugheid en vervolgens toekomen aan het ruiken aan snoepjes, het opwinden van horloges en het afvegen van hun voorhoofd met een papieren zakdoekje. De ouders en het publiek vinden het prachtig zo, maar de kinderen hebben er moeite mee dit systeem te begrijpen, en krijgen te horen dat ze te jong zijn om het te begrijpen; het is experimenteel, abstract, avantgardistisch, intellectueel, iets wat je moet leren waarderen.

Nadat ik het had uitgemaakt met Charlotte, kreeg ik nog een paar korte brieven van haar, wat ik niet heb verteld, omdat ze momenteel te onbelangrijk is in mijn leven. In alle brieven stond ongeveer hetzelfde: 'Ik heb je niet nodig. Bedankt voor het uitmaken.' Of: 'Ik heb je niet nodig. Ik ga met anderen uit.' En toen hoorde ik niets meer van haar. En heb nog steeds niets gehoord. En het kan me niet schelen. Ze was haast een vreemde, hoewel ik een jaar met haar ben omgegaan.

Denk nu niet dat de afgezanten van mijn moeder zijn opgehouden me lastig te vallen. Bepaald niet. Maar ik heb geleerd hoe ik met hen moet omgaan. Ik ben eigenlijk nogal trots op mezelf, omdat ik niet alleen met ze weet om te gaan, maar ze van hun stuk weet te brengen. Het is best leuk: het soort plezier dat kinderen hebben als ze insekten in brand steken.

Een van die ergerlijke onderkruipsels maakt zich op een avond aan me bekend in Défense d'y Voir, tijdens Laura's optreden. Het is een elegante man met wit haar, die aan een naburig tafeltje zit. Hij leunt achterover in zijn stoel en vraagt me om een vuurtje. Hoewel Laura en ik allebei niet roken, heb ik toevallig een aansteker bij me, om redenen die nu te ingewikkeld zijn om op in te gaan. Maar als u het per se wilt weten: ik heb onlangs een griezelfilm gezien waarin een man in een doodskist levend werd begraven, en toen kwam ik tot de overtuiging dat een aansteker handig van pas zou kunnen komen als het ging om leven of dood. De man die begraven was, had een aansteker en kon met behulp daarvan zien waar hij was en begrijpen waaraan hij zou doodgaan. En toen ging hij dood.

De elegante man steekt zijn sigaret aan met mijn aansteker en zegt: 'Ik heb de mijne thuis laten liggen, omdat ik overhaast ben vertrokken; ik was behoorlijk van streek. Ik word gek van mijn elfjarige kleindochter. Ze…'

'Nee echt, is ze elf?' onderbreek ik hem.

'Ja. Ze…'

'Dat is zo'n heerlijke leeftijd. Op die leeftijd houden ze nog van hun ouders. En ze maken veel vrienden,' ratel ik door. 'Ze gaan feestjes geven, worden modebewust…'

'Ja, dat is eigenlijk een deel van het probleem,' valt hij me in de rede. 'Ze beginnen zich aangetrokken te voelen tot de andere sekse en, helaas, begint de andere sekse zich tot hen aangetrokken te voelen. Zelfs oudere leden van de andere sekse, als u begrijpt wat ik bedoel.'

'Ja, precies. En dan gaan ze tegen hun ouders in, en worden de ouders onredelijk, en de problemen houden niet op, weet u, zelfs niet met het verstrijken der jaren. En soms sturen de ouders dan een afgezant om hun kinderen dwars te zitten.'

Het insekt brandt. De elegante man is van zijn stuk gebracht. Hij trekt stevig aan zijn sigaret, knikt en fronst, en pijnigt waarschijnlijk zijn hersens af op zoek naar iets wat hij kan zeggen of doen.

'Ja, precies,' zegt hij en keert me zijn rug toe.

Ik leg mijn hand op zijn schouder en voeg eraan toe: 'Maar wat de ouders zich niet realiseren, is dat de kinderen het enig vinden als de afgezant hen opzoekt. Het is zo ontzettend leuk. Iemand zou de ouders dat moeten laten weten.'

De afgezant schraapt zijn keel en zegt: 'Dat zal ik in gedachten houden.' Hij staat op en verlaat het restaurant.

Bij een andere gelegenheid ben ik in een videotheek om een film voor Laura en mij uit te zoeken waar we die avond bij haar thuis in bed, gezellig tegen elkaar aangekropen, naar kunnen kijken. Naast me staat een vrouw van middelbare leeftijd die ook videocassettes bekijkt. Ze haalt er een van de plank, wendt zich tot mij en vraagt: 'Kent u deze film?'

De film die ze me onder de neus wrijft is *Lolita*. Kan het nog minder subtiel? Ik barst bijna in lachen uit.

'Ik geloof het wel, een paar jaar geleden,' antwoord ik.

'Hoe vond u hem?'

Ik probeer een zo goed mogelijk antwoord op deze heerlijke vraag te verzinnen. Ik zou kunnen zeggen: 'Ik vind dat u tegen mijn moeder moet zeggen dat ze ermee moet ophouden me lastig te vallen.'

Of ik zou me naar haar kunnen omdraaien en zeggen: 'Ik vond het de meest romantische film die ik ooit heb gezien.' (Wat, voor het geval het u interesseert, niet waar is; ik bleef er zelfs vrij onverschillig onder.)

Of ik zou tegen haar kunnen zeggen dat ze lelijk is, dat ze niet modegevoelig is, dat je je kraag niet omhoog hoort te dragen, zoals zij de hare heeft. Ik kan tegen haar zeggen wat ik wil. Want met zogenaamde vreemden kun je je vrijheden veroorloven. Je kunt uitzinnig, onfatsoenlijk, belachelijk doen. Mijn antwoord moet hemeltergend zijn.

Ik zet een hoge borst op en zeg: 'Het is een monsterlijke film! Hij zou verboden moeten worden. Ik was zo geschoqueerd dat ik er, geloof ik, nooit helemaal van bijgekomen ben.'

'Aha,' zegt ze. 'Ik heb een dochter...'

'Van elf?'

'Ja. Ze...'

'Ongetwijfeld. Elfjarige dochters zijn geneigd om met vieze, oude negenentwintigjarige mannen naar bed te gaan, die hen voortdurend proberen te verleiden. Ikzelf begin al te kwijlen als ik een van die elfjarige nimfjes zie. Net als de grote boze wolf. Dan krijg ik zin in hun kont te knijpen.'

'Dat deugt niet. U zou...'

'Nou ja, ik ben niet alléén in uw dochter geïnteresseerd; ik vind u ook heel aantrekkelijk. Prachtig, zoals u die kraag heeft opgezet. Staande kraagjes winden me op.' Ik leg mijn hand achter haar nek en begin de achterkant van haar kraag te strelen. 'Heeft u zin om met me mee naar huis te gaan? We zouden samen naar *Lolita* kunnen kijken. U kunt me een beschrijving van uw dochter geven. Is ze goed ontwikkeld? Ze moeten niet al te ontwikkeld zijn, anders gaat het hele effect verloren, begrijpt u, en dan kun je net zo goed een grote meid zoals u uitkiezen,' zeg ik en kijk naar haar borsten.

Ze knippert met haar ogen en zegt: 'Ik was ervoor gewaarschuwd dat u een taaie zou zijn. Tom was erg van streek. Hij is een aardige, gevoelige man en hij heeft het er nog steeds over hoe onaangenaam u tegen hem deed, terwijl hij u alleen maar om een vuurtje vroeg. En toen heeft u uw hand op zijn schouder gelegd. En nu zit u aan mijn nek. U kunt niet van mensen afblijven. Daar houden we niet van. U moet aardiger zijn tegen vreemden.'

De dag erna bel ik mijn moeder op, omdat ik haar al een hele tijd niet meer heb gesproken, niet meer sinds ik een ander telefoonnummer heb. Ik wil nog eens proberen haar ervan te overtuigen dat ze ermee moet ophouden van die onderkruipsels van haar op me af te sturen.

Het eerste wat ze zegt nadat ik hallo heb gezegd, is: 'Je valt mijn afgezanten lastig. Ik wil dat je daarmee ophoudt. Het kost een smak geld om ze in te huren en je ondermijnt hun werk.'

'Maar ze zijn zo charmant dat ik het niet kan helpen.'

'Ik trap er niet in.'

'Waarin?'

'Dat je zegt dat je ervan geniet, dat je mijn afgezanten dat tegen me laat zeggen. Dat brengt me er niet van af.'

'Uitstekend, want ik vind het écht leuk. Houd er alsjeblieft niet mee op. Als jij ermee ophoudt, ga ik mijn eigen afgezanten huren om op straat naar me toe te komen en tegen me te praten.'

Ze hangt op.

Mijn relatie met Laura blijft zich ontwikkelen en verdiepen. Ik geloof dat ze net zo verliefd op mij is als ik op haar. Niet alleen is ze binnen haar ongewoonheid zo normaal, ze is ook goedhartig, ongekunsteld en opgewekt. Heel meelevend. Ze geeft vaak geld aan bedelaars.

Er is ongeveer een maand verstreken sinds ik mijn 'ontslag heb genomen', en ik ben nog niet op zoek gegaan naar iets anders. Ik geniet op het moment zo van het leven dat het zonde lijkt er ook maar iets aan te veranderen. Ik raak niet al te snel door mijn spaargeld heen, omdat Laura erop staat voor dingen te betalen als we samen zijn. 'Omdat ik rijk ben,' zegt ze, 'en jij niet, en ik van je houd, dus het is niet meer dan normaal.' Als mijn spaargeld toch opraakt, zegt ze dat ze me zal onderhouden tot ik weer zin heb om aan de slag te gaan.

Op een dag vertel ik haar wat er in Disney World is voorgevallen. Ze zegt dat ze op de hoogte is; Lady Henrietta heeft het haar verteld. Ze zegt dat het niets verandert aan haar gevoelens voor me, en hoewel ze het niet geweldig vindt, ben ik er gezien de omstandigheden niet helemaal alleen schuldig aan, en Sara is duidelijk volwassen voor haar leeftijd. Wat Laura afkeurt is de manier waarop Lady Henrietta en Sara me ertoe hebben gemanipuleerd, zonder me van tevoren iets uit te leggen.

Ik ben haar vriend. Ja, ik ben haar vriend. Terecht dat u naar me kijkt. Als ik er niet was geweest, was ze waarschijnlijk niet beroemd geworden. Dat heeft ze me zelf verteld die eerste avond, toen ze zei: 'Misschien komt het door jou, misschien breng je me geluk.'

Ik ben heel gelukkig en tevreden. Ik ben zo blij als een hondje, zoals een van mijn moeders vriendinnen zou zeggen. Ik geloof niet dat ik me ooit in mijn leven zo evenwichtig heb gevoeld. Is het u opgevallen dat ik niet meer met mijn kat praat? En zij praat ook niet met mij. Dit wil niet zeggen dat ze niet gelukkig is. Nee, ze is even aanhankelijk als altijd, maar meestal zit ze me maar wat stom aan te staren, wat me het gevoel geeft dat ik intelligent, normaal en gezond ben. Mijn grootste wens is op het moment dat alles precies zo blijft als het is, en die wens fluister ik mijn kleine witte olifantje in het oor. Ik heb nog nooit zoiets passiefs gewenst, een wens die voor jou zo makkelijk te verwerkelijken is. Ik vraag je niet om iets te dóen. Ik vraag je eerder om niets te doen. Natuurlijk, er hangt een klein wolkje omdat Henrietta en Sara onvriendelijk tegen me doen, maar wie zit daar nu mee? Dat lost waarschijnlijk uit zichzelf wel op.

Tijdens Laura's optredens zit ik in mijn stoel en leg mijn voeten op een andere stoel om extra comfortabel te zitten. Ik ben de enige in de hele zaal die dat durft te doen. Ik neem zelfs een leuk, klein, plat, zacht kussentje van huis mee voor mijn rug, en het voelt haast alsof ik in bed lig. Mijn lichaam gloeit van warmte en comfort, en soms val ik in slaap; daarom zit ik altijd in een donker hoekje, om minder op te vallen. Ik drink Shirley Temples, warme chocolademelk, ginger ale, eet gelatinepudding. Ik drink geen alcohol omdat ik er niet van houd, en ik voel me te zeer op mijn gemak om me zorgen te maken over wat de mensen denken. Als ze me vragen waarom ik van die kinderlijk zoete dingen drink, kan ik altijd zeggen dat ik alcoholist ben en me moet onthouden, wat geloof ik respectabeler is dan te zeggen dat je gewoon niet van alcohol houdt. Ik houd ook niet van erg prikkelende belletjes, dus drink ik geen cola. Ik vertroetel mezelf: dat is geloof ik het juiste woord. Ja, ik vertroetel mezelf.

Ik kijk naar de mensen om me heen om te zien of ze naar mij kijken. Ik vraag me af of ze weten wie ik ben, dat ik de geliefde ben van de vrouw die ze adoreren. Ik ben niet jaloers op haar succes. De pretentie van het hele gedoe verbijstert me. Ik vind niet dat ze haar succes verdient, wat het nog mooier maakt. Wat is beter dan iets te krijgen wat je niet verdient?

Haar optreden is een soort cultus geworden, net als *The Rocky Horror Show*, alleen ongelooflijk veel intellectueler en beschaafder. Haar magie ondergaat voortdurend wijzigingen, verbeteringen, gedaanteveranderingen. Ze voert nieuwe trucs in waarvan het effect niet schuilt in de secundaire functie, als in tegenstelling tot de primaire functie, maar eerder in simpele en subtiele ongebruikelijkheid zonder meer. Ze trekt bijvoorbeeld haar laarzen uit, en haar voeten zijn bloot. Ze heeft de verwachting doorbroken dat je sokken aan hebt in je laarzen. Ze duwt de hoge hoed van haar hoofd en laat die op haar rug bengelen als een cowboyhoed. Hoewel dit niet erg overdonderend is, is het effect op zijn minst ongewoon.

Laura verrijkt haar optreden met wat franje. Ze gaat naar het publiek en pakt dingen van mensen af. Het interessante hiervan is dat ze juist dat ene ding uitkiest dat die persoon het minst zal missen, zoals een pakje sigaretten, een pen, een wegwerpaansteker, een zakdoek, een schoenveter, een knoop. En ze kiest altijd het juiste. Het probleem is dat zelfs het ding dat ze het minst zullen missen soms iets is wat ze te veel zullen missen. Daarom gaan mensen ertoe over verpakte cadeautjes voor Laura mee te nemen, die ze op hun tafeltje voor haar klaarleggen om weg te nemen, wat ze doet. Na de voorstelling pakken Laura en ik de cadeautjes uit en vinden een noot, een kiezelsteen, een vingerhoed of een munt. Omdat ze van haar houden, geven mensen haar ook vaak leuke cadeautjes, zoals zilveren aanstekers, gouden oorbellen, zijden sjaaltjes, make-up, kaartjes voor een musical. Soms is het

cadeautje een steekpenning. Op een avond zat er een begelei-
dend briefje bij een mooie halsketting: 'Ik ben een man van
middelbare leeftijd met grijs haar. Bij uw volgende optreden
zal ik een gele stropdas dragen, zodat u me makkelijk kunt
herkennen. U zou me een dienst bewijzen als u trucs zou doen
waar normaal niemand voor zou klappen. Ik zal er enthousiast voor applaudisseren, en dan glimlacht u goedkeurend,
zodat mensen zullen denken dat ik een getalenteerd en opmerkzaam klapper ben. Dat is een opsteker die ik op het
moment nodig heb in mijn sociale leven. En een halsketting is
niet het enige wat ik u zou kunnen geven.' Er staan een adres
en telefoonnummer onder aan de kaart. Laura neemt geen
steekpenningen aan. Ze stuurt de ketting terug.

Op een avond treffen we tussen de cadeaus een diamanten
ring aan met een briefje erbij waarop staat: 'Trouw met me',
ondertekend door een zekere Paul Tops. De volgende avond
vraagt ze aan het publiek: 'Is Paul Tops aanwezig?' Er schiet
een mannenhand omhoog. Ze gaat naar hem toe, geeft de ring
in het doosje terug en zegt: 'Nee, het spijt me. Ik houd van
hém.' En ze wijst naar mij, gezeten in mijn donkere hoekje,
met mijn benen op de andere stoel, een Shirley Temple in mijn
hand en een schaaltje groene gelatinepudding op mijn tafeltje.
Iedereen kijkt naar me. Ik ben nergens op bedacht en probeer
wat meer rechtop te gaan zitten en er minder uit te zien alsof
ik in bed lig, maar dat valt niet mee omdat mijn voeten op de
stoel liggen. Ik glimlach naar de mensen en ze applaudisseren
voor me. Als ze hun aandacht weer op Laura richten, zink ik
terug in mijn donkere hoekje en slaak een zucht van verlichting.

Een andere uitbreiding van haar optreden is te reageren op
gedachten van mensen. Ze vraagt alle mensen een vraag te
verzinnen die belangrijk voor hen is. Vervolgens gaat ze naar
het publiek en speelt voor gelukskoekje. Ze gaat voor iemand
staan en zegt: 'Het hangt er helemaal van af of u gezond bent',
of: 'Daar moet je intelligenter voor zijn', of: 'Er is soms een
moment in je leven dat je dat niet kunt doen', of: 'Goed, maar

eerst naar de kapper.' Hoewel het publiek niet ontevreden lijkt over haar antwoorden, vraag ik haar op een dag een van mijn onuitgesproken vragen te beantwoorden, om te zien hoe goed ze eigenlijk is. Ze gaat ermee akkoord. Ik denk: zal Henrietta ooit van me gaan houden?

Niet dat ik dat wil. Ik vraag het gewoon uit nieuwsgierigheid, uit een gebrek aan fantasie, uit mijn onvermogen een interessantere vraag te bedenken. 'Niet zolang ik leef,' antwoordt Laura.

Hmm. Boeiend antwoord. Maar het zegt absoluut niets over haar betrouwbaarheid.

Tijdens haar onbenulligste truc daalt Laura af naar het publiek en raakt gezichten aan. Ze gaat met haar gezicht heel dicht voor mensen staan, haar ogen half dichtgeknepen, bekijkt aandachtig hun gelaatstrekken terwijl ze zacht op hun neus ademt, en ten slotte raakt ze met de top van haar wijsvinger een bepaald plekje op hun gezicht aan. Het is het esthetisch aangenaamste plekje van die persoon om aan te raken, op die bepaalde dag, op dat bepaalde tijdstip.

Misschien werd ze geïnspireerd door ons spelletje van stiekem aanraken.

Ze raakt dan een plekje aan op een kin, op een kaak, in de holte van een wang, boven een wenkbrauw, een hoekje bij het oog, op de horizon van een mond, op de zorg van een neus, op de grap van een wimper, op de verbeelding van een snor, op de luiheid van een baard. Ik draaf door. Ik ben er zeker van dat de mannen het opwindend vinden als ze op hun ogen ademt en in hun poriën tuurt. Op een avond doet ze het bij mij in het bijzijn van al deze mensen, die hun adem inhouden wegens het romantische aspect ervan, en mijn hart smelt van liefde, en ook mijn maag, en ik raak opgewonden en heb het gevoel dat ik wegzwijmel. Terwijl zij staat te overwegen waar ze me zal aanraken, wacht ik met spanning af. Ik hoop dat het niet op een lachwekkende plek is, zoals de punt van mijn neus. Ik wil niet dat dit grappig wordt.

Ze raakt mijn rechterslaap aan. Mijn keel knijpt zich samen.

Ik ben lichtelijk teleurgesteld. Ik had gehoopt dat ze iets anders, iets bijzonders bij me zou doen, zoals me kussen, maar ze wil blijkbaar professioneel zijn, wil geen blijk geven van voortrekkerij, geen gebrek aan discipline tonen, niet verslappen, niets omslachtigs of omzichtigs doen. Ze neemt het aanraken heel serieus.

***

Op een dag is een man in de metro goocheltrucs aan het doen. We kijken toe terwijl hij een konijn uit een hoed haalt. Laura begint te lachen.

'Waarom lach je?' vraag ik.

'Ik dacht aan wat mijn publiek ervan zou vinden. Ze zouden het zo vulgair, zo minderwaardig vinden.'

Laura heeft het dansen uit haar optreden geband, zoals u inmiddels misschien al was opgevallen. ('Hoe beschaafder een mens is, des te meer waardeert hij dat het van franje is ontdaan,' licht ze me toe.)

Er verschijnen artikelen over haar goochelkunst. Er zijn navolgers, maar ze worden door de meest fijnbesnaarde mensen niet geaccepteerd. Zij wordt beschouwd als de beste, omdat ze de eerste was.

Twee balletgezelschappen dingen naar haar gunst. 'Maar het is geen ballet,' zeg ik tegen haar. 'Je danst zelfs niet eens meer.'

'Dat is het hem nu juist. Het is immers ook geen goochelkunst.'

Niettemin noemen mensen haar nog steeds 'de dansende goochelaar'.

Laura heeft goochelen verheven tot een niveau dat gelijk is aan dat van de belangrijkste kunstvormen.

Hoe groot zijn haar krachten. Kan ze maken dat mensen van haar houden? Heeft ze ons betoverd?

***

Ik betrap mezelf er vaak op dat ik me niet afvraag of ik een gelukkig leven kan leiden met een vrouw die me misschien betoverd heeft met liefde. Ik zou me zoiets echt moeten afvragen, houdt de logica me voor. Dus vraag ik het me af.

9

HET CIRCUS

Ik ben al bijna twee weken niet meer bij Lady Henrietta op bezoek geweest; ze heeft me niet uitgenodigd. Toen ik mezelf probeerde uit te nodigen, zei ze dat ze het te druk had. Ze klonk gedeprimeerd. Nu ze eindelijk heeft gezegd dat ik mag komen, loop ik dus haar flat binnen en sta op het punt haar in de keuken gedag te gaan zeggen, als ik word getroffen door de aanblik van Sara, die aan haar moeders schildersezel mannenkleren staat te schilderen, wat niet datgene is wat me zo trof, want dat doet ze wel vaker. Ze heeft een felgele, tot de grond reikende japon aan met een enorme crinoline. Ik heb nooit zoiets stralends gezien. Er zit een grote blauw met witte papegaai op de ezel.

Ik ga naar haar toe en zeg: 'Wat is dit nu?'

'Ik ben blij dat je er bent,' zegt ze. 'Nu kun je kennismaken met mijn nieuwe papegaai. Die heeft mamma gisteren voor me gekocht.'

'Waarom?'

'Omdat ik hem hebben wilde.'

'Dat is leuk. Hij was vast duur.'

'Tienduizend dollar.'

Ik heb vrij veel verstand van huisdieren, dus weet ik dat ze waarschijnlijk niet jokt.

'Jij bent alleen maar in geld geïnteresseerd,' zegt ze. 'Wil je niet weten hoe hij heet?'

'Ja.'

'Richard.'

'Waarom Richard?'

'Zo heette mijn oude hond, die vernoemd was naar mijn vorige hond, die vernoemd was naar mijn vroegere kat, die vernoemd was naar mijn blauwe deken, die vernoemd was naar mijn vader.'

Aha, haar vader, dat mysterieuze ding dat haar vader heet. Wat een merkwaardig, ongebruikelijk woord uit haar mond. Nou, dat zou de mensen tevreden moeten stellen die menen dat de vader van dit kleine meisje een belangrijke afwezige in haar leven is, stelletje freudiaanse horken.

'Zeg eens hallo, Richard,' zegt ze tegen haar papegaai.

De papegaai zwijgt.

'Hij heeft nog niet leren praten,' legt ze uit. 'Vraag eens wat deze japon in de kleur van de zon heeft gekost.'

'Hoeveel?'

'Tweeduizend dollar. Het enige wat jij me ooit hebt gegeven is een Jane-pop. Realiseer je je dat wel?'

'Ik had er niet over nagedacht, maar nu je het zegt. Je hebt gelijk.'

'Schaam je je niet?'

'Je verjaardag en Kerstmis zijn nog niet geweest.'

'Echt iets voor jou!'

'Wat is er toch?'

'Ik wil dat je me iets geeft. Verdienen doe ik het zeker, en niet alleen dat, ik sta er ook op.'

'Wat wil je hebben?'

'Wacht even, ik moet iets bedenken.' Even later zegt ze: 'Ik wil een Humpty Dumpty van goud, eentje van platina, en een derde van goud én platina, met diamanten ogen, een opalen mond en saffieren kuiltjes in zijn wangen, met een oorbel van

smaragd, een ketting van robijnen en een hoed van droogbloemen waar geel strohaar onderuit steekt, en ik wil dat hij in
een kristallen schaaltje met potpourri zit.'

'Is het goed als ik alleen potpourri voor je koop?'

'Nee.'

'Ik denk niet dat zulke Humpty Dumpty's bestaan.'

'Ach, meen je dat, Jeremy? Goh, ik dacht dat je die gewoon
in de eerste de beste supermarkt kon kopen,' zegt ze sarcastisch. 'Ik wil niet iets wat er al ís, behalve Richard dan.' En ze
kust haar papegaai. 'Die Humpty Dumpty's moeten speciaal
worden gemaakt. Net als deze japon in de kleur van de zon.'
Ze draait langzaam rond om haar japon te laten zien.

Verblind door de stralende stof knijp ik mijn ogen samen.
'Hij is prachtig,' zeg ik tegen haar. 'Je lijkt wel een koningin.'

'Stommerd! Ik ben geen koningin, ik ben een prinses. Ko-
ninginnen zijn oud en dik. En, krijg ik die Humpty Dumpty's
van je? Ik ben dol op dingen die handgemaakt zijn. Ik heb
nooit geweten dat zoiets bestond.'

'Dat zou veel te duur zijn.'

'Ik beklaag je, Jeremy. Je bent klein. Je bent een klein stuk
niksigheid.'

Ik geloof echt dat mijn haren overeind staan. Ze tilt haar
rokken wat op, pakt haar papegaai beet alsof het een teddybeer is, loopt kalm en vastberaden haar kamer binnen en slaat
met een majestueus gebaar de deur achter zich dicht.

Dít ga ik haar moeder vertellen. Ik loop naar de keuken.
Henrietta zit aan de tafel, waarop een grote, roze vis met
blauwe ogen en groene vinnen ligt. Een marsepeinen vis. Het
grootste marsepeinen ding dat ik ooit heb gezien. Een tref-
fende gelijkenis met de Humpty Dumpty met saffieren kuiltjes in zijn wangen. Gelijkenis qua mentaliteit en rondheid.

De rechtervin van de vis is half opgegeten. Henrietta breekt
er met haar vingers nog een stukje af. Ik ben zo vol van mijn
plan om te klikken, dat ik geen aandacht besteed aan haar
terneergeslagen manier van doen.

Ik begin met: 'Zo, is die ook handgemaakt?' Ik wijs met
verachting op de vis.

'Ja, inderdaad.' Ze eet verder van de vin.

Heel even voel ik de neiging de hele staart eraf te rukken, maar toch doe ik het niet, omdat ik meestal niet het type ben dat onbeheerste, gewelddadige dingen doet als ik kwaad ben. Dus eet ik alleen maar een stukje vin zonder haar toestemming te vragen.

'Waarom heb je voor Sara die papegaai van tienduizend dollar en die maatjapon gekocht?' vraag ik.

'Om haar gelukkig te maken.'

'Je verpest haar karakter. Ze gedraagt zich als een verwend kreng, vriendelijk uitgedrukt.'

'Maar is ze gelukkig?'

'O jawel, ze is gelukkig, maar gemeen.'

Henrietta gaat door met stukjes van de vin afbreken en mompelt: 'Zolang ze maar gelukkig is...'

'Ja, maar voor je het weet, vraagt ze je om een japon in de kleur van het weer, net als in de film *Ezelsvel*, en wat moet je dan? Ze zal een hekel aan je krijgen als je haar die niet geeft.'

'Daar heeft ze me al om gevraagd. En ik heb het haar gegeven. Ze vindt de japon in de kleur van de zon mooier.'

Ik ruk een stukje van de staart af en zit er voor haar ogen boos op te kauwen. Meteen heb ik er spijt van dat ik een onaangeroerd deel van haar handgemaakte vis heb bedorven.

'Het spijt me,' zeg ik. 'Maar je kunt niet doorgaan met alles voor haar te kopen waar ze om vraagt.'

Ineens zie ik tranen over haar gezicht stromen.

'Wat scheelt eraan?' vraag ik, terwijl ik naast haar ga zitten en mijn hand op haar schouder leg.

'Sara gaat dood,' zegt ze terwijl ze naar de marsepeinen vis staart.

'Wat?'

'De dokter zegt dat ze een hersentumor heeft.'

'Nee.'

Ze knikt naar de vis. Ik wil dat ze mij aankijkt.

'Ze had last van hoofdpijn en misselijkheid,' zegt ze. 'Hij heeft onderzoeken gedaan.'

'Weet je zeker dat het zo is? Heb je de mening van een andere arts gevraagd?'

Ze knikt naar de vis. Zolang Henrietta die vis blijft aankijken, kost het me moeite niet te denken dat ze krankzinnige dingen zegt.

'Daar is vast iets aan te doen,' zeg ik tegen haar.

Ze schudt haar hoofd en zegt tegen de vis: 'Het is in een te vergevorderd stadium. Er valt helemaal niets aan te doen. Ze heeft nog maar een paar weken of maanden.'

'O, God.'

We zitten allebei zwijgend, met een lege blik naar de vis te staren.

'Weet ze het?' vraag ik uiteindelijk.

'Nee.'

Er beweegt iets bij de keukendeur. We kijken om. Sara staat er.

Een stemmetje in mijn hoofd zegt: *Nu weet ze het wel, dames en heren.*

We kijken haar geschrokken aan, wachtend tot ze iets zegt, omdat we niet weten of ze ons heeft horen praten. Uit de manier waarop ze kijkt, maken we al snel op dat ze het heeft gehoord.

'Is dat waar?' vraagt ze.

Is wat waar? wil ik op mijn beurt vragen, maar in plaats daarvan houd ik mijn mond.

Henrietta is niet in staat antwoord te geven, wat een duidelijk genoeg antwoord is voor Sara, die zich omdraait en naar de huiskamer verdwijnt. Henrietta rent haar achterna. Ik volg. Moeder en dochter hebben elkaar huilend in de armen gesloten.

Die avond vertel ik Laura het nieuws over Sara, en begin te huilen. Haar eerste reactie is onbegrip. Dan begint ze ook te huilen en probeert me te troosten.

De volgende dag vraagt Henrietta me om langs te komen als Sara naar school is, zodat we onder vier ogen kunnen praten. We gaan op de bank zitten.

Ze zegt: 'Toen de dokter me het slechte nieuws vertelde, heb ik het opgenomen.'

'Waarom?'

'Ik kan slecht nieuws beter aan als ik het in mijn bezit heb en kan afspelen wanneer ik wil. Het geeft me het gevoel dat ik het kan veranderen, ook al weet ik dat het niet waar is.' Ze haalt een kleine cassetterecorder te voorschijn. 'Als je ooit slecht nieuws voor me hebt, waarschuw me dan alsjeblieft van tevoren, zodat ik het kan opnemen.'

Ze zet de cassetterecorder aan, waaruit de stem van de arts klinkt: 'De komende twee weken zal ze niet alleen de aanvallen hebben die ze nu heeft. De pijn in haar hoofd zal toenemen en aanhoudend zijn. Ik kan niet voldoende benadrukken hoe folterend de pijn zal worden.'

'O, nee,' klinkt Henrietta's stem haperend uit het apparaat.

'Ja. Máár' – de dokter pauzeert even – 'de pijn zal vergezeld gaan van een ander symptoom, dat de pijn draaglijker zal maken.'

Hij wacht tot ze vraagt 'Welk dan?' De zak.

'Welk dan?' vraagt ze.

'Dit secundaire symptoom heeft als bijnaam het Geluks-symptoom. Het is vrij zeldzaam, maar treedt op bij bepaalde soorten van hersentumoren, zoals dat van Sara.'

'Wat is het Gelukssymptoom?'

'Het ís wat je zou denken, geluk. In de komende paar we-ken groeit haar tumor door een deel van haar hersenen dat vreselijke pijn zal veroorzaken, maar het groeit ook door een deel dat een ongelooflijk geluksgevoel teweeg zal brengen. Hoe meer de pijn toeneemt – en het zal met de dag toenemen, dat verzeker ik u –, des te intenser zal het geluksgevoel wor-den.'

'Hoe is dat mogelijk?'

'Pijn en geluk kunnen, net als genot en ongeluk, harmonieus naast elkaar voorkomen. Noteer dat ik niet pijn en genót zei, die een totaal andere combinatie vormen, waarbij de pijn meestal het genot bederft, voorbij een bepaald punt. Mensen vinden het heel moeilijk zich te realiseren dat pijn en geluk in volmaakte harmonie kunnen leven, alleen doordat die specifieke combinatie van gevoelens niet vaak voorkomt. De meest voorkomende gevallen in het dagelijks leven van pijn en geluk zijn vrouwen die aan het bevallen zijn, vrouwen die hun baby heel erg graag willen. U zult merken dat het een fascinerend verschijnsel is. Mensen met het Gelukssymptoom zeggen vaak ongewone dingen als ze pijn hebben.'

Op de cassetterecorder zwijgt Henrietta.

'Maar maakt u zich niet al te veel zorgen,' vervolgt de dokter. 'Die symptomen houden niet lang aan. Zodra die twee gedeelten van haar hersenen zijn overwonnen, wat zoals ik al zei zo'n twee weken zal duren, zal de pijn snel en volledig verdwijnen. En ook het geluksgevoel.'

Henrietta zegt nog steeds niets.

'Heeft u nog meer vragen?' zegt de dokter.

'Ja,' zegt ze. 'Hoe zal het tegen het eind met haar zijn? Wordt het veel erger?'

'Nee. De pijn komt niet terug, dat is het mooie van het soort tumor dat zij heeft. Het is niet zo dat ze geleidelijk aan zwakker wordt, gewicht gaat verliezen of verlamd raakt. Ze gaat gewoon dood. Een vervelend aspect is dat u geen waarschuwing krijgt. Het zal heel onverwacht zijn.'

'Wat bedoelt u met onverwacht? Dat ze gewoon neervalt en dood is?'

'Ik weet niet of ze erbij zal neervallen, maar ze gaat dood. Ik neem aan dat ze, als ze toevallig staat, zal neervallen. Of misschien gaat ze eerst in een stoel zitten en doet gewoon haar ogen dicht. Of gaat ze, als u met haar over straat loopt, misschien op de grond zitten of op het trottoir liggen en sluit haar ogen.'

De volgende dag al begint Sara's pijn heviger te worden. De perioden zonder pijn nemen qua duur en frequentie af. Het geluksgevoel begint. Henrietta belt me op en vertelt dat Sara vreselijke pijn lijdt. Ik ga bij hen langs. Zodra ik uit de lift stap, hoor ik Sara schreeuwen. Als ik de flat binnenkom, zit ze op de bank terwijl ze haar hoofd vasthoudt en ermee tegen een kussen slaat. Ze heeft een brede glimlach op haar gezicht.

'Jeremy!' roept ze, zodra ze me ziet. 'Ik heb me nog nooit zo gevoeld. Ik heb het gevoel dat mijn gezicht uit elkaar wordt gescheurd. Het voelt zo echt! Beter dan alle trucages die ik ooit heb gezien.'

Henrietta zit naast haar en ziet groen. Sara brult het nog een keer uit van de pijn en zegt: 'Daar heb je de spijker weer.' Haar gezicht is vertrokken van pijn en vreugde. 'Het voelt alsof een heel sterk iemand langzaam een spijker door mijn schedel duwt, en ik wou maar dat ze hem er gewoon in zouden slaan, dan had ik het maar achter de rug.'

'Een spijker?' zeg ik.

'Ja. Het is een lange spijker op weg naar het middelpunt van mijn hersenen, en ik weet dat ik doodga als hij dat punt heeft bereikt.'

Uiteindelijk zegt Henrietta: 'De dokter zegt dat de pijn allang over zal zijn voor hij het middelpunt heeft bereikt.'

'En dat is niet alles, Jeremy,' zegt Sara. 'Er is nog een derde speciaal effect dat ik sinds gisteravond heb. Dat is dat de achterkant van mijn hoofd openligt en mijn hersenen langs mijn rug wegsijpelen. Het is onklotegelooflijk! Ik voel zelfs de nattigheid van mijn hersenen achter in mijn nek.'

Ik doe mijn mond dicht die de afgelopen paar minuten heeft opengehangen.

De volgende dag is Sara niet alleen gefascineerd door de pijn, maar is zelfs het idee dat ze stervende is enorm aantrekkelijk voor haar geworden. Henrietta zegt dat Sara iedereen op school heeft verteld dat ze doodgaat, en dat mensen zeggen dat ze erover opschept.

'Ik kan haar toch niet vertellen dat ze niet gelukkig mag zijn omdat ze doodgaat?' zegt Henrietta.

'Nee, natuurlijk niet,' antwoord ik.

'Weet je wat ze haar op school hebben horen zeggen?'

'Nou?'

'Ze hoorden haar zeggen: 'Te gek zeg, ik ga dóód.'

Eindelijk bel ik mijn moeder om haar het tragische nieuws over Sara te vertellen. Ik zie er niet naar uit, want haar kennende zou het me niet verbazen als ze zou zeggen dat Sara haar tumor heeft gekregen doordat ik met haar naar bed ben geweest.

Als ik haar vertel dat Sara doodgaat, gelooft ze me niet. Ze zegt: 'Je probeert me alleen maar te kwellen. Dat is weer een van je oude trucjes.'

Ik, met een van míjn oude trucjes!

'Het geeft niet als je me niet gelooft,' zeg ik verdrietig. 'Het is misschien zelfs beter van niet. Ik vond alleen dat ik het je moest laten weten.'

Een paar minuten later belt Henrietta me op om te vertellen dat mijn moeder haar net heeft gebeld om te vragen of Sara echt ziek was. Toen Henrietta haar verzekerde dat ze dat was, en dat ze ook stervende was, gaf mijn moeder blijk van intens medeleven en bood woorden van steun. Daarna vroeg mijn moeder mijn nieuwe telefoonnummer, en zei dat ze zich bij me wilde verontschuldigen, maar Henrietta wist niet zeker of het in orde was het haar te geven, en deed het dus niet.

Poeh, poeh, mijn moeder wil haar verontschuldigingen aanbieden. Ik weet niet goed of ik haar geloof. Misschien past zij wel een van háár oude trucjes toe. Hoe dan ook, na alles wat ze me heeft aangedaan, verdient ze het wel even te moeten wachten, een beetje gekweld te worden. Ik zal haar een paar dagen laten wachten, en dan zal ik haar bellen.

Maar de volgende ochtend al belt mijn moeder bij me aan. Zonder tegensputteren laat ik haar boven komen. Ze komt met hangende schouders binnen en kijkt me beschaamd aan.

Ze gaat naar het raam en staart naar buiten, met haar rug naar me toe. Ze zegt: 'Ik heb de hele nacht wakker gelegen, ik kon niet slapen.'

Wat verwacht ze dat ik zeg: het spijt me dat ik je het nieuws heb verteld? 'Het spijt me,' zeg ik.

Ze schudt snel haar hoofd. 'Nee, dat zeg ik niet om een verontschuldiging van jou los te krijgen. Ik ben er gewoon kapot van. Ik ben geschrokken. Dat was alles wat ik bedoelde.' Ze blijft uit het raam staren en zegt ten slotte: 'Ik wil mijn verontschuldigingen aanbieden.'

Ze zegt verder niets meer, dus zeg ik: 'O?', waarna ze op de hoek van de bank gaat zitten. Ze kijkt me recht en eerlijk aan en zegt: 'Ik ben een tiran en een kwelgeest geweest, en daar heb ik spijt van.'

Daar is het een beetje laat voor. Het is makkelijk ergens spijt van te hebben als zich een tragedie voordoet. Ik zeg niets en kijk naar mijn voeten.

'Ik mis je slordigheid,' zegt ze. 'Ik had gehoopt dat je flat vandaag smerig zou zijn, zodat ik de kans zou krijgen me als een fantastisch mens te ontpoppen. Ik had het helemaal gepland. Ik zou binnenkomen, de rotzooi negeren, op je bank gaan zitten, of als je bank te vol lag met rommel, ergens in een hoekje gaan zitten, en ik was van plan om geen woord te zeggen over je-weet-wel, oud fruit en haarballen. Ik zou bewonderenswaardig geweest zijn, maar goede voornemens komen altijd te laat.'

Er sluipt droefheid in mijn hart.

'Ik schaam me vooral over de afgezanten,' laat ze erop volgen.

Ik kan het niet meer aanhoren. 'Je moet jezelf niet te hard vallen,' zeg ik tegen haar, niet in staat te geloven dat ik dit zeg.

'Je vond het verkeerd wat ik had gedaan, en je bent eerlijk voor je mening uitgekomen.'

Ze snift verdrietig en zegt: 'Wat een vriendelijke manier van uitdrukken.' Ze ziet er grimmig uit, ouder dan ik haar ooit heb gezien. Haar mondhoeken hangen overdreven af, alsof een kind ze heeft getekend. Haar rimpels, die meestal voornamelijk horizontaal lopen, zijn vandaag voornamelijk verticaal. De tranen, die ze ongetwijfeld de hele nacht heeft vergoten, lijken permanente, aflopende rimpels in haar wangen te hebben gegroefd.

'Zit maar niet in over de afgezanten,' zeg ik. 'Ze waren best wel leuk.' En ik forceer een lach. Ik kom tot de conclusie dat ik maar beter een eind weg kan kletsen, omdat ze eruitziet alsof ze in tranen zal uitbarsten. 'Ik kon mijn sociale vaardigheden op hen oefenen,' zeg ik.

Ze werpt me een heel flauw glimlachje toe en lijkt naar woorden te zoeken, maar uiteindelijk zegt ze alleen: 'Nou ja, hoe dan ook. Alles lijkt nu zo onbelangrijk, zo triest.' Ze staat op. 'Ik wil je niet langer ophouden. Je zult het wel druk hebben.' Ze loopt naar de deur en keert zich naar me om. 'Is er iets wat ik voor je kan doen?'

'Nee, dank je. Wil je ergens koffie gaan drinken of zoiets?'

'Ik wil je niet langer ophouden,' zegt ze nog eens. 'Maar als je me op een of andere manier nodig hebt, als ik iets voor je kan doen, wat dan ook, zeg het me dan gewoon. Ik wil alles voor je doen.'

'Dank je, dat is heel aardig van je. Weet je zeker dat je geen koffie wilt? Je houdt me niet op.'

'Dat doe ik wel, dat weet ik. Ik wil trouwens nog geen koffie. Daar is het nog te vroeg voor.'

Ik wil vragen wat ze bedoelt, maar houd me in, omdat ik precies weet wat ze bedoelt. We beginnen elkaar net op een andere manier te leren kennen. We zijn bijna vreemden die elkaar pas hebben ontmoet. We hebben tijd nodig om aan elkaar te wennen.

Wat zit het leven triest in elkaar, dat een dodelijke ziekte van een klein meisje nodig is om mijn moeder wakker te schudden. In zekere zin mis ik haar vroegere zelf, net zoals zij, vermoedelijk, mijn vervuilde flat mist. Maar ik weet zeker dat ik me er geen zorgen over hoef te maken; waarschijnlijk is ze, voor ik het weet, haar oude zelf weer. In elk geval gedeeltelijk. Mensen veranderen niet ineens, zomaar, voorgoed.

Een week van het Gelukssymptoom is alles wat ervoor nodig is om Sara haar papegaai bepaalde dingen te leren zeggen, heel smakeloze dingen. Ik ben ervan overtuigd dat ze er, zodra het symptoom verdwijnt, veel spijt van zal krijgen dat ze hem die heeft geleerd.

De papegaai vindt het nu leuk om te zeggen: 'We gaan vandaag dood.' 'Gaan we vandaag dood? En vandaag? En nu?' 'Sara gaat dood.' 'Is het al zover? Duurt het nog lang?' 'Ik ben stervende.' 'Dood en doodgaan.'

De papegaai vraagt vaak aan Sara, of mij, of Henrietta: 'Ga je al dood?' En als we antwoorden: 'Nee' of 'Ja' of 'Hou je kop', vraagt hij: 'En nu? En nu?'

Sara zegt hierop: 'Is het niet om je te bescheuren? Ik vind het énig!'

Laura vraagt me bij haar in te trekken, zodat zij voor mij kan zorgen terwijl ik voor hen zorg. Ik neem het aanbod dankbaar aan. Ik trek bij haar in en kom er tot mijn verbazing achter dat ze grote, grijze archiefkasten heeft gekocht om haar woonkamer aan te kleden. Door een vertrouwde omgeving te scheppen moeten die sinistere archiefkasten me het gevoel geven dat ik er thuis ben.

Sara's pijn wordt erger. Het wordt zo erg dat ze niet naar school kan. Dat verontrust haar niet erg; ze zegt dat iedereen op school al weet dat ze doodgaat, en dat ze het idee al vanzelfsprekend vinden, zodat ze niet veel lol misloopt.

Ik heb de laatste tijd veel nagedacht over die handgemaakte, met juwelen bezette Humpty Dumpty's die Sara als cadeau wilde hebben. Ik wilde dat ik ze haar kon geven, maar het is duidelijk dat ik het me niet kan veroorloven. Zelfs niet eentje. Zelfs niet één kostbaar oogje of oorbelletje. Daarom droom ik op een nacht dat ik me er wél een kan veroorloven, een kleintje. Maar ik koos wel de derde, de kostbaarste, van goud en platina, met diamanten ogen, een opalen mond en saffieren kuiltjes in de wangen, met een oorbel van smaragd, een robijnen ketting, en een hoed van droogbloemen, waar geel strohaar onderuit steekt.

'Het is een práchtig eitje,' zegt Sara in mijn droom. 'Maar hij hoorde in een kristallen schaaltje met potpourri te zitten.'

'Ach, dat was ik helemaal vergeten. Het spijt me. Je hebt me ook zulke ingewikkelde aanwijzingen gegeven.'

'Ik ben niet alleen maar geïnteresseerd in dure tierelantijnen, weet je.'

'Dat weet ik. Maar het strohaar ben ik niet vergeten.'

Ik neem aan dat mijn cadeau het geluksgevoel van haar Gelukssymptoom nog heeft vergroot, want ze begint te zingen: '*I feel pretty-y-y.*' Ze hinkelt op één voet op het 'y-y-y'. '*Oh so pretty-y-y,*' zingt ze verder, en hinkelt op haar andere voet op het 'y-y-y'. '*I feel pretty and witty and gay-ay-ay-ay!*' Hinkeldehinkeldehinkel. '*La la lee lee, la la lee, la lee la lee, la lou.*'

'Het is *bright*,' zeg ik.

'Ja, vind je het leuk?'

'Nee, ik bedoel dat de tekst is: "*I feel pretty and witty and bright*".'

'Kleinigheid. *Who's the pretty girl in that mirror there?*' gilt ze zo hard ze kan. '*What mirror where?*' Ze houdt een hand tegen haar achterhoofd, iets wat ze vaak doet om te voorkomen dat haar hersenen langs haar rug wegsijpelen. '*Who could that-a pret-ty girl be-e? Which one where who, who, who, who, who, who? What a pretty girl, what a pretty girl, what a pretty girl.*'

De papegaai fluit mee, omdat hij het niet durft op te nemen tegen de stem van zijn vrouwtje.

Als haar lied uit is, zeg ik: 'Ik verzeker je dat je achterhoofd niet openligt en dat je hersenen niet langs je rug sijpelen. Je hoeft je hoofd niet zo vast te houden.'

'Ik wéét dat het sijpelen alleen maar een speciaal effect is, maar het voelt zo echt dat ik er niets aan kan doen.'

'Geeft niet. Ik zal het kristallen schaaltje met potpourri voor je kopen.'

Daar lijkt ze blij mee. Ze zet mijn cadeau bij de Humpty Dumpty-verzameling in haar kamer. Ze zegt dat het het mooiste ei is dat ze ooit heeft gekregen.

Ik word wakker en bedenk spijtig dat ik haar nooit de vreugde kan schenken die ik in mijn droom heb geboden. Ik zal haar zelfs het kristallen schaaltje met potpourri niet kunnen geven – het enige deel van haar wens dat ik me wél kan permitteren – omdat ze dat niet wil zonder Humpty Dumpty.

Anderhalve week later zijn de pijn en het Gelukssymptoom voorbij, en wordt Sara depressief omdat ze doodgaat. Iets anders is dat ik de vrucht in haar begin te ruiken.

Noteer dat ik niet aan het witte olifantje vraag of Sara kan blijven leven. Als het op kwesties van leven en dood aankomt, is het niet aantrekkelijk het witte olifantje te pakken en een wens uit te spreken. (Een paar keer in mijn leven ben ik geconfronteerd met dodelijke ziekten en het overlijden van kennissen, en nooit heb ik mijn witte olifantje ingezet in een poging hun het leven te redden.) Als je niet genoeg geeft om de persoon in kwestie, lijkt het niet verstandig om de tussenkomst van bovennatuurlijke krachten te vragen. Anderzijds, als je heel veel van iemand houdt, dolgraag wilt dat hij blijft leven, en een wens doet, lijkt dat een tragische situatie triviaal te maken; je krijgt het gevoel alsof je een blasfemische, frivole daad verricht. Het is denkbaar dat als ík degene met een dodelijke ziekte zou zijn, ik het olifantje misschien zou gebruiken in een poging mijn leven te redden, maar dat is absoluut niet zeker. Wat Sara betreft had ik er tot nu toe niet aan gedacht het witte olifantje in te zetten. Ik denk dat het onbewust een mengeling was van de gedachte dat het te triviaal was én dat ik me niet wilde bemoeien met deze enorme gebeurtenis van buitenaf waar ik niet direct bij betrokken was. Als het lot wilde dat ze doodging, dan moest ze doodgaan. Bovendien, als ik zou wensen dat Sara zou blijven leven en ze dan inderdaad op een of andere manier in leven zou blijven, zou ik er nooit zeker van zijn dat ze geen levende dode was, die leefde tegen de natuur in.

Maar hoe meer ik erover nadenk, hoe meer ik het gevoel krijg dat ik het olifantje moet inzetten: het zou egoïstisch en slecht zijn om het niet te doen. Dus haal ik het olifantje uit zijn grijs vilten etui en spreek de wens uit dat Sara zal blijven leven. Als ik het olifantje terugdoe in zijn etui, is mijn geweten gesust. Ik heb mijn plicht gedaan.

Misschien wast Sara zich niet meer. Haar gezicht is donker, of smoezelig, of zoiets. Het is net alsof ze zich een poos niet heeft geschoren.

Verbazingwekkend hoezeer het daarop lijkt. Ongeschoren. Ik vraag of ze dichterbij wil komen. Ze doet opgetogen, en denkt vermoedelijk dat ik haar ga kussen. Ik bekijk haar gezicht eens goed, en zie dat ze haar op haar gezicht heeft, als een beginnende baard. Het is heel fijn haar, als perzikdons, maar iets te veel om zo genoemd te worden.

Er trekt iets heel kouds door me heen, alsof de duivel tegen me praat en me doet beseffen dat hij hier verantwoordelijk voor is. Ik moet weer aan *The Exorcist* denken. Ik heb het gevoel dat zich iets wreeds afspeelt. Ik houd het niet meer met haar uit in één kamer. Ik moet weg. En dan zal het dons verdwijnen. Als ik het niet zie, is het er niet, hoop ik. Ik zal er tegen Lady Henrietta en Sara niets over zeggen. Als zij het niet zien, nou, dan is het er niet.

***

Als ik Sara de volgende keer zie, ziet ze er prima uit. Geen zweem van een baard te bekennen. Ik ben dolblij. Ik had het me verbeeld.

Maar als ik dichterbij kom, zie ik dat het erger is dan dat. Het is afgeschoren.

Dus Henrietta en Sara was de beharing uiteindelijk ook opgevallen. Ze besloten haar te scheren en denken dat ik het niet heb gezien en zijn niet van plan het me te vertellen. Ik had niet gedacht dat ze zoiets voor me zouden verbergen.

Als Sara weg is, confronteer ik Henrietta ermee.

'Ik ben niet blind. En ik bén een man. Ik zie toch dat ze zich scheert. Dat zou je me gewoon niet verteld hebben?'

'Ze wilde niet dat je het zou weten.'

'Wat is er aan de hand?'

'De dokter zei dat het een onverwacht symptoom is, dat haar tumor nu het deel van haar hersenen raakt dat de aanmaak van mannelijke hormonen stimuleert. Maar de hormonen worden alleen op een bepaalde manier geactiveerd: er ontstaat wel baardgroei, maar het is niet zo dat haar stem dieper wordt of haar spieren sterker worden. Ze krijgt alleen haar op het gezicht.'

Ik eet met Laura in Défense d'y Voir. Terwijl we zitten te eten, beginnen mensen aan naburige tafeltjes ineens voor haar te klappen. Ze kijkt me geamuseerd aan. Ze lijkt het gewend te zijn.

Ik buig me voorover en fluister haar over onze nagerechten toe: 'Waarom applaudisseren ze?'

'Omdat ik zojuist suiker in mijn koffie deed.'

'Waarom zouden ze daarvoor klappen?'

'Omdat de suiker in de koffie verdwéén.'

'Dat meen je niet.'

'Jazeker wel.'

Sara vraagt of ik mijn baard wil laten staan.

Sara vraagt of ik mee wil gaan om siervissen te kopen. Dat doen we. Ze koopt negen tropische vissen. Ze koopt ook een aquarium. Later kom ik erachter dat die alleen was bedoeld om niet mijn achterdocht te wekken, wat ze niet had hoeven doen, omdat het me niet kan schelen als ze haar visjes wil doodmaken.

Ze ziet eruit als een verdrietige man, een man in de rouw, die zich een paar dagen niet heeft geschoren. Ze heeft lange stoppels, die donkerder zijn dan het lichtblonde prinsessehaar op haar hoofd. In de dierenwinkel houdt ze een sjaal voor haar mond om de aanblik te verhullen, als een gangster of iemand die griep heeft. Als we de winkel uitgaan, draait ze zich met haar gezicht naar de klanten en laat glimlachend haar sjaal zakken. Haar kleine rode lippen steken door het donkere haar heen. Ik kijk naar de onthutste klanten. Een heleboel mensen kijken naar Sara; sommigen knijpen hun ogen samen om het beter te kunnen zien, anderen kijken ronduit vol afgrijzen.

Het doodmaken doet ze naar grootte, beginnend bij de kleinste vis. De neontetra gaat in kokend water, het guppie gaat in de vriezer ('want hij is zo mooi dat ik hem wil bewaren'), het kleurige glasvisje wordt met de stofzuiger van het kleed gezogen. (Voor ze overgaat tot de volgende executie schreeuwt ze me boven het lawaai van de stofzuiger toe: 'Ik vind dat mensen die doodgaan het recht hebben om heel gekke dingen te doen, en dat betekent niet dat ze gek zijn. Het betekent dat ze doodgaan en van streek zijn. Het betekent eigenlijk dat ze geestelijk gezond zijn.') Het guppie wordt op haar matras gelegd en bekeken terwijl hij zich dood spartelt; de dwerggourami wordt in de lengterichting opengesneden en zijn skelet wordt bewonderd; de Braziliaanse maanvis wordt bij zijn onder- en bovenvinnen vastgepakt en uit elkaar getrokken (dat heb ik ook altijd willen doen, denk ik bij mezelf, hoewel dat niet waar is); de witte langvinnige tetra wordt drie minuten lang in geconcentreerde blauwe badkruidenessence geweekt, terwijl we erover praten of de kleur zal houden als we hem eruit halen. Dat doet het wel een beetje, maar dodelijk was het niet, zodat ze deze zich net als de andere op haar bed laat doodspartelen. (Om de sfeer wat te verluchtigen zeg ik dat ze iets had moeten bedenken wat ze nog niet eerder had gedaan, waarop ze aanbiedt hem op te eten. Daarvan weerhoud ik haar uit angst dat de blauwe badkruidenessence haar nog zieker zal maken dan ze al is, hoewel ik tegen haar alleen 'ziek' zeg, niet 'zieker dan je al bent'.) De babydiscus, met zijn prachtige gelaatsuitdrukking, gooit ze het raam uit, wat me ontzettend verdrietig maakt; en met de laatste vis, een dikke goudvis, weet ze niets aan te vangen, omdat de laatste de beste moet zijn. Deze hoge eis bezorgt haar een moordenaarsblokkade, zodat ik geacht word iets te verzinnen, wat te veel gevraagd is, want ik ga niet dood en heb niet die behoefte om te zien wat de dood is, maar uiteindelijk doet dat er niet toe omdat ze zelf met een idee komt. Ze probeert de goudvis aan de papegaai te voeren. Hij wil hem niet. Hij houdt niet van goudvis. Jeremy? Nee, dank je; dat soort vis eet ik ook niet. 'Oké, dan eet ik hem op,' zegt ze. Ik krimp in elkaar. Ik kan het haar niet verbieden, want hij heeft niet in geconcentreerde blauwe badkruidenessence liggen weken. Ze likt aan een vin en laat het daarbij. Ze wil hem niet meer opeten, dus verzint ze iets beters. Ze gooit hem tegen de muur. Haar plan is ermee te gooien tot hij niet meer beweegt. Ze doet het nog een keer. Het is leuk en glibberig. Soms gooit ze hem alleen in de lucht en vangt hem op, alleen om te genieten van het lekkere, griezelig glibberige gevoel ervan. Ten slotte beweegt hij niet meer. Ze gaat naar de keuken, komt terug met het grote keukenmes en loopt op haar papegaai af. Ze legt haar hand om zijn schouders en richt de punt van het mes op zijn keel.

Ik houd mijn adem in. Ik ben geschokt. De vissen waren tot

daaraantoe, maar de papegaai van tienduizend dollar? Maar het gaat me helemaal niet om wat hij gekost heeft. Het is het dier. Het is een groot dier, dat praat. En als om mijn gedachte te illustreren, zegt de papegaai: 'Dood en sterven', met de mespunt gericht op zijn hemelsblauwe keel. Maar een stervend klein meisje heeft immers het recht een papegaai te doden. Ze mag bijna alles doden.

Plotseling laat Sara het mes vallen en doet een uitval naar mij. Ik kijk nog eens naar het mes op de grond, alleen om me ervan te overtuigen dat ik me niet verbeeldde dat ze het had laten vallen. Ze stompt me herhaaldelijk, zo hard en snel ze kan, en ik verwelkom het ik begrijp het het had eerder moeten gebeuren het maakt dat ik me beter voel dan in tijden alsof het me zuivert van mijn misdrijf me ervan bevrijdt het staat denk ik gelijk aan een gevangenisstraf en het gevoel achteraf dat je betaald hebt voor je slechtheid.

Maar dan gaat de papegaai luid krijsend meedoen, en beukt met zijn snavel tegen mijn hoofd, als een specht, terwijl Sara doorgaat met stompen. Hij zit op de zijkant van mijn gezicht, ik weet niet precies waar, waarschijnlijk met een poot op mijn oor en met zijn andere op mijn schouder. Het doet vreselijk pijn, zoveel pijn dat ik Sara's gestomp niet eens meer voel. Het bloedt, dat voel ik wel, maar ik durf geen nee te zeggen, omdat ik dit misschien ook wel heb verdiend. En als ik nee zeg, zou ze kunnen denken dat ik het tegen haar heb, wat niet het geval is. Ik kijk wat verdrietig omlaag, maar ik huil niet, omdat ik het recht niet heb om te huilen. Dan houdt ze op. Maar de vogel niet. 'Hou op,' zegt ze tegen hem. 'Dood en sterven,' antwoordt hij en houdt ermee op.

Ik moet het bloed dat langs mijn voorhoofd stroomt afvegen voor het in mijn ogen komt, anders krijg ik moeite met knipperen. Ik kijk om me heen naar iets als een zakdoek maar zie niets, dus haal ik de papegaai van mijn oor en schouder en veeg mijn voorhoofd aan zijn hemelsblauwe en witte veren af, en vergroot hun schoonheid tot rood en paars.

'Jeremy?' vraagt Sara.

'Wat?'

'Er is iets wat je met me moet doen.'

'En dat is?'

'Ik wil deltavliegen voor ik doodga.'

Ik herinner me dat Henrietta me vertelde dat Sara's vader is overleden in een ongeluk met deltavliegen. 'Dat is heel gevaarlijk,' zeg ik.

'Ha. Ha.' Ze zwijgt even. 'Ik zou het echt fantastisch vinden.'

'Ik weet het niet. Ik weet niet eens waar je dat kunt doen.'

'Buiten de stad. Ongeveer een uur hiervandaan.'

'Je zou het je moeder moeten vragen.'

'Dat heb ik al gedaan. Zij vond het goed.'

'Nou, goed dan. Ik zal je ernaartoe brengen.'

'En je vliegt met me mee.'

'Nee, ik kijk alleen. Je gaat met een instructeur.'

'Ik wil met jou vliegen.'

'Ik kan niet vliegen.'

'Jij gaat ook met een instructeur mee, maar we gaan tegelijk vliegen.'

'Ik weet het niet. Het is erg gevaarlijk.'

'Over mij hoef je je geen zorgen te maken. Zelfs als ik voor mijn leven invalide word, zal dat niet voor erg lang zijn.'

'Nou, ik maak me ook zorgen over mezelf.'

'Dit zou je toch wel voor me kunnen doen?'

Ineens schaam ik me ervoor dat ik aarzelde. Omdat ik haar geen met edelstenen bezet ei kan geven, zal ik mijn leven voor haar wagen. 'Natuurlijk kan ik dat. We doen het.'

Ze springt met een brede glimlach op me af, en kust me op de mond. Er komt geen einde aan de kus. Het houdt niet op, en het is geen kus uit dankbaarheid meer. Ik begin de vrucht in haar weer te ruiken. Haar vrucht is peer. Het ruikt lekker, zoet. Iedereen die stervende is heeft een vrucht in zich. De kunst is te sterven voor de vrucht gaat rotten. Mijn vaders doodsvruchten waren druiven. Ik heb ze geroken. Ik ben ervan overtuigd, ik weet instinctief dat mijn eigen vrucht de citroen zal zijn, wrange citroen.

De kus houdt niet op. Haar baard stoot me af. Ik krijg kleine haartjes in mijn mond, en de mengeling van de stugge haartjes met de zoete, fruitige geur maakt me misselijk. Als ik niet uitkijk, moet ik nog overgeven. Het geeft een lekker gevoel dat ze me afstoot, want het betekent dat ik, nu ik me niet aangetrokken voel tot het kleine meisje, normaler ben dan vroeger.

Maar nee, ik houd de boel voor de gek, het is niet waar. Die afkeer komt alleen door de baard, en anders niet. Het is walgelijk van me dat ik afkeer voel van een arm klein stervend meisje dat toevallig een baard heeft. Dat hoor ik niet te voelen. Ik bedoel maar, haar baard is verdomme een van de symptómen van haar stervend-zijn. Daar hoort niemand zich door afgestoten te voelen. Zeker ik niet; ik vond haar eerst aantrekkelijk genoeg om mee te vrijen. Dan hoor ik haar nu ook aantrekkelijk genoeg te vinden om mee te vrijen. Ik moet die afkeer van me afzetten en begeerte voor haar proberen te voelen, ongeacht die baard.

Waar ben ik mee bezig? Wat denk ik allemaal? Ik raak helemaal verstrikt in deze absurde gedachten. Ik zie de dingen in het verkeerde licht. Het feit dat ze een baard heeft, is een handreiking van het lot om deze verlokking te bestrijden.

Ik duw haar zachtjes van me weg.

'Ik mag wel doden, maar niet liefhebben?' vraagt ze.

'Nee, geen onnatuurlijk soort liefde. Dat zou je niet moeten willen.'

'In de eerste plaats is het geen onnatuurlijke liefde. In de tweede plaats wil ik het wel.'

'Je hebt me beloofd dat je hier niet opnieuw mee zou beginnen als ik je vriend bleef.'

'De dingen liggen nu anders. Binnenkort ga ik dood. Ik dacht dat dat inhield dat ik wel het een en ander kon doen.'

'Ja, een heleboel wel, maar niet alles.'

'Natuurlijk niet alles. Ik mag je niet vermoorden, maar ik mag je toch wel kussen?'

Ik geef geen antwoord.

Ze zegt: 'Het was onvermijdelijk, denk je niet? Eerst dacht ik van niet. Ik dacht dat ik nobel genoeg zou zijn om geen misbruik te maken van het feit dat ik doodga. Maar dat ben ik niet. Jeremy, ik wil weer met je vrijen.'

'Nee. Waarschijnlijk is je ziekte zelfs veroorzaakt door ons vrijen.'

'Je weet heel goed dat dat absoluut niet waar is.'

Ze heeft gelijk. Het merendeel van de tijd weet ik dat het absoluut niet waar is, maar soms vergeet ik het.

'Nou, dan is je ziekte er waarschijnlijk de oorzaak van dat je al dat gevrij wilt. Het is er een symptoom van.'

'Hoor dit dan eens: "Denkt u dat haar hersentumor nog andere symptomen kan hebben veroorzaakt?" vroeg mijn moeder aan de dokter. "Waarschijnlijk niet, maar wat dan bijvoorbeeld?" zei de dokter. '"Van alles. Bijvoorbeeld een ongebruikelijk sterke seksuele behoefte voor een meisje van haar leeftijd?" zei mijn moeder gegeneerd. "Absoluut niet," *zei de dokter,*' zegt Sara, waarbij ze 'zei de dokter' sterk benadrukt.

'Hoe weet je dit?' vraag ik.

'Ik was erbij.'

'Heeft Henrietta dit aan de dokter gevraagd waar je bij was?'

'Nee, maar ik zat in de kamer ernaast en heb alles gehoord.'

'Misschien heb je het verkeerd verstaan?'

'Nee, want mijn moeder heeft me na afloop het hele gesprek verteld. Ze herinnerde zich elk woord zoals ik het had verstaan, en niet alleen dat, ík herinner me elk woord precies zoals ik het beide keren heb gehoord.'

Misschien liegt Sara, maar dat zou op het moment niet veel uitmaken.

'Sara,' zeg ik op redelijke toon, 'ik wil best met je gaan deltavliegen. Ik wil mijn leven voor je wagen, maar ik ga niet met je naar bed.'

'Dat komt zeker door mijn baard?'

'Nee,' zeg ik, en hoop dat ik de waarheid spreek.

Sara is van streek en gaat naar haar kamer. Ik ga op de bank zitten en denk na. Ik besluit op Henrietta te wachten, die zo thuis zou moeten komen. Wanneer ze thuiskomt, is ze nogal verbaasd een dikke, mooie, dode goudvis op de vloer te zien, en vochtvlekken op de muur waar hij tegen aan is gegooid. Ze is ook verbaasd iets kleins in haar steelpan te zien ronddrijven, dat, zeg ik, ook een visje is. Ze vindt een plat, uit elkaar gerukt visje in een hoek van de woonkamer. Met elk nieuw visselijkje dat ze vindt, raakt ze meer van streek, omdat het een weinig vleiend beeld schetst van de geestelijke staat waarin haar dochter verkeert.

'Ga je het doen?' vraagt Lady Henrietta me.

'Wat?'

'Haar laatste wens vervullen.'

'Ik ga met haar deltavliegen.'

'Dat niet. Dat is niet haar laatste wens. Dat is gewoon de wens van een stervend meisje. Ik bedoel die andere wens.'

'Heeft ze je die verteld?'

'Ja.'

'Wil je dat ik het doe?'

'Dat is aan jou.'

'Die ga ik niet vervullen. Ik geloof niet dat het goed zou zijn.'

'Moet een laatste wens dan goed zijn?'

'Nee, maar hij mag niet verkeerd zijn.'

'Is dat niet waar het om gaat bij een laatste wens, dat je één keer in je leven iets verkeerds mag wensen en dat iedereen eraan meewerkt?'

'Nee,' antwoord ik. 'Er zijn dingen in het leven die je zelfs als laatste wens niet mag hebben.'

'Doe je dit voor haar bestwil?'

'Ja.'

'Waarom? Denk je dat het haar kwaad zal doen met iemand naar bed te gaan voor ze doodgaat? Er zou beslist geen sprake kunnen zijn van psychische schade op lange termijn.'

'Nee, maar ik denk dat ze haar laatste levensmomenten vrediger zal doorbrengen als haar laatste wens niet in vervulling is gegaan.'

'Bedoel je dat ze gelukkiger zou zijn?'

'Gelukkig zijn is nu niet waar het om draait. Dat doet er niet toe, is onbelangrijk.'

'Wat doet er wel toe?'

'Vrede en sereniteit.'

'Denk je niet dat ze daar voldoende van zal krijgen als ze dood is?'

Ik ben even stil. 'Goed, je wilt dus dat ik je dochter neuk?' Ik hoop haar zo te choqueren dat ze mijn standpunt accepteert.

'Dat is aan jou.'

'Ik vind dat ik het niet moet doen.'

'Eigenlijk ben je bang dat je het niet zou kunnen.'

'Wat bedoel je?' vraag ik, wetend dat ze een toespeling maakt op de baard.

'Het komt immers door de baard?' zegt ze.

'Nee, maar als dat zo was, zou ik de baard dankbaar zijn, want hij maakt dat ik juist handel.'

'Je bent zojuist op de tegenwoordige tijd overgegaan, wat betekent dat je net hebt toegegeven dat het door de baard komt.'

'Denk maar wat je wilt.'

***

Mensen beginnen ook te applaudisseren als we in andere restaurants eten.

Sara gooit de laatste tijd muntjes op en vraagt Fortuna of ze zal leven of sterven.

'Alles in het leven heeft vijftig procent kans,' zegt ze om het opgooien van de muntjes te rechtvaardigen.

'Nee, dat is met vrijwel niets het geval,' zeg ik tegen haar.

'Kop betekent dat ik zal blijven leven, munt betekent dat ik doodga,' zegt ze en negeert mijn antwoord. Ze gooit de munt op. 'Het is kop.' Het is inderdaad kop. Ze gooit hem opnieuw op. 'Het is weer kop!' Het is weer kop. 'Dat betekent dat Fortuna me twee keer vertelt dat ik blijf leven. Fortuna bevestigt haar antwoord.'

'En als je nu twee keer munt krijgt, wat zou dat dan betekenen?'

'Dat zou betekenen dat ik Fortuna te vaak lastigval en ze wil dat ik haar met rust laat. Ze geeft geen antwoord meer en laat de antwoorden aan het Toeval over.'

We gaan deltavliegen. Sara scheert zich niet meer, zodat iedereen denkt dat ze een jongeman is. Mijn baard is bijna net zo vol als de hare. Ze heeft de hare eerder laten staan dan ik de mijne.

We vliegen elk aan een deltavlieger, allebei met een instructeur. De papegaai vliegt mee. Hij is groot, hemelsblauw en wit. De tranen stromen uit mijn ogen, door de wind en door mijn gedachten. Mijn baard zit tegen mijn wangen aangeplakt; dat zal bij de hare ook zo zijn. Af en toe hoor ik flarden van de lievelingstekst van de papegaai: 'Dood en sterven.' Terwijl hij om ons heen cirkelt, hoor ik: 'en sterven', of: 'dood en', en zelfs: 'al tijd?' en: 'gauw?'

Als we landen, zegt Sara dat ze dol is op deltavliegen en dat ze nog nooit zo heeft genoten. Het was inderdaad een onvergetelijke ervaring. Plotseling vraagt ze hoe het met Laura gaat en hoe het voelt om met haar samen te wonen. Ik zeg haar dat het goed voelt.

'Zijn jullie veel samen?' vraagt ze.

'Ja, als ze thuis is. Maar ze moet regelmatig een paar dagen weg voor optredens in andere steden.'

'Is ze nu weg?' vraagt Sara.

'Ja, inderdaad. Ze is voor twee dagen naar Californië.'

De vrucht in Sara begint rijper te ruiken. Het ruikt heerlijker dan ooit, maar is dichterbij minder heerlijk.

Die avond komt Sara bij me op bezoek, met baard en gekleed in haar japon in de kleur van de zon. Ze wil dat ik haar baard afscheer. Ze zegt dat het belangrijk, diepzinnig, intiem, sensueel en romantisch is.

'Je zult me niet kunnen weerstaan als je me scheert,' zegt ze.

We gaan naar de badkamer waar ik haar baard begin af te scheren, en ik begin meteen onbedaarlijk te huilen. Sara ook. Onze neuzen druipen op onze snorren, en onze tranen lopen in onze baarden. Nadat ik de helft van haar gezicht heb geschoren, beginnen we elkaar al huilend te zoenen en te omhelzen. Dan gaat Sara op mijn bed liggen. Ik pak mijn kleine, witte olifantje, schuif hem aan een gouden kettinkje en bevestig die om Sara's hals. Ze herkent hem uit het verhaal dat ze in mijn dagboek heeft gelezen. Ze bedankt me, klemt het olifantje in haar hand en doet een stille wens. Ik lig naast haar en omhels haar. Als ze me nu weer zou vragen met haar te vrijen, zou ik niet weigeren, hoewel ze maar half geschoren is. Maar ze vraagt het niet. We vallen huilend in slaap.

Terwijl we slapen, heb ik een vreemde nachtmerrie, waarin Sara me de volgende morgen met de handboeien aan een poot van de bank wil vastmaken. Eerst weiger ik, maar ze dringt aan tot ik uiteindelijk toegeef. Dan verandert ze van mening over de locatie, en maakt me met de handboeien vast aan de onderste lade van een van de archiefkasten die Laura voor me heeft gekocht zodat ik me meer thuisvoel. Ik begrijp dat ik altijd een slaaf van de archiefkasten zal blijven. Vervolgens laat Sara mijn broek zakken, gaat op me zitten en vrijt met me, terwijl ze nog steeds de japon in de kleur van de zon en haar halve baard draagt. Dan gaat, nog steeds in de droom, de deur van mijn flat open en komt mijn vriend Tommy binnen, waarop Sara stopt met bewegen en boven op me blijft zitten.

'De deur was open, dus ben ik maar binnengekomen,' zegt hij.

Tommy heeft iets bijzonders met deuren. Voor hem zijn ze nooit gesloten; zo gaan ze niet met hem om. Ze zijn altijd open, tenzij ze op slot zitten. En ik ben vergeten mijn deur op slot te doen.

'Hoe gaat het met je, ouwe jongen?' vraag ik in een poging gewoon te doen.

'Prima. Ik was in de buurt en dacht: Kom, ik ga even langs. Heb je het druk?'

'Nee, helemaal niet,' antwoorden Sara en ik allebei.

'Wij hebben elkaar geloof ik nog niet eerder ontmoet,' zegt hij tegen Sara en geeft haar een hand. Hij zegt niets over haar halve baard.

Ze praten wat over ditjes en datjes, waar ik niet naar luister, omdat ik koortsachtig een verklaring probeer te verzinnen voor het feit dat ik met handboeien aan een archiefkast vastzit terwijl Sara boven op me zit, voor het geval hij ernaar vraagt. Maar ze praten maar door, en ik begin me een beetje als een bankstel te voelen: ik ben er toevallig.

'Wat zijn jullie trouwens aan het doen?' vraagt Tommy eindelijk.

'We voeren het beroemde sprookje "De prinses op de erwt" op,' zeg ik tegen hem. 'Ik speel voor matras.'

'En voor erwt,' zegt Sara.

'Is hij een beetje goed?' vraagt Tommy haar.

'Ja, vooral als de erwt.'

'En vanwaar de handboeien?'

'Omdat ik een levenloos ding ben,' antwoord ik, met een dreigende blik op Sara. 'Matrassen en erwten zijn hulpeloze dingen.'

Uiteindelijk gaat Tommy weg, zegt dat we niet overeind hoeven te komen, dat hij zichzelf wel zal uitlaten. En dat is het einde van de droom.

's Morgens verwacht ik half dat Sara me zal vragen of ze me aan een archiefkast mag vastmaken, maar dat doet ze niet. Ze vraagt me de rest van haar baard af te scheren, wat ik doe, en dan vraagt ze of ik haar met de metro naar huis wil vergezellen, omdat ze met haar japon in de kleur van de zon in de metro wil zitten. Dat doen we.

In Henrietta's flat aangekomen treffen we haar in bed aan, met de dekens opgetrokken tot aan haar neus. Zelfs haar vingers steken er niet uit.

'Wat is er aan de hand?' vragen we.

'Niets. Ik ben gewoon een beetje verkouden.' Ze kijkt naar Sara. 'Je hebt je baard afgeschoren.'

'Nee, Jeremy heeft me geschoren. Vind je niet dat hij het goed heeft gedaan?'

'Ja. Het staat goed.'

'Hij is er beter in dan wij. Jij scheert me zoals je je benen en oksels scheert. Ik scheer mezelf zoals ik het hoofd van een pop zou scheren. Maar Jeremy scheert me zoals een echte man de baard van een echte vrouw scheert.'

'Zo,' antwoordt Henrietta van onder de deken. 'Daar moet je je papegaai maar iets over vertellen.'

Zodra Sara de kamer uit is, slaat Henrietta de dekens terug en gaat naar haar kaptafel, waar een flesje Sterilon, pleisters, wattenbolletjes en een tube Vaseline liggen.

'Wat doe je?' vraag ik.

'Ik heb me verwond.'

'Hoe?'

'Ik heb al mijn nagelriemen en mijn lippen stukgebeten.' Ze keert me haar gezicht toe en wijst met bloedende vingers op haar bloedende lippen.

'Waarom?' vraag ik.

'Ik was zenuwachtig.'

'En je nagels ook?'

'Nee, ik bijt geen nagels. Ik heb liever huid.' Ze drukt een zakdoekje tegen haar lippen. Het bloed trekt er meteen doorheen en het zakdoekje blijft vanzelf zitten.

'Ben je niet verkouden?' vraag ik.

'Nee, ik wilde niet dat Sara zag dat ik bloedde,' antwoordt ze, terwijl het zakdoekje wappert door haar ademtocht.

'Hoe is dat zo gekomen?'

'Nieuws.' Ze maakt het flesje alcohol open en begint haar vingers te desinfecteren.

Ik ga op de vensterbank zitten, omdat ik aanvoel dat het even zal duren om het uit haar te krijgen. 'Ja...?' zeg ik.

'Tja,' zegt ze. Flapperdeflap doet het zakdoekje. Ze lijkt wel een vlag.

'Is het goed nieuws of slecht nieuws?'

'Dat is een goede vraag. En daarover heb ik me zitten opvreten. Ik weet het niet. Of eigenlijk is het misschien allebei.' Ze wikkelt pleisters om haar vingertoppen.

'Wat is het voor nieuws?'

'Wacht. Even de laatste pleister omdoen.'

Ik wacht in stilte. Als ze klaar is met haar vingers, haalt ze het zakdoekje van haar mond en smeert Vaseline op haar lippen. Dan blijft ze roerloos zitten en zegt niets.

'Kun je het me nu vertellen?' vraag ik.

Haar pupillen richten zich op me. Ze springt overeind uit haar stoel, rent naar haar bed en duikt erop. Ze begraaft haar gezicht in haar kussen, haar gebalde vuisten eromheen geklemd, haar knokkels wit. Voor ik heb besloten of ik me zorgen moet maken, staat ze langzaam op terwijl ze er een stuk ontspannener uitziet en komt bij me op de vensterbank zitten. Ze staart naar buiten.

'Sara's dokter heeft me gebeld,' begint ze. 'Hij zei dat hij met een bevriende arts, een specialist, over Sara's toestand had gepraat.' Haar pupillen glijden van het raam naar mijn gezicht en dan weer terug, als de ogen van een pop. '... een bevriende arts,' herhaalt ze, 'die zei dat er misschien genezing mogelijk is voor Sara.' De poppeogen glijden weer naar mij en opnieuw naar buiten. 'Hij moet haar onderzoeken om het te weten.' De ogen zijn weer op mij gericht, vol tranen dit keer, niet meer als poppeogen.

Ik krijg ook wat van mijn eigen tranen in zicht. Er trekt een glimlach over mijn gezicht, een uiting van blijdschap, maar ze schudt haar hoofd, fronst en zegt: 'Nee! Daarom heb ik mijn huid opgegeten. Omdat we niet mogen toelaten dat we gelukkig zijn, want dan krijg je later zo'n klap.'

Ik haal de glimlach van mijn gezicht.

'Wees voorzichtig, Jeremy,' zegt ze, terwijl ze werktuiglijk een van haar vingers in haar mond stopt om de nagelriem op te eten, en haalt hem er meteen weer uit als ze de pleister proeft. Zonder erbij na te denken begint ze een hoekje van de pleister los te maken. 'Ik ben ervan overtuigd dat dit nieuws gewoon een wrede speling van het lot is,' zegt ze. 'Dan krijgen we weer hoop, die de bodem wordt ingeslagen als de dokter zegt: "Nou ja, ik had het bij het verkeerde eind, er is geen hoop voor Sara, sorry, oeps." '

'Oeps,' zegt de papegaai, die als een klein mens de kamer komt binnenlopen.

De deur is op een kier blijven staan. Henrietta rent de kamer uit, maar komt even later terug en zegt: 'Sara heeft niets gehoord. Ze is in de keuken muntjes aan het opgooien.'

Henrietta pakt de papegaai op en houdt hem naast zich op de vensterbank. Ze streelt zijn kop, waarop hij luidkeels begint te spinnen (een kunststukje dat hij van mijn kat, Minou, heeft geleerd toen ze elkaar onlangs ontmoetten).

Henrietta gaat verder: 'Ik ben bang dat ik de arts zal vermoorden, of zoiets, als hij sorry, oeps zegt.'

'Daar zijn dokters op voorbereid. Ze hebben bescherming,' zeg ik.

'Van lijfwachten, bedoel je?'

'Of van gespierde secretaresses.'

'Je bedoelt verpleegsters.'

'Ja.'

'Miauw,' zegt de papegaai.

'Ik wil dat jíj met haar naar de dokter gaat voor het onderzoek,' zegt ze tegen me.

'Waarom?'

'Omdat ik, als de dokter sorry, oeps zegt, ga huilen. Sara moet niemand zien huilen om haar dood. Jij gaat niet huilen.'

'Misschien wel.'

'Ik weet niet of je dat zegt omdat je denkt dat dat goed staat, of dat je het echt meent. Maar ik weet dat je niet zult huilen. Je geeft niet genoeg om haar.'

Daar zou ik heel wat op kunnen antwoorden, maar elk antwoord dat in mijn hoofd opkomt, slik ik in. We zitten zwijgend bij elkaar, zodat de papegaai fluistert: 'Is het al tijd?' (Hij heeft leren fluisteren.)

'Tijd voor wat?' vraagt Henrietta, die zich van de domme houdt.

'Is het tijd voor dood en sterven van de al al?'

De papegaai doet ons soms versteld staan over zijn ingewikkelde zinnen.

'Het is niet grappig,' zegt Henrietta tegen de papegaai.

'De al al?' zegt de papegaai.

'Nee, dood.'

'Dood! Dood!' krijst de papegaai en slaat opgewonden met zijn vleugels, omdat hij iemand anders dan zichzelf zijn woord hoort zeggen.

Henrietta knijpt met haar duim en wijsvinger in zijn kop, waardoor hij altijd ophoudt. 'Ik wil wel van hem houden,' zegt ze, 'maar hij maakt het me wel heel moeilijk.'

De papegaai kalmeert en vervalt weer in luid spinnen.

'Ik geef wel om haar,' zeg ik ten slotte. 'Maar er is heel wat gebeurd.'

'Daarom zul je niet huilen.'

'Misschien niet,' geef ik toe, maar ik doe geen moeite om haar ervan te overtuigen dat dat niet komt doordat ik niet om Sara geef, maar doordat ik het gevoel heb dat ik alle tranen uit mijn lichaam heb gehuild.

Mensen beginnen te applaudisseren als ze over straat loopt.

Ik ga met Sara naar de specialist. Ze ruikt rot. De vrucht in haar, die eerst zo'n heerlijke geur voortbracht, is verrot. Ze is over de datum. De sleutel was dood te gaan voor de vrucht verrotte. Arme Sara. Ik kan het ruiken. Het komt met haar adem naar buiten als ze praat.

De dokter onderzoekt Sara en vertelt ons dan dat het onderzoek succesvol was en dat er daarom een mogelijke kans op genezing bestaat, met vijftig procent kans van slagen. Ik kijk Sara aan. Zij kijkt mij aan, met wijdopen ogen. We staan tegelijkertijd op uit onze stoel en omhelzen elkaar.

'Zal mijn baard verdwijnen?' vraagt Sara aan de dokter, terwijl we elkaar nog omhelzen.

'Ja,' antwoordt hij.

'Met stoppels en al?'

'Ja. Je wordt weer net als vroeger.'

We praten nog wat verder met de dokter. Ik ben dartel, onrustig, en kwispelstaart. Als er niets meer te zeggen valt, krijgen we het medicijn mee in een klein flesje, en besluiten Sara en ik een ijsje te gaan eten in de koffieshop aan de overkant van de straat. Opgetogen lopen we de spreekkamer van de dokter uit, pratend over Sara's mogelijke toekomst, over dingen die ze wil doen als ze blijft leven, behalve dan dat zij niet 'als' zegt, maar 'wannéér ze beter is'.

In de hal gooit ze haar muntje in de lucht en vangt het weer op, aan één stuk door, afwezig, gewoon voor de lol. 'Nu kan ik écht het muntje opwerpen om te zien of ik zal leven of doodgaan,' zegt ze. 'Ik heb nu echt vijftig procent kans.' Maar ze kijkt niet naar de munt als hij neerkomt.

Terwijl we op de lift wachten, zegt ze: 'Ik heb plotseling enorme zin in perenijs. Waarom maken ze geen perenijs?'

Buiten zegt ze: 'Wanneer ik beter ben' (noteert u het 'wanneer'?) 'denk je dan dat er een kans bestaat dat je over een paar jaar van me gaat houden?'

'Ik weet het niet. Daar moeten we nu niet over nadenken.'

'Zeg op, Jeremieieie,' zegt ze en geeft een ruk aan mijn arm. 'Bijvoorbeeld wanneer ik zeventien ben en jij vijfendertig, of, als dat nog te jong is, wanneer ik achttien ben en jij zesendertig?'

Ik zeg niets in de hoop dat ze van onderwerp zal veranderen.

'Nou, wat denk je? Waarom niet, hè?'

Ik probeer een antwoord te verzinnen. Ik moet Lady Henrietta bellen om haar het ongelooflijke nieuws over de vijftig procent kans te vertellen, waardoor ze buiten zichzelf zal raken. Ik zal haar opbellen zodra we in de koffieshop zijn, die precies aan de overkant is van de straat die we nu oversteken.

'Zeg het me!' Ze geeft een ruk aan mijn arm bij het 'zeg'.

Ik lach, enigszins uitgeput. We zijn hem nu aan het oversteken, de straat waar aan de overkant het ijs is en, belangrijker, ook de telefoon.

'Jeremy, ik bedoel het serieus. Denk je niet dat je ooit van me zou kunnen houden? Ik hou van je.' Sara houdt mijn hand vast, maar blijft wat achter, waardoor ik haar een beetje moet voorttrekken, terwijl ze droomt over haar vijftig procent kans op een toekomst die nu, ineens, van haar wordt weggerukt door dezelfde auto die haar hand uit de mijne rukt.

Sara wordt aangereden door een auto en gaat dood. Anders gezegd. Erdoor overreden. In één klap. Zonder lijden. Er gaat een siddering door haar lichaam.

Ik schreeuw. Iedereen schreeuwt en huilt. Sara is stil. Alles zit onder het bloed, behalve het kleine witte olifantje dat me smetteloos tegemoet blinkt vanaf Sara's hals. Zo vertrouwd. Zo verontrustend.

De dokter – de specialist – verschijnt nu op straat en verklaart dat Sara dood is.

Als ik me over haar heen buig, herhaalt een stem in me: 'Echt waar? Echt waar, Fortuna, echt waar?' Ik buig me verward over haar heen. Er is iets verkeerd gelopen. Ik begrijp het niet. Het is alsof je een roman leest en er gebeurt iets terwijl je even niet oplette, waardoor je ineens niet meer begrijpt wat er aan de hand is. Ik kijk terug op de gebeurtenissen die ik net heb meegemaakt om erachter te komen of er een logisch verband bestaat, je weet wel, oorzaak en gevolg of iets dergelijks. Het bezoek aan de dokter, het nieuws dat ze kans heeft op genezing, de blijdschap en de toekomstplannen, het besluit om een ijsje te gaan eten, hoe we het gebouw uitliepen, Sara's vraag, het oversteken van de straat, weer Sara's vraag, de gele auto die recht op haar afreed. Ik begrijp het: er valt niets te begrijpen.

Sara's vuist is gebald. Ik maak hem open. In haar handpalm ligt de munt. Ik pak hem en zet mijn nagel erin, in de hoop hem pijn te doen, voor ik hem in mijn zak steek.

Sara's dode ogen zijn open, op de lucht gericht. Hoewel ze niet op mij zijn gericht, kijkt ze naar me vanuit haar ooghoeken, weet ik. 'Ik bedoel het serieus, Jeremy. Nou, wat denk je?' Dat zegt ze niet, maar haar ogen eisen nog steeds een antwoord van me. Ze wil het nog steeds weten, zelfs nu nog.

'Ik weet het niet,' zeg ik tegen haar, met haar hand in de mijne. 'Als jij achttien bent en ik zesendertig. Dat is een mogelijkheid.'

Nu herhaalt de stem in mijn hoofd iets anders: 'U heeft niet eens geremd. U heeft niet eens geremd,' aan één stuk door. Ik ga naar de vrouw van de gele auto, die huilt.

De ondervraging:

'U heeft niet eens geremd,' zeg ik tegen haar. Ze staart me alleen maar geschrokken aan, dus zeg ik: 'Hoe kwam het dat u haar aanreed?'

'Het was mijn schuld,' zegt ze. 'Ik keek niet.'

'Waar keek u dan naar?' vraag ik, omdat ik het gevoel heb dat deze vraag ontzettend belangrijk is en dat het antwoord erop me zal helpen alles te begrijpen. 'Waar keek u dan naar?'

'Ik weet het niet. Wat doet het ertoe?'

'Het doet er heel veel toe. Ik móet weten waar u naar keek.'

Ze zegt niets. Misschien kan ze het zich niet herinneren, door de schrik van het ongeluk.

'Als u nu de straat inkijkt,' suggereer ik, 'weet u misschien weer waar uw blik naartoe werd getrokken.'

Eindelijk zegt ze: 'Ik weet het nog wel.'

'Dus u weet het.'

Maar ze zegt verder niets.

Ik probeer haar gerust te stellen: 'U hoeft zich voor mij

niet te schamen. Wat het ook was waar u naar keek, het was vast iets stompzinnigs. Alles lijkt stompzinnig als er iemand door doodgaat.'

'Ik zag een man voor het raam van de tweede verdieping.'

'Ja?'

'Hij had geen kleren aan.'

'Helemaal niets?'

'Nee.'

Ze bedoelt dat hij naakt was.

Ze gaat verder: 'Hij zag buiten iets waar hij heel gespannen naar keek. Ik was nieuwsgierig naar wat hij zag, dus keek ik.'

'Wat was het?'

'Er zat gewoon een vogel op de lantaarnpaal. Die man moet ernaar hebben staan kijken omdat hij blauw was, wat ongebruikelijk is in Manhattan. Het spijt me.'

Helemaal in de lijn van mijn leven. Ik kan me voorstellen dat de vrouw van de gele auto zich ervoor moet schamen dat mijn dochter door zoiets ongelooflijk stoms om het leven is gekomen (Ik zeg dochter, omdat de vrouw wel zal denken dat Sara dat was). Nou, ónze papegaai heeft het niet gedaan. Mijn papegaai niet. Sara's papegaai niet. De papegaai was een deel van Sara. De papegaai beschuldigen is alsof je zegt dat ze zelfmoord heeft gepleegd.

Wat de naakte man aangaat, zou ik natuurlijk liever hebben gehad dat de vrouw naar een kale man had gekeken. Dan zou ik kale mannen kunnen haten in plaats van naakte mannen, wat emotioneel draaglijker zou zijn omdat ik een heleboel haar heb, terwijl ik het soort man ben dat niet meer vrijwel nooit naakt is.

Nou, dat moet prettig zijn voor de mensen die denken dat naakte mannen de oorzaak zijn van alle ellende en krankzinnigheid in het leven van dit arme kleine meisje, stelletje moralistische klootzakken. Ze hebben haar zelfs om het leven gebracht. *Naaktheid is gevaarlijk*, verkneukelen jullie je. *Ik had het je toch gezegd*, verkneukelen jullie je. *Als kleine*

meisjes stoute dingen doen, worden ze gestraft. Een uitste-
kende wending der gebeurtenissen!

'Waar was u naar op weg?' vraag ik de vrouw van de gele auto.

'Naar de dierenarts.'

Ik werp een blik in haar auto. Er zit een hond in een doos.

'Is hij ziek?' vraag ik.

'Ja.'

'Kan hij nog beter worden?'

'Nee.'

'Waarom gaat u dan met hem naar de dierenarts?'

'Om hem te laten inslapen.'

'Ik had een doodziek troetelbeest, maar die zou ik nooit hebben laten inslapen.'

'Wat was het voor een dier?'

Ik realiseer me dat ik het over een klein meisje heb. Ik wil bijna zeggen dat ze vissen moet gaan houden, maar bedenk me. Vissen gaan makkelijker dood dan wat ook ter wereld.

***

De ziekenwagen is er. Hij neemt Sara mee. Ik rijd ook mee. En de dokter ook. Hij wil me bijstaan als ik me geestelijk of emotioneel niet goed voel.

In de ziekenwagen schreeuw ik boven de gillende sirene tegen de dokter: 'Niet tegen haar moeder zeggen dat er nog hoop was, afgesproken? Zeg maar dat er geen hoop meer was.'

'Ik zal mijn best doen.'

Nu gil ik, niet alleen wegens het lawaai, maar uit woede: 'Nee, u moet tegen haar zeggen dat er geen hoop meer was. Zeg tegen haar dat er absoluut geen hoop meer was en dat Sara een vreselijk lijden tegemoet ging door haar hersentumor, begrépen?'

'Ik zal Sara's moeder niet bellen, maar als ze mij belt, ga ik ook niet tegen haar liegen. Ze heeft recht op de waarheid.'

Vanuit het ziekenhuis bel ik Lady Henrietta op.

'Dat duurde lang,' is het eerste wat ze zegt als ze de telefoon opneemt. Dan vraagt ze bijna ademloos: 'Is er enige hoop?'

'Nee.'

Stilte. En dan zegt ze heel zacht: 'Zie je nu, ik wist het wel.'

'Ja, ik weet het.'

Ik hoor haar huilen. En dan zegt ze: 'Nou, kom maar naar huis. Het wordt al laat.'

Nu zeg ik niets. Ik wil 'goed' zeggen. Het ligt op het puntje van mijn tong. Het hangt al in de lucht.

'Goed?' zegt ze. 'Kun je Sara nu alsjeblieft thuisbrengen?'

'Nee.'

'Waarom niet?' vraagt ze, geërgerd en nieuwsgierig, helemaal niet geschrokken, omdat mensen die aan een dodelijke ziekte lijden domweg niet ook nog eens bij een ongeluk om het leven komen.

'Je moet je cassetterecorder maar aanzetten,' zeg ik tegen haar.

'Die staat al aan.'

'Je moet naar het ziekenhuis komen. Er is een ongeluk gebeurd. Met Sara.'

Ik vertel haar dat haar dochter al dood is.

Niet alleen is er geen hoop, maar je dochter is al dood.

Ik walg van de papegaai die, zodra we uit het ziekenhuis de flat binnenkomen, zegt: 'Is het al zover?'

Ik sta er verbaasd over dat Lady Henrietta de papegaai heel ernstig antwoord geeft: 'Ja, het is gebeurd. Ze is dood.'

'En nu? En nu?' zegt de arme, domme papegaai, alsof hij de spot drijft met haar antwoord. Hij raaskalt nog even door: 'Is het al bijna zover? Dood en sterven?'

De papegaai heeft Sara niet van het leven beroofd. Wat een onzin. Het was de straat. Mannelijk naakt en die straat waren er verantwoordelijk voor. Niet mijn papegaai. Niet Sara's papegaai. Ik neem papegaaiepoep mee en gooi die op straat, waar het ongeluk gebeurde, om de straat te straffen.

Ik heb het gevoel dat ik een toeschouwer in een circus ben geweest, en dat de voorstelling nu afgelopen is. Er was een sprekende papegaai die van de dame met de baard was die een japon droeg in de kleur van de zon, door de lucht vloog aan een deltavlieger, muntjes opgooide en vissen doodde (wreedheid tegen dieren). Het was een groteske voorstelling met krachtige geuren, oogverblindende kleuren en harde geluiden. Nu ik erover nadenk, was ik niet alleen toeschouwer, maar trad ook op: als olifantsleider. En ik liet de voorstelling in het honderd lopen. De olifant gehoorzaamde me niet en vertrapte de dame met de baard.

Op een nacht heb ik een vreemde droom, of meer een nachtmerrie. Ik droom dat Lady Henrietta en ik in de spreekkamer van de dokter zijn, en dat de dokter – Sara's oorspronkelijke dokter – ons vertelt dat Sara niet door een ongeluk om het leven is gekomen.
 'Bedoelt u dat ze vermoord is?' vraag ik, als in films.
 'Nee. Zoals verwacht is ze gestorven aan haar hersentumor,' zegt de dokter in mijn droom.
 'Wat was dan het ongeluk met de auto? Kwam dat door haar hersentumor?' vraagt Henrietta sarcastisch.
 'Precies,' zegt de dokter. 'Het was een nieuw symptoom: een vorm van kanker.'
 'Kanker van wat?'
 'Kanker van haar ruimte.'
 'Wat?'
 'Kanker van de ruimte, of plaats, die haar lichaam innam in het heelal. Het wordt ook wel kanker van haar lucht ge-

noemd, maar meestal wordt het kanker van íemands ruimte, plaats of lucht genoemd, niet zíjn of háár ruimte, plaats of lucht. Maar in dit geval, omdat we het hebben over een heel specifieke persoon die we kenden, mogen we háár zeggen.'

'Was het een of ander psychologisch probleem, deze "kanker"?' vraagt een van ons.

'Verre van dat. Kanker van iemands ruimte betekent dat de ruimte die iemands lichaam inneemt in het heelal door kanker is aangetast.'

'We hebben echt geen idee waar u het over heeft,' zeggen we.

'Wanneer je ruimte door kanker is aangetast, betekent dat dat die altijd op de verkeerde tijd is. Dan krijg je ongelukken.'

'Bedoelt u zoiets als op de verkeerde tijd op de verkeerde plaats zijn?'

'Nee. Je plaats kan niet verkeerd zijn, maar als hij ziek is of aangetast door kanker, komt hij op de verkeerde tijd te staan, net als een horloge op de verkeerde tijd kan staan, behalve dat in geval van je plaats het veel erger is dan alleen de verkéérde tijd; het is een slechte tijd, een tragische tijd; er blijven zich ongelukken voordoen binnen jouw plaats. In Sara's geval was het eerste ongeluk meteen het laatste.'

'Hoe weet u dit allemaal?'

'Ik wist het vanaf de eerste dag dat u haar bij me bracht, toen ik de aard van haar tumor zag. U kunt me laten vervolgen; u kunt me haten omdat ik het wist en u niets over dit symptoom heb verteld: omdat ik het wist en u niet heb verteld dat dit het laatste symptoom was dat ze zou krijgen en dat ze eraan dood zou gaan. Ik besloot voor uw eigen bestwil deze informatie achter te houden.'

'Waarom vertelt u het ons nu dan in vredesnaam? Waarom liet u ons niet gewoon in de waan dat ze is overleden door een levensecht, doodgewoon ongeluk?'

'Ik weet niet precies waarom. Ik denk dat het is omdat ik ervan houd de verraste reactie van mensen te zien. Hoe dan ook, eerlijk duurt het langst. Is dat een beroemd citaat of verzin ik het ter plekke? Ook al is het dan laat. Beter laat dan nooit. Baat het niet dan schaadt het niet.'

'Dus al die leugens over op het trottoir gaan liggen en haar ogen sluiten waren maar verzinsels?'

'Nou, ik heb u wél verteld dat ze plotseling zou overlijden, is het niet? En ze lag wel op straat, hoewel ik aanneem dat haar ogen niet gesloten waren als ze door een auto is aangereden. Ik zat er toch niet zo ver naast.'

Er rijst heel snel woede in me op, tot een gevaarlijk kookpunt. 'Ik zou het ongeluk hebben voorkomen!' roep ik uit.

'Nee,' zegt de dokter. 'U zou het alleen hebben vertraagd, en daarom heb ik het u niet verteld. De wetenschap zou uw beider leven tot een hel hebben gemaakt.'

'U heeft haar om het leven gebracht door het ons niet te vertellen,' schreeuwen we allebei, met alle woede die in ons zit.

'U zou Sara hebben opgesloten in een kleine, witte, steriele kamer zonder meubilair, met alleen matrassen op de vloer en tegen de muren. En zelfs dan zou het fatale ongeluk uiteindelijk hebben plaatsgevonden.'

Overlopend van verachting gooi ik eruit: 'Voor zover ik me kan herinneren, bestaan er maar vier doodsoorzaken in het leven: ziekte, ongeval, moord en zelfmoord. Tot dusver is de laatste mogelijkheid de enige waar Sara níet aan is overleden, maar ik ben ervan overtuigd dat we die er met uw hulp nog wel ergens kunnen tussen flansen. U bent immers al zo vriendelijk geweest ons van moord te voorzien.'

Lady Henrietta en ik kunnen ons niet meer beheersen. We vallen de dokter aan, storten ons boven op hem. We slaan hem tot bloedens toe. Ik timmer als een specht tegen zijn hoofd. Henrietta stompt tegen zijn borst. Om een of andere reden heb ik het gevoel dat ik 'Dood en sterven' moet zeggen. En dan word ik wakker.

Wat is die arts een klootzak. Ik ben nog steeds heel boos, hoewel ik opgelucht ben dat het maar een droom was. Sara is echt bij een ongeluk om het leven gekomen, niet door een 'kanker van haar plaats' of 'ruimte' of 'lucht'. Haar ongeval was niet te voorkomen geweest, niet te voorzien, niet te verwachten, en dat stomme doktertje in zijn stomme spreekkamertje wist niet dat het zou gebeuren.

Ik blijf papegaaiepoep meenemen om daar op straat te gooien.

Ik ga op bezoek bij mijn vriend Tommy. Ik vertel hem over het ongeluk; ik huil en hij probeert me te troosten.

Hij zegt: 'Manhattan is zo'n gevaarlijke, walgelijke stad, niet een plek waar mensen moeten wonen, laat staan kinderen. Er zijn nauwelijks bomen, geen dieren afgezien van honden, en duiven die op je hoofd schijten. Hoewel dat niet helemaal waar is. Een paar dagen geleden was ik bij mijn vriendin thuis, mijn mannelijke paringsdans aan het doen, wat ze altijd van me eist voor we gaan vrijen. De muziek stond keihard en ik was spiernaakt, toen ik warempel een blauwe vogel voor het raam zag. Dus misschien is er nog hoop voor deze vreselijke, walgelijke stad.'

'Was het een papegaai?'

'Een papegaai?'

'Ja.'

'Ik weet het niet. Hij was niet zo dichtbij dat ik dat kon zien.'

'Ik zou je kunnen laten arresteren wegens exhibitionisme.'

Hij kijkt even om te zien of ik lach, om te zien of ik een grapje maak.

Na een poosje zegt hij: 'Hé, doe eens wat vrolijker.'

'Nee. Jíj was degene naar wie die vrouw keek toen ze Sara aanreed. Waarom moest je verdomme naakt voor het raam gaan staan? Weet je niet dat dat verboden is, en met recht?'

'Waar heb je het over? Hoe weet jij nu waar zij naar keek?'

'Omdat ze me dat heeft verteld. Op welk adres was je?' vraag ik, om er zeker van te zijn dat hij de naakte man was naar wie de vrouw had gekeken.

Hij vertelt het me en ik knik.

Hij gaat lijkbleek zitten zonder iets te zeggen. Na een poosje zegt hij zacht: 'Sorry dat ik zoiets banaals zeg op een moment als dit, maar... de wereld is klein.'

'Een klein circus.'

Mensen beginnen te applaudisseren voor haar leven.

10

Sara's begrafenis wordt bijgewoond door tientallen mannelijke modellen.

Lady Henrietta is gestopt met schilderen.
'Ik wil weg,' zegt ze tegen me. 'Neem me ergens mee naartoe, Jeremy.'
'Waar wil je naartoe?'
'Maakt niet uit. Gewoon weg.'
'De enige plek die ik kan verzinnen is het huis van mijn moeder. Tenzij je geld wilt spenderen aan een echte reis.'
'Het kan me absoluut niet schelen. Ik kan niet denken. Je moeder is met Sara naar Disney World geweest. Ik wil haar wel ontmoeten. Ik wil in gezelschap zijn van mensen die bij Sara zijn geweest terwijl ik er niet bij was.'
'Hoelang wil je gaan?'
'Stel me toch niet van die onbenullige vragen op een moment als dit. Het kan me niet schelen. Misschien een uur, misschien een maand, misschien voorgoed, oké? Beslis jij maar.'

Laura begrijpt het volkomen en vindt het goed dat ik met Lady Henrietta de stad uitga om haar te troosten.

Henrietta en ik gaan naar het huis van mijn moeder. We slapen samen in mijn oude kamer, waar een lits-jumeaux staat. In de enige andere slaapkamer van het huis, die van mijn moeder, staat een tweepersoonsbed, dus we hebben geen keus. Henrietta is het merendeel van de tijd in onze kamer, op bed, met haar benen onder de deken, als iemand die ziek is. In het donker. Ze huilt onafgebroken. Ze krijgt koortsuitslag onder haar neus en op haar bovenlip, omdat ze steeds haar neus moet snuiten. Ze ligt bedolven onder een berg zakdoekjes. Ze moet een keer overgeven van het vele huilen. Haar haar zit tegen haar gezicht geplakt, dus borstel ik het voor haar en bindt het in een paardestaart. Ik dep haar gezicht met koud water. Ik voer haar. Ze eet zonder er met haar gedachten bij te zijn. Als ze veel heeft gehuild, krijgt ze het erg koud, en op een keer zie ik haar in bed zitten met haar winterjas aan.

Henrietta heeft de vlechten van Sara op haar nachtkastje liggen, in de langwerpige doos. Zelfs het briefje zit er nog bij, waarin Sara me schreef: 'Hier is een lok, een blijk van mijn liefde.' Vaak is Henrietta de vlechten aan het strelen.

Mijn moeder is engelachtig, zoals ik had verwacht dat ze zou zijn. Ze is bescheiden, gevoelig, staat altijd klaar achter de deur als ze nodig is. Ze gaat in het zwart gekleed. Ze fluistert voortdurend. Haar gezicht is helemaal opgezet, net als dat van Henrietta, misschien uit medeleven. Misschien huilt ze stiekem op haar kamer. Als ze niet achter de deur staat, zit ze op de bank in de woonkamer en doet niets. Soms loopt ze wat rond en kijkt uit het raam.

Buiten is het zomer. Het is prachtig weer. Niet te warm. Heel zonnig, helder en kleurrijk. De vogels tsjirpen. De insekten ook. Het doet heel ongepast aan, dat getsjirp. Henrietta houdt de luxaflex dicht, maar er zit een bovenlicht in onze kamer, waar geen luxaflex voor zit. Daardoorheen kan ze de lucht zien, zo blauw als iemands ogen, en de bomen die ruisen in de wind.

Henrietta's rouw is een normale rouw. Het is een heel diepe

rouw, waarschijnlijk zo diep als maar kan, afgezien van zelf-moord, maar het is normaal – voor Henrietta dan, wat bete-kent dat er hier en daar nog een paar meelijwekkende buite-nissigheden zijn, maar niets dat ik niet zelf had kunnen ver-zinnen. Eigenlijk klopt dat niet. Ik had niet kunnen voorzien dat ze een voorliefde zou opvatten voor het morsen van water door het hele huis en dat ze de behoefte zou voelen de stek-kers van elektrische apparaten eruit te trekken, ongeacht in welke kamer ze is. Ik kom er niet achter wat de diepere bete-kenis van dergelijke dingen is.

Ik ga met de papegaai op mijn schouder in de bossen wan-delen. Ik geef toe aan een fantasie over leven na de dood. Ik zeg Sara's naam dan hardop om te zien of ik een soort reactie van haar krijg. Er luistert niemand mee, dus waarom zou ik het niet proberen. Kwaad kan het niet.

'Sara,' zeg ik op normale toon.

De papegaai houdt zijn kopje scheef en kijkt me aan. 'Sara?' zegt hij.

Zwijgend loop ik nog wat verder en zeg dan weer: 'Sara.'

Sara reageert niet, tenzij ze met me communiceert door middel van de papegaai, die herhaalt: 'Sara?'

'Sara,' zeg ik.

'Sara,' zegt hij na, zonder me nog aan te kijken, maar me-lancholiek voor zich uitstarend, als een klein mensje. Hij be-grijpt dat we haar aan het zoeken zijn.

'Sara,' zeg ik.

'Sara,' zegt hij, en zijn stem wordt laag en bedroefd.

Ik kijk naar de bomen. Ik wacht op de geringste reactie op ons geroep, maar er verandert niets aan de activiteiten van de natuur. Het briesje wordt niet sterker na het noemen van Sara's naam, er kraakt niet één takje, er schiet op dat moment geen eekhoorn voorbij, de hemel betrekt niet, en de zon gaat ook al niet feller schijnen.

Ik begin terug te denken aan de middag waarop Sara stierf, aan de bizarre opeenvolging van gebeurtenissen. Fortuna. Ik heb er altijd naar verlangd het lot te beheersen, door doodgewone inspanning of door bovennatuurlijke methoden. Maar Fortuna is angstaanjagend grillig, op een meedogenloze manier. Ze laat zich niet beheersen door kleine witte olifantjes. Die bevecht ze tot de dood erop volgt. Ze houdt er niet van onder druk gezet te worden, wil geen verplichtingen. Accepteert alleen vrijheid. Ze is ongeduldig, verveeld, rusteloos, druk, als een klein kind dat aan tafel niet stil kan zitten, half van haar stoel, met popelende benen, klaar om weg te rennen zodra de ouders zeggen dat ze van tafel mag. Met dit verschil dat Fortuna niet wacht tot ze toestemming krijgt. Ze rent voortdurend weg, wanneer ze maar wil. Ze is wispelturig, flirterig, ontrouw, egoïstisch, een klungelige kunstenares, geen echte vriendin, maar toch erg charmant. Ze is altijd ondeugend, zegt voortdurend 'Oeps', om dan in giechelen uit te barsten. Blijft bij al haar kattekwaad altijd onschuldig, je kunt haar nooit iets kwalijk nemen, en is bovendien volkomen gespeend van enige gevoeligheid.

'Sara,' zeg ik.

'Sara.' De papegaai huilt, alleen heeft hij geen tranen.

Er komt een vliegtuig over.

***

Henrietta wordt met de dag magerder. Haar gezicht is niet om aan te zien. Haar ogen zijn weggezonken, heel rood en geïrriteerd door het voortdurende huilen, met donkere kringen eromheen. Ze heeft rode vlekken in haar gezicht en haar bovenlip is helemaal opgezwollen, dikker dan ik ooit heb gezien. Hij ziet eruit als de stukgeslagen lip van een bokser. Dit alles doet mijn stemming niet veel goed, en ik heb het gevoel dat ze me meesleurt.

Ik probeer dingen te verzinnen waardoor ze zich beter gaat voelen. Ik besluit om marsepein voor haar te kopen. Die vind ik in een kleine bakkerswinkel in de stad. Ik ga ook naar de supermarkt om bronwater voor haar te kopen, want dat is het enige wat ze drinkt. Ik loop door de winkelpaden. Alles doet

me aan Sara denken, en ik realiseer me hoe diep haar persoonlijkheid verweven is met alle facetten van mijn leven. Mijn
kleren doen me aan haar denken, omdat ze altijd mannenkleding zat te tekenen. Ik keek altijd naar mooie vrouwen op
straat of in de supermarkt om geen andere reden dan naar
mooie vrouwen te kijken. Als ik nu een mooie vrouw zie
(vooral met grote borsten) kan ik er niets aan doen dat ik
denk: Daar gaat een van Sara's Barbie-poppen. Of is het een
Jane?

De eieren op de zuivelafdeling doen me denken aan Sara's
Humpty Dumpty's. Mijn gezichtsuitdrukkingen zweven
over hun oppervlak.

Mijn gedachten worden plotseling onderbroken doordat ik
een vrouw zie die me heel bekend voorkomt. Ik vertraag mijn
pas en probeer me te herinneren wie ze is. Ik heb het gevoel
dat ze iemand is die ik niet mag, hoewel ik me niet kan herinneren waarom. Dan weet ik het weer. Ze is een van de afgezanten van mijn moeder. Ze is het citroenenvrouwtje, dat me
vroeg haar de grote vuilniszakken aan te geven.

Ik ga naast haar staan en zeg: 'Kunt u me de Ajax van die
onderste plank aangeven. Ik heb last van mijn rug.'

Ze kijkt me verbaasd aan. Ze herkent me. Zonder een
woord te zeggen bukt ze zich en geeft me de Ajax.

'Ik ben mijn hele leven onderweg tussen de supermarkt en
mijn huis,' zeg ik tegen haar. 'Er zijn zulke vreemde mensen
in de supermarkt. Mensen met fouten en problemen. Maar ik
zou nooit iemand lastigvallen in de supermarkt door bedekte
toespelingen te maken op hun fout, zelfs niet als ik ervoor
betaald kreeg. U wel?'

'U doet het nu.'

'U begon.'

'Het was een vriendendienst.'

'Ze noemde u haar werknemer, haar afgezant. Bent u nu
beledigd?'

'Nee. Ze heeft me voor die vriendendienst betaald.'

'Nou, ook als vriendendienst zou ik het niet doen.'

Thuisgekomen ga ik naar Henrietta's kamer om haar de marsepein te geven. Een paar passen voor de deur blijf ik verbijsterd staan. Ik hoor Sara's stem uit de kamer komen. Sara praat tegen Henrietta.

'Herhaal eens wat je me net vertelde,' hoor ik Henrietta zeggen.

'Waarom?' vraagt Sara.

'Spreek het in op mijn cassetterecorder.'

'Ik ben het zat om al mijn slechte nieuws op je apparaat in te spreken.'

'Alsjeblieft.'

'Ik heb een 1 voor letterkunde.'

Ik hoor een klik. Ik ga de kamer binnen. Henrietta zit op haar bed, met haar cassetterecorder op schoot en de doos met haar dochters vlechten naast zich. Haar hand streelt de vlechten en de witte linten die eromheen zitten. De tranen stromen over haar gezicht. Er liggen een stuk of vijftig verfomfaaide zakdoekjes om haar heen. Ik ga op het andere bed zitten, met de doos marsepein op mijn schoot. Alleen uit een korte blik kan ik afleiden dat ze me heeft gezien. Ze laat de cassetterecorder doorlopen.

'Wát zei je dat je wilde worden als je groot bent?' vraagt Henrietta door de cassetterecorder.

'Huisvrouw,' zegt Sara.

Weer een klik, wat het einde van het ene en het begin van het volgende gesprek aangeeft.

'Kun je dat nog eens zeggen,' zegt Henrietta. 'De verbinding was slecht. Ik kon je niet goed verstaan.'

'Onzin,' zegt Sara. 'Je wilt me gewoon opnemen. Goed dan. Allerliefste moeder, ik heb mijn been gebroken op kamp. Het doet vreselijk zeer. Het is vandaag tien augustus, dertien over half vier in de middag.'

Klik.

'Hoeveel gaatjes had je?'

'Drie.'

Klik.
'Staat hij al aan?' vraagt Sara.
'Ja,' zegt Henrietta.
'Melissa zei dat haar moeder zei dat mijn moeder pervers is, omdat je huis vol naakte mannen zit die met hun lichaam pronken en zo mooi willen zijn als vrouwen.'
Klik.
'Wat zei je dat je wilde worden als je groot bent?'
'Kapster.'
Klik.
'Vertel eens wat er aan de hand is,' zegt Henrietta. Het klinkt gedempt.
'Dit ga je niet opnemen, hè?'
'Nee, vertel maar.'
'Ik weet het niet, ik ben gewoon verdrietig.'
'Daar moet een reden voor zijn.'
'Ik wou dat ik een vader had met kleren aan.'
'Wat bedoel je in vredesnaam?'
'Ik wil iemand die meestal kleren aan heeft. De mannen die hier komen, zijn aardig, maar ze lijken niet op gewone vaders. Al mijn vriendinnen hebben vaders die altijd kleren aan hebben. Mijn vriendinnen hebben hun vader nooit zonder ondergoed gezien, op één meisje na, en dat was per ongeluk, omdat ze bij haar thuis geen slot op de badkamer hebben.'
Klik.
'Nee, ik wil niet dat je me opneemt.'
'Ja, ik wil dit op de band hebben. Dit is vreselijk. Herhaal eens wat je net zei.'
'Hoezo, vreselijk? Je hebt altijd gezegd dat ik in dat opzicht vrij zou zijn.'
'Ja, dat weet ik. Ik bedoel niet vreselijk. Ik bedoel ongelooflijk. Verrassend. Verontrustend. Schokkend. Zenuwslopend. Herhaal wat je zei.'
'Móet dat?'
'Jazeker.'
'Ik voel me aangetrokken tot Jeremy.'

Mijn oren gonzen van verbazing, maar ik zorg ervoor geen spier te vertrekken, niet mijn belangstelling voor dit nieuwe gespreksonderwerp te laten blijken.

'Echt waar?'

'Ja.'

'Wat bedoel je met aangetrokken?'

'Ik wil het met hem doen.'

'Wat?'

'Naar bed gaan.'

'Weet je wat dat betekent?'

'Seks.'

'En weet je wat dat betekent?'

'Ja.'

'Weet je het zeker? Van mij heb je het niet gehoord. Dat moet je van tv of vriendinnen hebben, is het niet?'

'Ja. En uit boeken.'

'Weet je zeker dat je de juiste betekenis op het oog hebt?'

'Ja hoor, dat verzeker ik je.'

'En je valt op Jeremy?'

'Ja.'

'Ben je van plan er werk van te maken?'

'Ja. Ik wil graag met hem naar Disney World.'

'Zo, zo.'

'Mag dat?'

'Ik ben bang van niet.'

'Waarom niet? Op middagen dat jij weg bent, op zoek naar O.I.M.'s, zou de portier me met plezier in zijn achterkamer ontvangen, maar hij is agressief en te ruw. Verder is er mijn gymleraar op school, een pedofiel. Hij is weg van me, en we hebben zat tijd na de les, maar ik ben bang dat hij een gevaarlijke gek is.'

'Je moet mijn intelligentie niet onderschatten.'

'Je weet dat ik een grapje maak. Maar het hoort je wel aan het denken te zetten.'

Klik.

'Wat zei je dat je wilt worden als je groot bent?'

'Feitenchecker.'

Klik.

'Ik geloof dat ik er spijt van heb,' zegt Sara. Haar stem klinkt gedempt. Ik begrijp dat dit betekent dat de cassetterecorder verstopt is.

'Waarom?'

'Omdat hij nu vast niet meer bevriend met me wil zijn.'

'Je wist dat dit kon gebeuren.'

'Ja, maar ik had niet gedacht dat het me dwars zou zitten. Nu zou ik willen dat ik hem te vriend kon houden.'

'Misschien kan dat wel.'

'Dat weet ik nog niet zo zeker.'

'Ik wel. Je bent toch niet verliefd op hem, is het wel?' vraagt Henrietta.

'Een beetje. Maar ik zou wel willen dat we minnaars konden blijven. Maar ik weet zeker dat hij dat nooit zou willen.'

'Ik denk dat je gelijk hebt.'

'Hij laat zich te veel beïnvloeden door wat mensen denken.'

Klik.

'Dat duurde lang. Is er enige hoop?' vraagt Henrietta.

'Nee.' Dat is mijn stem.

'Zie je nu wel, ik wist het.'

'Ja, ik weet het.'

Ze huilt. 'Nou, kom maar naar huis. Het wordt al laat.'

Stilte.

'Goed?' zegt ze. 'Kun je Sara nu alsjeblieft thuisbrengen?'

'Nee,' zegt mijn stem.

'Waarom niet?'

'Je moet je cassetterecorder maar aanzetten.'

'Die staat al aan.'

'Je moet naar het ziekenhuis komen. Er is een ongeluk gebeurd. Met Sara.'

'Is het goed met haar?'

'Nee.' Stilte. 'Ze werd aangereden door een auto en was op slag dood.'

De gil die ze slaakt is lang en hard.

De ogen van de echte Henrietta zijn gesloten, maar ze slaapt niet. Haar hand streelt nog steeds de vlechten in de doos. Ik sla mijn handen voor mijn gezicht.

Een uur later slaag ik erin haar over te halen een wandeling te maken. We zeggen niets en lopen langzaam. Ik slaag er ook in haar over te halen een half marsepeinen paddestoeltje te eten. We gaan niet ver, maar er is een uur verstreken voor we weer thuis zijn.

We gaan naar onze kamer en zien de papegaai, overdekt met lange gouden draden.

'Ik ben een stervend mens,' zegt de papegaai.

Ik zie een wit lint op de grond in een hoek van de kamer en begrijp dat de papegaai Sara's vlechten heeft gevonden, ze kapot heeft gemaakt en in het haar verstrikt is geraakt. Henrietta buigt zich over hem heen, betast de draden en zegt: 'Wat is dit?'

Ik geef geen antwoord en blijf naar het witte lint staren.

'Jeremy? Wat denk jij dat het is waarin hij verstrikt is geraakt?'

Ik raap het witte lint op en zoek de doos op. Zorgvuldig begin ik de haren van de papegaai te plukken en in de doos te doen.

Henrietta slaat een hand voor haar ogen als ze het begrijpt, dan stort ze zich op de papegaai en geeft hem een harde klap. Ze slaat tegen zijn lijf en de zijkant van een vleugel. Ik ben bang dat ze hem behoorlijk zal verwonden, dus trek ik haar weg.

'De stomme idioot!' schreeuwt ze tegen me.

De papegaai ligt roerloos op de grond. Hij beeft, zijn snavel staat open en zijn zwarte tong gaat zachtjes naar binnen en naar buiten, alsof hij hijgt. Hij heeft een paar van Sara's haren in zijn bek. Zijn veren staan overeind. Ik raak hem zachtjes aan. Hij huivert. Hij lijkt niet gewond, alleen geschrokken.

'Je mag je woede niet op hem afreageren alsof hij verantwoordelijk is voor haar dood,' zeg ik tegen Henrietta. 'Toen hij Sara's vlechten zag, dacht hij waarschijnlijk dat hij haar gevonden had.'

Later op de dag zegt Henrietta tegen me: 'Er is wél iemand verantwoordelijk voor haar dood. Ik kan niet leven met het idee dat de vrouw die mijn dochter heeft doodgereden ergens in dezelfde wereld leeft als ik, en dat ik gewoon doorga met in dezelfde wereld te leven zonder haar te kennen of te weten wat voor iemand ze is. Ik zal me completer en tevredener voelen als ik haar leer kennen. Ik wil haar ontmoeten.'

'Doe dat nu niet,' zeg ik. 'Je weet nooit waar het toe leidt.'

'Ik weet waar je aan denkt, maar ik geloof dat je het bij het verkeerde eind hebt.'

'Je zou haar kunnen gaan haten en haar kwaad willen doen.'

'Ik wist dat je daaraan dacht. En je bedoelt kwaad doen in de zin van misschien zelfs vermoorden.'

'Dat zou kunnen.'

'Ik denk van niet.'

'Misschien wil ze je wel niet ontmoeten.'

'Als de ouders van het meisje dat je hebt overreden zeggen dat ze je in een openbare gelegenheid willen ontmoeten, kun je dan weigeren?'

Ik denk even na. 'De meeste mensen zouden het weigeren, omdat het niet verrassend zou zijn als het de enig overgebleven wens van de ouders zou zijn om diegene te vermoorden die hun dochter heeft overreden.'

Henrietta besluit om toch Julie Carson op te bellen, de vrouw van de gele auto. Ze stelt haar opnameapparatuur in. Ze zegt dat ik via de andere telefoon mag meeluisteren. Als de telefoon voor de vierde keer overgaat, neemt een vrouw op. Ik schrik ervan dat ik haar stem zo duidelijk herken.

'Bent u Julie Carson?' zegt Henrietta.

'Ja.'

'Ik ben de moeder van het meisje dat u heeft doodgereden.' (Wees direct, waarom niet.)

'O,' zegt de vrouw.

'Ik heb veel over u nagedacht, en het zou goed zijn voor mijn rouwproces als ik u zou kunnen ontmoeten. Gewoon om wat te praten en u een beetje te leren kennen.'

(Goed voor mijn *rouwproces*?)

Het blijft lang stil. 'Ik weet niet wat ik moet zeggen.'

'Zeg alstublieft ja. Het zou mijn verdriet verlichten.'

(Het zou mijn verdriet verlichten.)

'Ik geloof niet dat ik u wil ontmoeten,' zegt de vrouw. 'Ik zou u op alle mogelijke manieren willen helpen, maar ik wil u niet persoonlijk ontmoeten. Ik hoop dat u dat begrijpt.'

'Waarom niet? Bedoelt u uit veiligheidsoverwegingen?'

'Ja.'

'Denkt u dat ik u zou vermoorden?'

(Waarom zou je eromheen draaien?)

'Ik weet het niet.'

'Uw adres staat in het telefoonboek. Als ik zou willen, kan ik u gewoon buiten opwachten. Wat maakt dat nu uit?'

(Goed zo, gooi alle charme maar in de strijd.)

'Gaat u dat doen?'

Henrietta is even stil voor ze antwoord geeft. 'Nee. Ik wilde alleen aantonen dat het zinloos is te weigeren me te ontmoeten.'

(Deze kwetsbaarheid werkt beslist.)

'Ik zou het echt liever niet doen. Bovendien ben ik ziek geweest sinds het ongeluk. Ik kan de deur niet uit. Begrijp het toch.'

'Misschien mag ik dan bij u thuis langskomen, zodat u niet de deur uit hoeft?'

(Dat kan ze toch niet weigeren.)

'Nee.'

'Er is u er niet veel aan gelegen het kwaad dat u heeft aangericht te herstellen.'

'Het was een ongeluk.'

'Dat besef ik heel goed. Maar u lijkt er niet in het minst in geïnteresseerd ervoor te zorgen dat ik me beter voel. Logischerwijs zou u er bang voor moeten zijn me kwaad te maken, omdat u in dat geval gevaar zou lopen.'

'Is dat het geval?'

'Ik ben wel kwaad en verdrietig, maar u loopt geen gevaar.'

'Begrijp het toch.'

'Dat wil ik niet,' zegt Henrietta.

'Maar u begrijpt het toch wel?'

'Nee, dat wil ik niet.'

De vrouw zwijgt.

'Bent u uiteindelijk nog met uw hond naar de dierenarts gegaan om hem te laten afmaken?' vraagt Henrietta. Dat had ik haar verteld.

'Om hem te laten inslapen, ja.'

'Dat verbaast me. Ik had verwacht dat u misschien van gedachten was veranderd.'

'Hij had pijn.'

'Heeft u het diezelfde dag laten doen?'

'Nee, natuurlijk niet.'

'Wanneer dan?'

'De dag erna. Iemand anders heeft het voor me gedaan.'

'Wie?'

'Een kennis.'

'Een man?'

'Ja.'

'Uw minnaar?'

De vrouw aarzelt en zegt uiteindelijk: 'Nee, gewoon een vriend.'

'Hoe oud bent u?'

'Achtendertig.'

'Ouder dan ik ben. Ik ben dertig. Wat ik eigenlijk zou willen weten is of u kinderen heeft, maar dat zal ik u niet vragen, want ook als u wél kinderen heeft, zegt u toch nee. Heeft u kinderen?'

'Nee.'

'Misschien is het over een poosje nodig dat ik nog eens met u praat. Misschien kom ik u ook wel voor de deur staan opwachten. Maar ik zal u geen kwaad doen. Het zou me enorm verbazen als ik u kwaad zou doen. Tot ziens.'

Henrietta wacht tot de vrouw gedag zegt, maar dat gebeurt niet. De vrouw hangt op zonder iets te zeggen. 'Jeremy?' zegt Henrietta door de telefoon.

'Wat?' antwoord ik in de hoorn.

'Wat vond jij ervan?'

'Ik vind dat je moet gaan schilderen.'

Henrietta gaat weer naar bed en ik kijk tv.

'Hoe voelt het dat men overal waar u gaat voor u applaudisseert?' vraagt een beroemd interviewer haar op tv.

'Het is grappig. Het is vrolijk,' antwoordt ze. 'Ik vind het wel leuk. Ik vraag me af wanneer de mensen het beu worden.'

'Ik voorspel dat dat nooit zal gebeuren. Over vijftig jaar zullen de mensen nog steeds voor u applaudisseren, sommigen zelfs zonder te weten waarom. Ze weten gewoon: dit is degene voor wie je klapt. Maar wat ik u wil vragen is: zult u het ooit beu worden?'

'Zolang ik leef niet, is mijn voorspelling.'

Twee dagen later ligt Henrietta nog steeds in bed. Ze ligt op haar zij, roerloos en zwijgend. Ik loop om het bed heen om haar in de ogen te kunnen zien. Die zijn open en staren voor zich uit. Ze zou dood kunnen zijn.

'Henrietta?' zeg ik.

Haar pupillen richten zich op mijn gezicht.

'Voel je je wel goed?' vraag ik.

'Ja,' bromt ze.

'Ik vroeg me af of je zin had in een wandeling.'

'Nee.'

'Een ritje?'

'Nee.'

'Heb je zin om te schilderen?'

'Nee.' Ze doet haar ogen dicht.

'Ik denk dat je je veel beter zou voelen als je ging schilderen.'

Ze geeft geen antwoord.

'Als je wilt, zal ik zelfs voor je poseren.'

Ze zucht.

'Ik zal zelfs naakt voor je poseren als je wilt.'

Ze snuift, en ik weet niet goed of het een snik of een lach is.

'Ik heb wat verfspullen die je zou kunnen gebruiken, van toen ik klein was. Ik heb zelfs wat olieverf. Zal ik die hier brengen?'

Henrietta geeft geen antwoord, wat beter is dan een weigering, dus sjouwen mijn moeder en ik alle verf en kwasten en doeken naar Henrietta's kamer. We laten haar aan het bureau zitten, met een doek voor zich. Ik vraag of mijn moeder wil weggaan, omdat ik in haar bijzijn niet naakt wil poseren. Ik trek mijn kleren uit en, denkend aan Sara's stelregel, ga ik op bed liggen in de meest comfortabele houding die ik kan vinden.

Ik praat met Lady Henrietta over lichte onderwerpen, zoals hoe heerlijk het weer is, hoe prettig het is om buiten te wandelen, hoe aardig mijn moeder is. Om haar te amuseren, vertel ik haar over de afgezant die ik in de supermarkt betrapte. Ik zie haar een paar penseelstreken op het doek zetten. Mooi zo. Ze geeft korte, verdrietige antwoorden op mijn opmerkingen. Haar penseelstreken lijken anders dan gewoonlijk. Haar armbewegingen lijken breed en nonchalant. En dan houden ze ineens op. Ze doet niets meer. Ze zit maar wat naar me te staren.

'Wat is er?' vraag ik.

'Het spijt me, Jeremy, maar ik kan je niet schilderen. Ik heb je al een keer geschilderd. Ik heb gewoon geen zin om het nog eens te doen.'

Ik sta op en bekijk het doek. Een houterig figuurtje dat op een houterig bed ligt.

'O ja,' zeg ik. 'Ik zie wel dat je niet geïnspireerd bent.'

Ze loopt terug naar haar bed en laat zich erop vallen.

'Ik weet precies hoe we dit probleem moeten aanpakken,' vervolg ik. 'Ik ga een heel inspirerend model voor je zoeken.'

'Doe geen moeite, Jeremy.'

'Ik wil graag moeite doen. Ik wil alleen één ding weten: wil je een mooie man of een Optische Illusie Man?'

'Ik weet het niet en het kan me niet schelen.'

'Alsjeblieft, Henrietta. Ik weet zeker dat je je een stuk beter zult voelen als je het schilderen weer opneemt, al is het maar voor een uurtje.'

'Een O.I.M,' hoor ik haar mompelen.

Mijn moeder en ik gaan naar een boekwinkel. Op de afdeling psychologie zien we een man boeken bekijken. We wachten om te zien wat hij gaat doen. Hij zou een goede O.I.M. kunnen zijn, afhankelijk van wat hij gaat doen, hoe hij zich beweegt.

Ik besloot mijn moeder mee te nemen, want als ik mensen moet gaan oppikken, geeft haar aanwezigheid me meer moed en maakt dat ik betrouwbaarder lijk. Bovendien stralen twee mensen een grotere autoriteit en geloofwaardigheid uit dan één.

De man pakt uiteindelijk een boek met de titel *Hoe doorbreek je je verslaving aan iemand*.

Mijn moeder stoot me aan, met wijdopen ogen en haar mond in de vorm van een *O*. *O* als in 'O! Kijk eens wat hij leest.' Niet de *O* als in 'O.I.M.', want daarover heb ik haar niet verteld, niet over wat voor soort man we zoeken.

Ik kom meteen tot de conclusie dat hij een uitstekende Optische Illusie Man is. Wat een onwaarschijnlijk type man om aan iemand verslaafd te zijn. Wat voor iemand is hij of zij? Weet hij of zij hiervan?

Hij is een jaar of veertig. Hij ziet eruit alsof hij op kantoor werkt. Hij moet na zijn werk bij de boekwinkel zijn langsgegaan om te zien of hij hulp kon vinden bij het overwinnen van zijn verliefdheid op die vrouw, of misschien man.

'Neem me niet kwalijk,' zeg ik.

De man draait zich om. Hij lijkt zich heel opgelaten te voelen over het boek dat hij in zijn hand heeft, wat blijkt uit de manier waarop hij er zo agressief niet naar kijkt, maar misschien projecteer ik op hem wat ik in zijn plaats zou voelen.

'We vroegen ons af of u geïnteresseerd zou zijn om te poseren voor een schilderes.'

De man likt verward aan zijn lippen. Hij trekt zijn mond samen alsof hij op het punt staat iets te zeggen, maar er onzeker over is wat. 'Sorry?' zegt hij ten slotte.

'We hebben een model nodig om te poseren voor een schilderes, en we vroegen ons af of u daarin geïnteresseerd bent. Het is maar voor één of twee uur, vandaag of morgen. En er staat een vergoeding tegenover van vijftig dollar per uur.'

Hij stelt ons allerlei vragen, die we beantwoorden. Dan zegt hij: 'Nee, het spijt me.'

Hij wilde zoveel mogelijk informatie loskrijgen, zoveel mogelijk lekkere brokjes van onze buitenissigheid, hoewel hij van het begin af aan al wist dat hij nee zou gaan zeggen. Hij wilde alle sappige details horen, zodat hij zijn aanbedene een prachtig verhaal zou kunnen vertellen, en misschien zou hij of zij ook van hem gaan houden, nadat hij op zo'n geestige, intelligente manier over zo'n enorme ervaring zou vertellen, en hoe hij neerkeek op die rare vent aan wie hij zich rot ergerde toen hij hem erop betrapte dat hij *Hoe doorbreek je je verslaving aan iemand* stond te lezen.

Ik zou nooit de moed hebben om zo'n boek in het openbaar ter hand te nemen. En trouwens, ik bén helemaal niet aan iemand verslaafd, godzijdank. Dat ben ik in het verleden wel geweest, maar in deze fase van mijn leven ben ik er vrij van.

Het is niet zo moeilijk om O.I.M.'s te vinden, realiseer ik me. Vrijwel iedereen is een Optische Illusie Persoon. Is niet iedereen bijna iets maar net niet helemaal?

We gaan naar ijzerhandels. Grote mannen met blonde snorren zeggen nee tegen ons. Soms zeggen ze niet eens iets, maar laten ze hun oogleden tot halverwege hun ogen zakken en schudden traag hun hoofd. Soms zeggen ze: 'Jezus, nee!'

In bakkerswinkels zeggen mannen heel neuzelig 'Neuh', terwijl ze gebakjes kopen.

In schoenwinkels proberen mannen aardiger te zijn. Ze zijn beter opgeleid en beleefder. Ze zijn elegant en zitten erbij. Ze staan aan het hoofd van een gezin, deze mannen, en hebben een vrouw en kleine kinderen thuis, in een huis met een schoorsteen die alleen bij zeldzame gelegenheden rookt. Hun sokken ruiken naar bloemen, en nadat ze nee tegen ons hebben gezegd, zeggen ze tegen de verkoper: 'Au, ze zijn wat aan de krappe kant.'

In dierenwinkels zijn de mannen verbaasder dan ergens anders, ik vraag me af waarom. En ze laten die verbazing mondeling tot uitdrukking komen, en trekken niet alleen hun wenkbrauwen op. 'Tjee, dat is wel heel ongebruikelijk,' zeggen ze. 'Ik heb nog nooit van zoiets gehoord. Wat origineel. Goh. Nou, nou. Het spijt me, jongen' – klapje op mijn arm – 'het lijkt me leuk, maar ik heb het erg druk. Maar veel succes.'

'Ik weet niet of we ooit een O.I.M. zullen vinden die geïnteresseerd is,' mompel ik, terwijl we over straat lopen.

'Wat is een ojem?' vraagt mijn moeder. 'Ik wist niet dat we op zoek waren naar een ojem.'

'Nee, geen ojem. Een Optische Illusie Man. Een man die bijna iets is maar niet helemaal.' Ik heb geen zin er nog dieper op in te gaan. Als een van ons maar weet waar we naar op zoek zijn.

We gaan een coffeeshop binnen.

Mijn moeder wijst op een man die aan een tafeltje bij het raam zit. Hij is alleen en eet een chocoladeflensje. Ik moet toegeven dat ze gelijk heeft. Ze heeft ontegenzeglijk volkomen gelijk. Ze heeft verbazingwekkende aanleg voor het opsporen van de beste O.I.M. Ze heeft er een fantastisch oog voor. Het moet beginnersgeluk zijn.

O.I.M.-igheid straalt je uit elke vezel van die man tegemoet. Hij is nog extremer dan ik. Een uitgelezen keuze. Een buitengewoon exemplaar. Hij eet langzaam en snel tegelijk; het is moeilijk te zeggen hoe precies. Twee keer kauwen, slikken. Een keer kauwen, slikken. Kauwt langzaam, maar weinig. En hoewel hij langzaam kauwt, kauwt hij zo weinig dat het flensje toch snel verdwijnt. Zijn ooghoeken en mond hangen af, maar zijn rimpels lachen, en geven het ene moment de indruk van geluk, van opgewektheid, bijna lachen, gevoel voor humor, en het volgende moment van diepe wanhoop, droefheid, moet hem troosten, wil hem vragen wat eraan scheelt. Hij heeft grote, donkere, jonge ogen, een jonge volle mond, maar een gerimpelde huid. De rimpels zijn diep, maar op de een of andere manier jeugdig. Ze zijn niet droog, niet dun. Het zijn diepe plooien. Vette, sappige rimpels. Pas geplooide huid.

We gaan tegenover hem zitten, en ik zeg: 'We vroegen ons af of u geïnteresseerd zou zijn om te poseren voor een portretschilder.'

'Ies hij beroemd?' vraagt hij, met een stem die niet alleen een zwaar, vermoedelijk Frans accent heeft, maar ook slijmerig, week en zangerig is, wat een overweldigende combinatie vormt.

'Het is een vrouw,' vertel ik. 'Een beetje beroemd. Bent u geïnteresseerd? U heeft een bijzondere mond.'

'Dangku. Et kaat duus alleen om et keziekt?' Zachte stem. Een stem die je omhult en je met al te grote vertrouwelijkheid op intieme plekjes raakt.

'Nee, ze schildert ook het lichaam.' Ik probeer mijn eigen stem als een zweep te laten klinken, om de zijne onschadelijk te maken. 'Naakt,' voeg ik eraan toe.

'Naakt! Dat ies prima. Iek voel me kevleid, maar mijn mond keeft keen koede iendruk van mijn naakte liekaam.'

Hij wrijft, alleen door middel van zijn stem, zijn lichaam tegen het mijne, en ik ben opgelucht als hij mijn moeder op dezelfde manier toespreekt.

'Wanneer ies et?' vraagt hij haar zacht, intiem.

'Vandaag of morgen.'

'Dat ies prima,' zegt hij tegen mij zonder veel adem in zijn stem. 'Et klienkt interessant.'

'Dat is het niet.' Knal, knal met de zweep. 'U gaat ernaartoe, u poseert, en klaar bent u,' zeg ik.

Mijn moeder kijkt me recht in de ogen. Haar gezicht is

open en licht op, alsof ze een nieuwe kant van me heeft gezien. Ja mam, ik kan ook sterk zijn.

'Iek weet niet of iek et moet doen,' zegt hij. 'Bovendien eb iek een vriendin.'

'Het maakt niet uit of u een vriendin hebt. Dit is professioneel. Meer niet.'

'*Ah, oui? Mon oeuil!*' zegt hij, wat ongeveer het enige Frans is wat ik ken, en wat letterlijk 'mijn oog' betekent, wat zoveel wil zeggen als 'mijn reet'. Mijn geduld is op.

'We willen alleen een eenvoudig ja of nee horen,' zeg ik. 'We hebben niet de hele dag de tijd.'

'Et ies ja.'

Ik heb het niet eens over geld gehad.

De Fransman zegt dat hij meteen beschikbaar is, dus rijden we gezamenlijk naar huis. Hij kleedt zich uit en gaat op Henrietta's bed liggen. Ik ga op het mijne zitten. Ik wil Henrietta niet in de weg lopen, niet te veel druk op haar uitoefenen. Ik praat over koetjes en kalfjes.

De Fransman schijnt te denken dat dit allemaal heel pervers is. Hij giechelt nerveus en werpt ons steeds schuinse blikken toe. Hij schijnt te genieten van alle aandacht die zijn kwabbige bleke lijf ten deel valt. Hij denkt dat wij denken dat het mooi is. Henrietta werkt een minuut of tien, en houdt dan op. Het schilderij dat ze van hem heeft gemaakt is nauwelijks beter dan het houterige figuurtje dat ze van mij maakte.

'Ik heb geen zin om te schilderen, Jeremy,' zegt ze.

'Is hij niet goed genoeg?'

De Fransman werpt me een beledigde blik toe.

'Hij is prima,' zegt ze. 'Ik heb gewoon geen zin om wat dan ook te schilderen. Het spijt me.'

Voor hij zijn kleren weer aantrekt, staat de Fransman erop om te zien wat Henrietta heeft geschilderd. Zijn ogen gaan wijdopen van verbazing, en hij kijkt Henrietta aan. Ze staart volkomen onverschillig terug. Hij kijkt weer naar het schilderij. Ik kan zien dat hij dolgraag iets wil zeggen – 'U zou les moeten nemen' of: 'U bent een prutser' –, maar hij kijkt haar alleen nog eens aan, trekt zijn wenkbrauwen even op, kijkt naar mij, fronst zijn wenkbrauwen, draait zich om en knikt een keer met zijn hoofd, als een kip, voor hij naar de badkamer verdwijnt om zich aan te kleden. Kon hij maar een van Henrietta's eerdere schilderijen zien, dan zou hij haar kunstzinnigheid wel bewonderen.

We betalen hem en rijden hem terug naar de stad.

Het is u misschien opgevallen dat mijn moeder zich de afgelopen dagen nogal heeft ingehouden. Ik heb geen buitensporige verhalen verteld over haar gedrag. Dat komt doordat er niets is voorgevallen; ze is nog steeds niet haar oude zelf, haar Disney World-zelf. Maar ik moet toegeven dat ik het niet zo erg vind. Haar nieuwe zelf is heel plezierig. Voorlopig althans. Toepasselijk.

Henrietta staat erop zich nu elke dag in mannenkleding te hullen. Met een jasje, broek en overhemd, en een heel formele, strakke stropdas, herenschoenen en sokophouders.

'Mannenkleren betekenden heel veel voor haar,' legt ze uit.

'Ze betekenden alleen veel voor haar omdat je ze op je schilderijen achterwege liet,' zeg ik tegen haar.

'Dat maakt niet uit. Ze tekende mannenkleding en was er dol op, en dat is het enige wat ertoe doet.'

Vaak huilt Henrietta niet meer, maar zit ze gewoon stil, alsof ze diep in gedachten is. Ik vraag haar wat ze aan het doen is. Ze zegt: 'Ik probeer erachter te komen waarom Sara dood is. Ik ben ervan overtuigd dat er een verklaring voor is.'

'Wat voor soort verklaring bedoel je? Bedoel je een spirituele?'

'Misschien niet.'

'Bedoel je een bovennatuurlijke, een magische of een astrologische?'

'Nee, helemaal niet.'

'Bedoel je een wetenschappelijke?'

'Vermoedelijk wel.'

'Maar we kennen de wetenschappelijke verklaring.'

'Nee, dat was de medische verklaring.'

'Goed dan, wat voor soort wetenschappelijk bedoel je dan?'

'Onbekend wetenschappelijk.'

'Zoals?'

'Ik weet het niet. Het is onbekend.'

'Maar ik bedoel welk terrein van wetenschap?'

'Het zou elk terrein kunnen zijn, maar ik vermoed dat het waarschijnlijk ruimte betreft, en het leven en de geest.'

'Leven als in "leven op andere planeten"?' zeg ik in een poging geestig te zijn.

Ze kijkt me aan, niet geamuseerd, maar ook niet gekwetst, zoals ik had gevreesd. 'Nee, absoluut niet,' zegt ze sereen.

***

Henrietta wil terug naar huis, zegt dat ze zich niet beter voelt bij mijn moeder. Ik vind niet dat ze het zo snel moet opgeven. We zijn er pas een week. Ik voel me vreselijk, volkomen machteloos. Als iets haar had kunnen helpen, zou het schilderen zijn geweest. Dat bood haar de meeste kans. Zodra deze gedachte in mijn hoofd is opgekomen, weet ik dat ik lieg. Ik heb bij lange na niet genoeg voor haar gedaan.

Er ontluikt een ideetje in mijn hoofd. Het blijft heel klein en haast onderbewust, omdat ik het wegdruk. Maar het is er en knaagt aan me: ik zou mezelf kunnen aanbieden. Dat is misschien het behulpzaamste wat ik kan doen. Ze zal het waarschijnlijk niet accepteren, maar het gaat om het gebaar. Maar dan houd ik mezelf voor: Jeremy, je lichaam is geen cake. Dat bied je niet aan uit beleefdheid. Je bent ook geen sigaret, en zou niet moeten verwachten dat ze zegt: 'Nee, dank je, ik rook niet', of: 'Ja graag, bedankt.'

Ik vind gewoon dat het mijn plicht is dit te doen. Ik houd van mijn vriendin, Laura, maar ik heb het gevoel dat ik niet een echt goede vriend van Lady Henrietta ben als ik mezelf niet volledig beschikbaar stel. Ik weet dat deze redenering achterlijk klinkt. In mijn oren ook, maar het idee is in mijn hoofd geplant, en ik raak het niet kwijt, hoe ik er ook mijn best voor doe.

Die middag zegt ze tegen me: 'Voor ze doodging, vroeg ik me af hoe het voor me zou zijn als ze er eenmaal niet meer was. Ik wist dat het vreselijk zou zijn, dat ik vreselijk verdriet zou hebben, maar ik dacht dat ik sterk genoeg zou zijn om me erdoorheen te slaan. Ik had me zelfs voorgesteld dat ik een dag of twee na haar dood als van steen zou worden en heel emotieloos zou zijn, vooral naar buiten toe. Maar dat is niet gebeurd. Ik blijf maar huilen en heb het gevoel dat ik er nooit meer mee kan ophouden.'

Ik sla mijn armen om haar heen en streel haar haar, en toch denk ik dat dit niet het juiste moment is om me aan te bieden. Vanavond zou beter zijn. Het idee maakt me heel zenuwachtig, maar ik vind dat ik het op zijn minst moet proberen, omdat ik weet dat ik me er later voor zou schamen als ik het niet had gedaan.

Die avond ligt ze in bed, met haar rug naar me toe. Ik ga naast haar liggen en sla een arm om haar heen. Ze houdt mijn arm vast, en ik voel de tranen op haar wangen.

'Niet huilen. Draai je eens om,' zeg ik tegen haar.

Ze snuft, maar beweegt zich niet.

'Draai je eens om. Ik wil je iets zeggen.' Zachtjes trek ik haar schouder naar me toe. Ze draait zich om en kijkt me aan. Ze ziet eruit als een kind. Verdriet heeft haar gezicht doen opzwellen, wat de indruk geeft van babyvet. Ze lijkt kwetsbaar en hulpeloos.

Nu ze me aankijkt, weet ik niet wat ik moet zeggen, dus kus ik haar alleen maar. Ze duwt me niet weg. Ik houd haar vast en kus haar, en er wordt niets gezegd. Het lijkt wel of er ook niets wordt gedacht. Om de een of andere merkwaardige reden voelt alles heel goed en gepast, alsof dit al onze problemen zal oplossen, ons verdriet zal wegnemen. Maar dan realiseer ik me dat het niet waar is, dat het niet waar kan zijn. Verdriet verdwijnt niet zomaar.

Misschien toch wel. De volgende morgen glimlacht Lady Henrietta voor het eerst in lange tijd naar me. Ze zegt: 'We kunnen nu wel weer naar huis gaan. Vind je het vervelend om morgen te vertrekken?'

'Denk je niet dat je wat langer zou moeten blijven, om door deze moeilijke tijd te komen?'

'Het gaat nu wel met me. Ik voel me een stuk beter en rustig van binnen, alsof er iets is opgelost en de dingen zijn zoals ze horen te zijn.'

Ze doet het deksel op de doos met de verwarde haren en zegt: 'Wat er gisteravond tussen ons gebeurde gaf me het gevoel alsof we in contact stonden met Sara. Het heeft ons dichter bij haar gebracht. Ik vind dat het goed was.'

Even later voegt ze eraan toe: 'Je hebt je vriendin niet bedrogen. Je bent haar niet ontrouw geweest.'

11

Ik besluit Laura niet te bellen voor ik terugga naar New York, omdat ik onverwacht onze voordeur wil opendoen en haar wil overrompelen. Dat mag dan niet zo aardig lijken, maar sinds ik haar, twee avonden geleden, heb bedrogen met Lady Henrietta, word ik geplaagd door twijfels aan haar liefde en trouw. Ik ben zelfs gaan twijfelen aan de zogenaamde grootheid van haar persoonlijkheid. Is ze echt zo fantastisch als ik dacht? Zou ze iets vreselijks kunnen verbergen, zoals een nare karaktertrek, een man in haar bed, of verachting voor mij? Een deel van mij ziet er niettemin naar uit bij haar te zijn en door haar getroost te worden, maar ik kan die zeurderige angst dat ik teleurgesteld zou kunnen worden gewoon niet van me afzetten, en daarom heb ik haar niet gebeld.

Ik sta in de lift, op weg naar onze verdieping. Mijn hart gaat tekeer en ik haal diep adem. Ik probeer me voor te stellen wat ze aan het doen zal zijn als ik de flat binnenkom. De ergste mogelijkheid die ik kan verzinnen, is haar met een man in bed aan te treffen. De beste mogelijkheid die ik kan verzinnen, is haar achter de piano aan te treffen, terwijl ze een muziekstuk alleen voor mij componeert, en Minou boven op het instrument in vervoering ligt te luisteren.

Maar ze zou ook met veel gewonere dingen bezig kunnen zijn, zoals boodschappen doen, of sinaasappelsap drinken in de keuken.

Bij de deur gekomen maak ik die heel stil open met mijn sleutels, in plaats van aan te bellen of te kloppen. Omdat een deel van mij het sterke vermoeden heeft dat ze te goed is om waar te zijn en me achter mijn rug bedriegt, me misschien zelfs wel haat, krijg ik plotseling een visioen waarin ze aan de piano zit met een klein voodoo-poppetje van me, waar ze spelden insteekt en het haar van in brand steekt. En als ik binnenkom, verstopt ze het poppetje snel in de piano, zonder zich er zelfs maar om te bekommeren dat de kleine vilten hamertjes van haar piano onder de as van het verbrande haar zullen komen te zitten en onbruikbaar zullen worden.

Ik doe de deur open en kijk meteen naar de piano. Ik ben een beetje teleurgesteld als ik zie dat ze geen muziekstuk voor me zit te componeren. Ik sta op het punt naar de slaapkamer te lopen, want de mogelijkheid dat ze met een man in bed ligt, lijkt me niet al te onwaarschijnlijk. Maar plotseling trekt een beweging in de hoek van de woonkamer mijn aandacht. Daar is ze. Ze zit op haar pianobankje, maar niet achter de piano; ze zit bij de archiefkasten, die ze me heeft gegeven toen ik pas bij haar was ingetrokken, om me meer op mijn gemak te stellen. Ik heb ze nooit aangeraakt of gebruikt, en ik wist niet dat ze er iets in had gedaan. Maar dat had ze blijkbaar wel, want een van de laden staat open en haar tere vingers bladeren door de bruine mappen. Ik ben plotseling jaloers op die afschuwelijke grijze archiefkasten, die in verschillende belichamingen een spookbeeld in mijn leven zijn geweest en die nu mijn vriendin afpakken, of in ieder geval gelaten haar strelingen ondergaan. Ik heb altijd gevonden dat ze sinister, dreigend, stiekem, ge-corrumpeerd, snood en bureaucratisch waren, dat hun kille stalen lijven als zondige gedachten in de schaduw van de woonkamer rondhingen. Minou, die erbovenop ligt, ziet me aankomen, maar Laura is zich nog niet van mijn aanwezigheid bewust.

'Hallo, Laura,' zeg ik.

Ze draait zich om en roept dolblij uit: 'Jeremy!' Ze staat op en omhelst me. 'Ik heb je gemist,' zegt ze.

Ze heeft mijn regenjas en laarzen aan. Ik trek de jas een stukje open, omdat ik een stukje van haar borst zie en me afvraag of ze verder helemaal naakt is. Nee, ze heeft mijn onderbroek aan.

Ze lacht en geeft een gedeeltelijke verklaring voor haar verschijning. 'Eerst had ik alleen je onderbroek aan, maar toen kreeg ik het koud, dus heb ik ook je jas aangetrokken.'

'En mijn laarzen?' zeg ik.

'Ja.'

Ik omhels haar en leg uit nieuwsgierigheid mijn handen op haar billen. Zoals ik al vermoedde, heeft ze niets onder mijn onderbroek aan, wat eigenlijk normaal is.

Ze is ongelooflijk mooi, zelfs zonder make-up, maar ze heeft wel de diamanten oorbel in die ik op een avond op het trottoir heb gevonden. Maar die heeft ze altijd in, dus dat is niets bijzonders.

'Wat doe je met die archiefkasten?' vraag ik.

'Soms, als je er niet bent, trek ik ze open. Ze geven me het gevoel dat ik in contact sta met je ziel, je geest en je wezen.'

Ik ben tegelijkertijd ontroerd en beledigd. Ik weet niet goed of ik me gevleid moet voelen omdat ik haar aan een archiefkast doe denken, of eigenlijk dat een archiefkast haar aan mij doet denken.

Ik had wel gezien dat er een matras op de vloer lag, naast de archiefkasten, maar het was niet tot me doorgedrongen. Nu wel.

'Heb je hier geslapen?' vraag ik bezorgd.

'Ja, dat maakte dat ik me dichter bij je voelde. Maak je geen zorgen, het stelt niets voor,' zegt ze met een afwimpelend gebaar naar het matras.

In zekere zin ben ik wel bedrogen. Ze heeft weliswaar niet met een man geslapen, maar wel met een archiefkast. En ze heeft de archiefkast heel liefdevol en zelfs erotisch en sensueel gestreeld, er liefhebbend naar gekeken, door zijn archiefmappen gebladerd.

Ik vraag me af waarmee ze de mappen heeft gevuld. Vermoedelijk gewoon met saaie rommel. Rekeningen. Maar terwijl ik daar zo sta, begin ik te fantaseren. Het zou niet zo erg zijn haar aan een archiefkast te doen denken als ze hem met heel interessant materiaal heeft gevuld. Dat zou me zelfs een goed gevoel geven. Misschien zijn de mappen leeg, maar zitten er etiketten op met de elementen van ons toekomstig leven samen, zoals 'Auto', 'Huis', 'Zoon', 'School'. Wat vertederend zou dat zijn. Het zou blijk geven van haar toewijding aan mij, haar liefde voor en bijna geobsedeerdheid door mij.

Of elke map zou als opschrift een van mijn eigenschappen kunnen hebben.

Misschien heeft ze delen van ons verleden als opschrift gebruikt, of zitten de mappen vol met souvenirs van een bepaalde avond of restaurant. Misschien bewaart ze bijvoorbeeld in een van de mappen de gebruikte papieren zakdoekjes van toen ik huilde.

Ze is door me geobsedeerd, denk ik gevleid bij mezelf. Dit prachtige schepsel, nog mooier zelfs dan Lady Henrietta, voor wie de meeste mannen een moord zouden plegen, is geobsedeerd door me. Maar ook zouden de kasten gevuld kunnen zijn met mappen vol mannelijke veroveringen, met foto's en complete verslagen van hun seksuele bedrevenheid, en ben ik gewoon een van de mappen...

Ik moet zien wat er in de mappen zit, want dan zal ik weten wat ze van me denkt.

Omdat ik niet indiscreet wil lijken, werp ik er een snelle blik op, maar ik zie geen opschrift op de mappen, dus buig ik me voorover om beter te kijken. Ze hebben inderdaad geen opschrift, dus sla ik er een open, en dan nog een. Ze zijn leeg. Ik kijk haar verbijsterd, en dubbel zo beledigd, aan en maak me zorgen over haar geestelijke gezondheid.

'Nou,' zeg ik, 'het is al erg genoeg dat ik een archiefkast ben, maar ben ik een lége archiefkast?' Is dat wat ze van mijn verstand vindt? Dat ik erg dom ben en niets in mijn hoofd heb? Ik vraag het haar met zoveel woorden.

'Nee, integendeel,' zegt ze. 'Je hebt meer dan genoeg in je hoofd, maar het zijn mysterieuze en intrigerende dingen, die niemand anders dan jij kunt weten.'

We kussen elkaar en gaan op het matras liggen.

'Ik ben zo blij dat je terug bent. Ik heb je ontzettend gemist,' fluistert ze met gesloten ogen, terwijl ze mijn nek kust.

Ik voel op dit moment een enorme begeerte voor haar. Ik houd van haar. Maar ik weet dat ik haar iets moet vertellen, voor we te ver gaan.

'Hoe gaat het met je optreden?' vraag ik, om nog niet te hoeven vertellen wat ik haar móet vertellen.

'Het gaat fantastisch.'

'Ben je het applaudisseren nog niet zat?'

'Niet zolang ik leef, voorspel ik.'

'Dat weet ik, dat heb ik je op tv horen zeggen.'

'Waarom vraag je het me dan?' fluistert ze en kust me.

'Om nog niet te hoeven vertellen wat ik je moet vertellen.'

'O?'

We zijn in elkaars armen verstrengeld, en ik vraag me af of ik eigenlijk wel de moeite moet doen haar erover te vertellen. Ik weet dat het moet, dus maak ik me met tegenzin van haar los.

'Voor we verdergaan, moet ik je iets vertellen.'

'Ja, dat zei je al, arme Jeremy, arme meneer Acidophilus,' zegt ze gekscherend, terwijl ze mijn haar streelt.

Ik haal haar hand uit mijn haar en houd die stevig vast. Ik moet me niet laten afleiden. 'Toen ik met Henrietta de stad uit was,' begin ik, 'was ze erg depressief. Ik dacht dat ze er nooit bovenop zou komen. Ik heb op alle mogelijke manieren geprobeerd haar af te leiden en haar verdriet te verzachten. Niets hielp. Ik voelde me zo hulpeloos, dat ik uiteindelijk besloot haar op een meer persoonlijke, intieme manier te troosten.'

Laura ligt op haar rug, roerloos, en staart me aan. Heeft ze het begrepen, of moet ik erover uitweiden? Ik vind de stilte heel ongemakkelijk, dus doorbreek ik haar opnieuw.

'Ik ben met haar naar bed geweest, uit volslagen wanhoop en verdriet. Ik wist niet zeker of het haar zou helpen, maar het lukte. De volgende dag leek ze minder verdrietig. Ze zei dat ze het gevoel had dat ze contact met Sara had gehad. En ze zei ook tegen me dat ik je niet ontrouw was geweest.'

Terwijl de woorden uit mijn mond komen, voel ik dat het boosaardig en slecht is. Ik vermoed dat ik zojuist mijn verhouding met Laura heb beëindigd. Maar zelfs als ik nu de klok een paar minuten kon terugdraaien, zou ik haar de bekentenis niet besparen. Ik heb in het verleden al genoeg kwaad gedaan. Ik wil niet ook nog eens het bijkomende, hoewel relatief pathetische kleine foutje begaan oneerlijk te zijn.

Ik kijk haar aan, en er staan tranen in haar ogen. Mijn hart staat stil.

Eindelijk zegt ze: 'Ik ken je niet zo goed als ik dacht. Ik had nooit gedacht dat je zoiets zou kunnen doen. Niemand anders die ik ken zou dat kunnen. Je bent edelmoedig en gulhartig.'

Bedoelt ze dat ik edelmoedig ben, omdat ik het heb opgebiecht, of is ze sarcastisch?

Ze kruipt dichter tegen me aan en legt haar hoofd tegen mijn borst. 'Ik houd zoveel van je,' zegt ze. 'Ik ben blij dat je Henrietta hebt kunnen helpen.'

Heel even ben ik verbaasd, maar dan dringt tot me door dat er wel iets inzit. Haar reactie past bij haar buitengewone, engelachtige persoonlijkheid. Het is een kant van haar die menselijker is dan van welk ander mens ook dat ik ken, en daarom niet helemaal menselijk. Ik houd haar teder en met respect vast, alsof ik een relikwie vasthoud, of een heilige. Maar dan wordt ons ontzag sensueler, onze tederheid wordt heftiger: ons gedrag verzinkt in het meer wereldse patroon van vrijen.

Net als we klaar zijn, gaat de telefoon. Laura neemt op.

'Hallo?... O, hallo, Henrietta,' zegt ze en werpt me een veelbetekenende blik toe. 'Met mij gaat het goed, en met jou?... Heb je het naar je zin gehad bij Jeremy's moeder?... Je zult wel uitgeput zijn na die rit... Ja, hij is in de buurt.' Ze geeft me de telefoon aan.

'Hallo. Hoe gaat het met je?' vraag ik Henrietta.

'Vrij goed, eigenlijk. En met jou, ben je moe?'

'Een beetje.'

'O,' zegt ze. 'Ik kreeg ineens zin om te schilderen, en ik vroeg me af welk model ik zou willen vragen te komen, en dat bleek jij te zijn.'

'Ik voel me gevleid, maar weet je het zeker? Toen je me bij mijn moeder thuis probeerde te schilderen, leek je absoluut niet geïnspireerd.'

'Dat had niets met jou te maken. Ik had toen gewoon geen zin om te schilderen. Maar nu snak ik ernaar.'

'Ik zal met plezier voor je poseren,' zeg ik tegen haar, blij te horen dat ze weer zin heeft om te schilderen en gretig bereid haar naar vermogen te helpen.

'Echt?' zegt ze. 'Zelfs nu meteen?'

'Bedoel je vandaag?'

'Ik zou het heerlijk vinden als je kon.'

'Wacht even.' Ik houd mijn hand over de hoorn en zeg tegen Laura: 'Ze wil dat ik voor haar poseer, maar ik wilde de avond met jou doorbrengen. Ik weet niet wat ik moet doen.'

'Ga maar voor haar poseren. Het klinkt alsof ze in een vrij goede bui is, dus hoor je ervoor te zorgen dat dat zo blijft.'

Ik haal mijn hand van de hoorn. 'Wat dacht je van over een paar uur?'

'Dank je. Zorg dat je trek hebt,' zegt Henrietta, en hangt op.

Ze begroet me bij de deur, gekleed in een soort kamerjas of kimono. Een goudkleurige kimono.

Midden in de kamer staat het grootste doek opgesteld dat ik haar ooit heb zien gebruiken. Het is vierkant, even hoog als ik. Ze zegt dat ze een verticaal, levensgroot portret van me gaat maken. Ze wil dat ik staande poseer.

Het is een raar gevoel daar zomaar spiernaakt te staan, zonder zelfs maar ergens tegen aan te leunen, zonder het kleinste draadje satijn ter decoratie, om me te verhullen, de aandacht van mijn naaktheid af te leiden. Henrietta heeft een krukje naast me gezet, met een schaal toostjes erop. Er staat ook een glas champagne en de onvermijdelijke marsepein, vandaag in de vorm van kleine roze olifantjes. Ze heeft net zo'n schaal naast haar schildersezel staan.

Ze zegt dat ik mijn rechterarm en mijn kaak mag bewegen om te kunnen eten. Ik eet een toostje met pâté, lik mijn vingers af en zeg: 'Ik ben blij dat je weer zin hebt om te schilderen', gewoon om wat te zeggen. 'Ga je je nu meer toeleggen op je serieuze kunst dan op je commerciële?'

'Niet praten,' zegt ze. 'Laten we gewoon genieten van de hapjes en het sensuele genot van creatie.'

Een paar minuten lang poseren en schilderen en eten we in stilte. Dan begint ze te praten. Lichte, plezierige, amusante, niet heugenswaardige, onbetekenende conversatie. Ik voel me prettig, hoewel ik nu al een half uur vrijwel doodstil sta. Ik heb het gevoel dat ik hier nog heel wat meer uren zou kunnen staan, zolang ik doorlopend word voorzien van toostjes, champagne, marsepeinen olifantjes, en niet-heugenswaardige conversatie.

Af en toe staat ze op om iets aan mijn houding te veranderen. Een paar centimeter naar rechts, voeten dichter bij elkaar, een stap achteruit – Wacht! Ik wil niet te ver uit de buurt raken van mijn krukje met marsepeinen olifantjes en niet-heugenswaardige conversatie. We zetten het krukje wel dichterbij, zegt ze. Ja, dichterbij, zucht ik getroost, terwijl ik de slurf van een klein roze olifantje afbijt.

Ze gaat terug naar haar stoel, maar legt al gauw haar penseel weer neer. 'Je positie is nog steeds niet helemaal goed,' zegt ze, en laat er sneu op volgen: 'Sara zou meteen geweten hebben wat er niet klopte.'

Ik ben ontroerd door de triestheid en de waarheid van die opmerking. Ik wil Henrietta in mijn armen nemen, ik wil dat we in elkaars hals uithuilen, de arme moeder. Maar ik durf niet uit mijn zorgvuldig bevroren houding te stappen, uit angst haar ergernis op te wekken.

Ze staat op om mijn pose te corrigeren. Ze komt achter me staan en ik wacht nieuwsgierig af welke aanpassing ze dit keer zal verzinnen. Even hoor ik niets. Dan voel ik twee warme, zachte vlezige rondingen tegen mijn rug. Ik zou zweren dat er geen kimonostof tussen mijn rug en die vlezige rondingen is, maar misschien vergis ik me, hoewel ik het betwijfel, maar misschien wel, maar nee, maar misschien toch.

Henrietta kan me onmogelijk proberen te verleiden. Je gaat niet achter iemand staan, met je borsten tegen iemands rug gedrukt, als je probeert iemand te verleiden. Ze moet iets anders aan het doen zijn.

'Wat ben je aan het doen?' vraag ik nonchalant. Mijn stem verraadt mijn ogen niet, die wijdopen zijn van verbazing.

'Je pose aan het veranderen,' antwoordt ze.

Dat is wat ik dacht dat ze aan het doen was. Ik ben gerustgesteld en opgelucht. Maar het volgende ogenblik voel ik haar hele naakte lichaam tegen mijn rug. Beslist zonder kimonostof ertussen.

'Je bent mijn pose aan het veranderen?' vraag ik, alleen om me ervan te vergewissen dat ik niet verkeerd begrijp wat ik voel.

'In zekere zin,' hoor ik haar zachtjes zeggen.

'Kun je daar iets gedetailleerder over zijn?'

Ze kust mijn nek en dan mijn schouders. Haar handen glijden om mijn middel en verplaatsen zich naar mijn borst, om in het begin niet al te gewaagd te zijn, vermoed ik. Ze laat haar vingers door mijn haar glijden, pakt een handvol haar, trekt mijn hoofd achterover en opzij, en kust mijn lippen. Dat kan ze doen omdat ze lang is.

'Ik bedoelde verbaal,' zeg ik, maar mijn stem klinkt vreemd, omdat mijn hoofd zover achterover ligt en in zo'n onnatuurlijke hoek. Ik kijk haar vanuit een vreemde hoek in de ogen.

'Zonder woorden,' zegt ze, en kust me opnieuw.

'Ik weet niet of we dit wel moeten doen,' zeg ik, in de overtuiging dat ik eruitzie als een kip met een gebroken nek.

'Je hebt geen keus,' zegt ze.

'Meen je dat?' En, als in films, kijk ik instinctief omlaag of ze een pistool in de hand heeft. Ik ben verbaasd dat dat niet het geval is.

'Waarom heb ik dan geen keus?' vraag ik.

' "Dan"? Waarom zeg je "dan"?'

'Ik bedoel "dan" als in: "Gezien het feit dat je geen pistool op me gericht houdt, waarom heb ik *dan* geen keus?" '

'Dat is niet helemaal grammaticaal, geloof ik.'

'Wat jij zegt ook niet.'

'Dat weet ik,' zegt ze.

'Nou, wat ik zei klopte binnen mijn gedachtengang.'

Ze kust me.

Ik zeg haar: 'Ik weet niet of we dit moeten doen. Zoals ik al zei.'

Ze herhaalt niet dat ik geen keus heb. Ze demonstreert het.

Het kwam doordat ik niet voorbereid was. Ik was nergens op verdacht en wilde een vriendin helpen. Twee keer betekent niets; het is geen patroon, zij geen minnares. Drie keer zou iets betekenen; dan zou het een patroon zijn en zij een minnares. De vraag is: wat ga ik met deze keer doen? Ga ik het vertellen of niet? Zou het overdreven zijn om het te vertellen?

Ja. Ik heb erover nagedacht, en ik denk dat het overdreven zou zijn. Ik bedoel: wat zou het voor zin hebben? Laura heeft gezegd dat het goed was. Ze heeft niet specifiek 'twee keer' gezegd, maar dat sprak vermoedelijk vanzelf.

Ik verander van gedachten. Ik kom tot de conclusie dat het vermoedelijk niet vanzelf sprak.

'Het is goed, maar misschien moet je het geen derde keer doen,' zegt Laura, nadat ik haar over de tweede keer verteld heb.

'Dat dacht ik ook,' zeg ik.

Tot mijn grote verbazing belt Lady Henrietta me een paar dagen later weer op. Ze wil dat ik nog een keer voor haar poseer. Dit moet een grap zijn, denk ik bij mezelf. Ze zou op zijn minst eerlijk tegen me kunnen zijn. Eerst maak ik bezwaren, maar ze verzekert me dat ze me alleen wil schilderen en verder niet. Ik zwicht, omdat ik haar nog steeds wil helpen.

Ik ga naar haar flat. Ze is ongeveer een half uur bezig me te schilderen en probeert me weer te verleiden. Nou, dit keer geef ik niet toe, want na drie keer is ze een minnares. Ik ga weg.

Ik hoor niets meer van haar tot ze me een paar dagen later weer opbelt en vraagt of ik voor haar wil poseren. Ik kan mijn oren niet geloven. 'Nee,' zeg ik, 'nee.'

'Ik zweer bij God dat ik niets zal proberen,' zegt ze. 'Ik wil alleen het schilderij afmaken. Ik wil gewoon dat je nog een keer poseert. Als ik iets probeer, kun je gewoon weggaan. Ik bedoel, ik kan je niet verkrachten.'

Daar ben ik niet zo zeker van. Ik heb eens gehoord dat vrouwen mannen op de een of andere manier kunnen verkrachten. Maar ik stem toe. Ik ga voor haar poseren. Ze probeert niets. Ze schildert. En dan zegt ze dat ze klaar is en dat ik het schilderij mag bekijken.

Ik bekijk het, en er jaagt een orkaan van koude rillingen door mijn lichaam. Ik heb me maar één keer in mijn leven zo gevoeld, die keer lang geleden toen ik het kleine, witte olifantje pas had, een wens uitsprak en het muntstuk vond.

Het schilderij waar ik naar staar is van mij en Sara, samengebracht in een persoon. Ons 'wezen' is naakt, maar heeft geen geslachtsdeel; alleen gladde huid, als bij een pop. Ik kom er niet uit of het gezicht voornamelijk het mijne is waar Sara's ziel doorheen schemert, of andersom. Het haar is niet duide-lijk aangegeven, wat vaag. Henrietta is erin geslaagd Sara's onschuld en ondeugendheid te vangen en te combineren met mijn saaiheid, onzekerheid en zwakheid. Het effect is zo sub-tiel en consistent dat ik eraan twijfel of ik wel bij mijn volle verstand ben. Zou ik aan het hallucineren zijn? Zou ik me een gelijkenis met ons alle twee kunnen verbeelden, terwijl ik het in feite slechts ben, of alleen Sara? Ik kijk ervan weg, sluit mijn ogen, en kijk opnieuw. De gelijkenis met ons beiden dringt zich nog sterker op dan eerst. Ik kan mijn ogen niet afhouden van dit schepsel, onszelf, dat ondanks de ondeugende pose een verdrietige indruk maakt. Ons verleden ligt vervat in die uitdrukking; het schepsel weet alles. Ik moet ineens denken aan het monsterlijke, diabolische schilderij in *Het portret van Dorian Gray*. Dit lijkt net zo bovennatuurlijk, hoewel mis-schien niet zo boosaardig of demonisch. Het is de meest fan-tastische optische illusie die Henrietta ooit heeft gecreëerd. Onbetwist een meesterstuk. Maar een dat ik haat. Het portret jaagt me angst aan, net als de maakster ervan. Ik kan niet anders dan voelen dat Henrietta me probeert te domineren, door haar schilderij probeert een hypnotische betovering tot stand te brengen die me tot een gevangene zal maken. Ik ben erg van streek en voel me slap. Ik moet onmiddellijk weg uit haar flat, ontsnappen eigenlijk, voor ieder spoortje wilskracht uit me is gevloeid.

'Tot ziens, Lady Henrietta.' Ik heb haar lange tijd niet meer met haar volledige valse naam aangesproken. Ik tril en mijn oren zijn als verdoofd terwijl ik naar de lift loop, zodat ik nauwelijks alles kan horen wat ze, naar ik aanneem, wel zal zeggen. 'Tot ziens. Tot ziens,' zeg ik nog een paar keer, niet erg luid, zonder naar haar te kijken, voornamelijk tegen me-zelf.

Ik vind dat ik Lady Henrietta maar een hele tijd niet moet zien. Ze is niet goed bij haar verstand, en ik vermoed dat ze door me geobsedeerd is geraakt, dus zal het haar goed doen me een poos niet te zien. Daarom ga ik met Laura naar Frankrijk. We gaan een week of twee doorbrengen met wat vrienden van haar, op hun boot in de Middellandse Zee.

Mijn moeder is bereid om op Minou te passen als ik weg ben. Terwijl ik haar in haar doos zet, zegt Minou: Heb je tegen je moeder gezegd dat ze me minstens één keer per dag slagroom moet geven?

Daar ben ik het nooit mee eens geweest. Hooguit drie keer per week, antwoord ik.

Gierigaard. Nou, heb je dat tegen haar gezegd?

Drie keer per week, ja.

En heb je tegen haar gezegd dat ik er niet van houd om in bad te gaan? De vorige keer heeft ze me alleen in bad gedaan omdat ze het leuk vond.

Ik zal het tegen haar zeggen.

En ook dat ik er niet bijster in geïnteresseerd ben andere katten te ontmoeten. Als ze er een kent die me dolgraag wil zien, dan heb ik er geen bezwaar tegen een minuut of tien bij hem of haar te zitten, maar ze moet geen tweede bezoek arrangeren zonder mijn toestemming.

Hoe laat je dat dan blijken?

Als ik de kat aardig vind, zal ik hem of haar tijdens het eerste bezoek op een gegeven moment aanraken.

Ineens houd ik stomverbaasd op te doen waar ik mee bezig ben. Mijn kat praat tegen me. Ik kijk haar aan, en speur naar die heerlijke domme blik die ze me de afgelopen paar maanden toewierp, maar die is er niet. Ze loopt over van intelligentie en weten. Ik probeer me niet af te vragen wat dit over mijn leven zegt.

Goed, ik zal het haar zeggen, antwoord ik.

An boord van de boot van Laura's vrienden delen we een hut. Als we onze tassen uitpakken, haal ik met zorg het Mickey Mouse-masker te voorschijn dat ik heb meegenomen als aandenken aan Sara. Ik spijker het aan de wand.

De eerste twee dagen van de reis zijn voorspelbaar aangenaam en ontspannend. Op de derde dag krijg ik een verve-lende schok. Ik ben me, alleen in onze hut, aan het kleden voor het avondeten, wanneer ik mijn hand in de zak van mijn jasje steek en er een foto van Henrietta's meest recente schil-derij van me aantref, het schilderij dat ik zo vreselijk vond. Ik vind ook een lange, blonde haar, die ik bijna over het hoofd zie. Henrietta moet die dingen stiekem in mijn zak hebben gestopt, de laatste keer dat ik haar zag, ongetwijfeld in een flauwe, pathetische poging me dwars te zitten. En het werkt. Het zit me dwars en ik ben bang. Een foto en een haar. Doet me denken aan zwarte magie, voodoo. Maar ik wil niet dat het me dwars blíjft zitten. Als ik over vijf minuten de hut uitloop om te gaan eten, zal het weer goed met me gaan. Ik leg de foto en de haar in een la.

Zoals ik had kunnen verwachten, gaat het even later niet goed met me. En uren later ook niet. Het is zelfs zo dat het een spookbeeld voor me is geworden; niet de foto, zoals je zou denken, maar de haar. Ik krijg elke avond nachtmerries over lang blond haar. Ik droom over Repelsteeltje en dat ik haar tot stro moet weven en dan tot goud; ik droom over de Vogelver-schrikker in *De tovenaar van Oz*, die niet uit stro maar uit haar bestaat; ik droom over Raponsje; en ik droom over drijf-zand, over langzaam, gestadig wegzinken in een meer van zacht, warm, zijdeachtig, fataal geel haar, en stikken.

Mensen applaudisseren voor haar in het buitenland. In Corsica. In Sardinië. In sjieke restaurants. Ze hebben horen praten over dat geestige, eigenzinnige, intrigerende, vermakelijke Newyorkse *verschijnsel*, deze rijke Europeanen – over die Newyorkse bevlieging, die Newyorkse bron van vermaak, te applaudisseren voor vrijwel niets, te applaudisse-ren voor vrijwel niemand, voor een niemendal voor wie je eenvoudigweg… applaudisseert. De enkelen die niet gereisd en het met eigen ogen gezien hebben, hebben er op zijn minst over gehoord, haar foto in kranten en tijdschriften zien staan, haar op tv gezien. En dus applaudisseren ze, om een bijdrage te leveren aan de beweging, om deze trend over de hele wereld te verspreiden. Elke handklap telt.

Afgezien van deze uitstekende redenen om voor Laura te applaudisseren, bestaat er de veel belangrijker, veel opmerkelijker intrinsieke reden, namelijk dat als gewoonlijk niet applaudisseren of, erger nog, haar niet herkennen, of nog erger, mensen vragen waarom ze klappen, dodelijk is. Dat is de reden waarom ontwikkelde mensen, rijke mensen en mensen die deel uitmaken van de beau-monde stiekem haar foto bestuderen om in de beslotenheid van hun eigen huis haar gezicht in zich op te nemen, om te voorkomen dat zich een debâcle voordoet. Althans, dat zeggen de media.

Laura vertelt me dat ze een fantasie heeft waarin ze door een mensenmenigte rent die voor haar applaudisseert. Het applaus is als wind door haar haar. De menigte wijkt voor haar uiteen als de zee voor die vent uit de bijbel, maar alleen een klein stukje; de menigte is nog dicht bij haar en raakt haar zacht aan terwijl ze erdoorheen loopt. Ze loopt zo snel en krachtig als mogelijk, tot ze op een intense, gevorderde en 'gene-zijdeachtige manier' doordringt in haar publiek.

'Gene-zijdeachtig als in "gene zijde",' legt Laura uit, 'als in "een andere sfeer".'

Op een keer raakt ze van streek door de media. Ze komt naar me toerennen. Ze heeft net een vriendin uit New York gesproken, die haar vertelde dat ze de voorpagina van de *National Enquirer* heeft gehaald. De kop erboven luidt: 'Laura's voorstelling gaat door, zelfs na de dood.' En in het artikel staat: 'In haar testament heeft Laura opgenomen dat ze, als ze doodgaat, wil dat haar hele kapitaal wordt aangewend om ervoor te zorgen dat er iemand aan haar graf staat die eeuwig applaudisseert, of zolang het geld toelaat. Er mag in ploegen worden gewerkt.'

'Ik ben woedend!' tiert Laura. 'Hoe extreem egotistisch denken ze dat ik ben? Ze drijven de spot met me.'

Laura begint rare dromen te hebben. Op een ochtend roept ze uit de bovenkooi omlaag naar mij:

'Jeremy?'

'Ja?'

'Ik heb gedroomd dat ik te veel van mijn publiek ging houden en er de liefde mee wilde bedrijven. Toen ze op straat voor me applaudisseerden, trok ik mijn kleren uit en wilde de liefde bedrijven met de wereld. Toen werd ik gearresteerd.'

'O ja?' zeg ik. 'Ik heb over Repelsteeltje gedroomd.' We dromen over datgene wat ons bezighoudt.

***

Op een andere ochtend roept ze omlaag:

'Jeremy?'

'Ja?'

'Ik heb een vreselijke nachtmerrie gehad waarin mensen niet meer tegen me konden praten. Niemand. Het enige wat ze tegen me konden zeggen was: "Klap klap klap klap." Zelfs jij.'

'O ja?' zeg ik. 'Ik heb over de Vogelverschrikker gedroomd.'

'Jeremy?'

'Ja?'

'Ik heb een vreselijke nachtmerrie gehad waarin de handen van mensen als monden waren die open en dicht klapten. Ze wilden me verslinden, al die hand-monden, alsof het duizend piranha's waren. Zoals: Klap klap klap, smak, smak, smak.'

'O ja?' zeg ik. 'Ik heb over Raponsje gedroomd.'

'Jeremy?'

'Ja?'

'Ik heb een afgrijselijke nachtmerrie gehad waarin mensen me klappen gaven. Ze deelden klappen uit.'

'Je bedoelt dat ze voor je klapten?'

'Nee. Ik kréég klappen. Ze sloegen me.'

'O.'

'Ja. Sloegen me. En toen vermoordden ze me. Ze deelden klappen uit tot ik doodging.'

'Hmmm. Ik heb gedroomd dat ik wegzonk in een meer van haar.'

***

'Jeremy?'

'Ja?'

'Ik heb gedroomd dat ik het klappende publiek doodschoot. Niet allemaal, maar wel een heleboel. En niemand kwam me arresteren, en dat was logisch. Ik bedoel, zou jij je kunnen voorstellen dat ze mij zouden arresteren omdat ik het klappende publiek had doodgeschoten?'

'Ja. Waarom jij niet?'

'Weet je, Jeremy, omdat het klappende publiek in zekere zin mijn eigendom is en ik er daarom mee kan doen wat ik wil. Ze geven zich aan mij. Het klappen is een geschenk van hun hele wezen. Realiseer je je wel dat Jan en alleman me, ongeacht wanneer, met plezier voor het eten zou willen uitnodigen?'

'Hmm.' Ze begrijpt niet dat hoofdhaar de gemeenschappelijke factor is in al mijn dromen.

Op een dag kijk ik in de spiegel en ben verlamd van afgrijzen. Ik ben er vrijwel zeker van dat ik een angstaanjagende verandering in mijn gezicht bespeur. Ik lijk meer op het schepsel van het schilderij dan eerst. Ik lijk meer op Sara. Ik loop snel naar de ladenkast in onze hut en haal de foto te voorschijn. Ik vergelijk het gezicht dat ik in de spiegel zie met het gezicht van het schepsel. Er is minder verschil dan er eerst was, daar ben ik van overtuigd.

Nee, dat moet ik me verbeelden. Ik ben gewoon een beetje

gek aan het worden, dat is alles. Het is tijdelijk. Morgen is mijn verstand weer normaal, en mijn gezicht ook.

Maar de volgende dag ziet mijn gezicht er nog steeds niet normaal uit; het is misschien zelfs wat erger geworden: ik zie er jonger uit, knapper, vrouwelijker. Flauwekul! Aan het ontbijt neem ik iedereen aandachtig op om te zien of ze iets vreemds aan mijn gezicht zien. Maar niemand hoor.

Later op de dag neemt Laura me apart en zegt: 'Jeremy, ik heb ergens over nagedacht.'

Daar zul je het hebben; ze gaat beleefde, discrete vragen stellen over de verandering in mijn gezicht.

Maar dat doet ze niet. Ze zegt: 'Ik denk dat ik een wijziging wil aanbrengen in mijn testament.'

'In welke zin?'

'Nou, ik ben tot de conclusie gekomen dat het uiteindelijk wél een goed idee zou zijn om iemand aan mijn graf te hebben die eeuwig klapt, of zolang het geld toelaat. Ploegendienst toegestaan.'

'Waarom?'

'Ik had het zelf moeten bedenken: dat zou me een beter gevoel geven. Als ik dood ben, maakt het me waarschijnlijk niet uit, maar nú geeft het me een beter gevoel te bedenken dat er eeuwig iemand voor me zal staan klappen. Dat wil ik in mijn testament vastleggen. Ik zal me pas lekker voelen als ik het gedaan heb. Ik moet het nu doen.'

'Ik vind dat je er wel mee kunt wachten tot we terug zijn in New York.'

'Maar als er voor die tijd iets met me gebeurt?'

'Dat is hoogst onwaarschijnlijk.'

De volgende morgen is mijn gezicht nog meer veranderd. Ik kan het niet langer verdragen. In de kombuis neem ik Laura apart, laat haar de foto van Henrietta's schilderij zien en vraag of ze niet vindt dat het allemachtig veel op mij lijkt.

'Het is een portret van Sara,' zegt ze. 'Hoe kan dat nu op jou lijken?'

'Om te beginnen is het geen portret van Sara, omdat ík ervoor heb geposeerd. Het is een portret van mij én Sara. Maar vind je niet dat het op het moment veel op mij lijkt? Kijk eens naar mijn gezicht.' Ik houd de foto naast mijn wang.

Laura bekijkt mijn gezicht en de foto. 'Nee, het lijkt op Sara,' zegt ze. Maar haar ogen blijven me een poosje aankijken. Ik weet zeker dat ze liegt.

Ik snijd een stuk taart voor mezelf af, leg het op een schoteltje, pak een vork, en ga naar onze hut om het op te eten en over mijn probleem na te denken. Ik ga op mijn bed zitten en eet de taart langzaam en aandachtig op. Ik kijk naar het Mickey Mouse-masker dat ik tegen de wand heb gespijkerd, maar het zet niet aan tot gedachten waar ik iets aan heb. Het ziet er demonisch uit. Ineens moet ik ergens aan denken. Ik ga doen wat Dorian Gray met zijn demonische portret deed, en als ik erin blijf, zoals hij, dan moet dat maar. Ik leg een kussen op mijn schoot, leg de foto op het kussen, pak mijn gebakvorkje en steek het schepsel in de borst. De tanden van het vorkje doorboren de foto, maar ik voel geen stekende pijn in mijn borst, wat maar goed is ook. Maar nu is de bezwering misschien verbroken en mijn gezicht weer normaal. Ik ga naar de badkamer en kijk in de spiegel. Ik zie er nog niet normaal uit.

Ik loop de hut uit op zoek naar onze gastheer. Als ik hem gevonden heb, laat ik hem de foto van Henrietta's schilderij zien en vraag: 'Vind je niet dat dit portret sprekend op mij lijkt?'

Hij kijkt me verrast aan, dan glimlacht hij. Maar ik glimlach niet naar hem. Ik kijk hem met een ernstige blik aan, wat hem ontnuchtert. Hij zegt vriendelijk: 'Het is een knap jong meisje. Is ze familie van je? Een portret kan heel verraderlijk zijn. Ik zie er niet veel gelijkenis in, maar in werkelijkheid lijken jullie waarschijnlijk meer op elkaar. Wat jammer dat de foto zo'n vreemde beschadiging heeft,' zegt hij, en laat zijn vinger over de gaatjes glijden die de vork heeft achtergelaten.

Misschien spreekt hij de waarheid. Misschien verzin ik het maar, die gelijkenis.

Maar tijdens het eten zitten ze me toch echt vreemd aan te kijken, Laura en de gastheer. Het kost hun moeite hun schrik over de metamorfose van mijn gezicht te verbergen. Ik betrap hen erop dat ze naar me kijken, maar zodra ik hen aankijk, wenden ze beleefd hun ogen af. Ik ben zenuwachtig. Ik raak in paniek.

De volgende morgen is er geen enkel verschil meer tussen mijn gezicht in de spiegel en het gezicht van de foto. Ik lijk vijftig procent op Sara. Mijn mond is gekrompen, en mijn lippen zijn glad en teer geworden, als rozeblaadjes. Mijn neus is fijner, mijn ogen zijn uitgesprokener, en al mijn rimpels zijn verdwenen. Mijn stoppelbaard is weg. Ik hoef me niet te scheren. Ik heb geen gezichtsbeharing meer; geen baard meer.

Sara is nu ín mij. Henrietta heeft me gevangen. Ik ben haar schepsel geworden, haar schepping, haar kind. Er is geen ontkomen aan, en ik wil er ook niet meer aan ontkomen, omdat ik het gevoel heb dat ik ineens zo kwetsbaar ben in de echte wereld, dat ik alleen maar kan functioneren binnen haar perverse realiteit. Ik moet beslissen wat me te doen staat. Ik heb tijd nodig.

In ieder geval kan ik me zo niet langer in het openbaar vertonen. Zelfs Laura mag me zo niet zien. Ik pak dus het Mickey Mouse-masker van de spijker in de wand van onze hut en zet het op. Eerst zit hij lekker, maar na een poosje krijg ik het warm en begin te zweten. Dat is een kleine opoffering om de zwarte magie die zich onder het masker afspeelt te verbergen.

Ik draag het Mickey Mouse-masker: bij het ontbijt, bij de lunch, bij het avondeten, en tussendoor, omdat het alleen maar raar is, terwijl de transformatie van mijn gezicht bovennatuurlijk is, erger dan raar.

Als ik eet, licht ik het masker een klein stukje op, net genoeg om eten in mijn mond te kunnen stoppen. Bij het kauwen doe ik het masker weer omlaag.

Hoe mensen op het masker reageren? Ze zijn verbaasd,

geamuseerd, geïrriteerd, ongeduldig, neerbuigend, minachtend, en tot slot onverschillig, wat allemaal normaal en gezond is, mij best, en stukken beter dan de bedekte blikken die ik gisteren kreeg toen ze de verandering in mijn gezicht zo duidelijk als wat konden zien.

Achter het masker denk ik na over wat ik moet doen. Na veel nadenken worden bepaalde dingen duidelijk. Ik ben bijvoorbeeld verantwoordelijk voor Sara's dood. Als ik niet in haar leven was gekomen, zou ze waarschijnlijk nog in leven zijn. Ze zou de straat niet zijn overgestoken precies op het moment dat die gele auto er was om haar aan te rijden. Nu ben ik Henrietta mijn leven verschuldigd. We zijn met elkaar verbonden door onze misère. Ik zal me niet gerust voelen tot ik gedaan heb wat het juiste is. Ik hoor bij haar, ik behoor haar toe; ik moet teruggaan.

En als ik terug ben, zal ik haar de waarheid vertellen over Sara, over haar vijftig procent kans op herstel. Ik besef dat het verachtelijk van me is haar niet de kwelling te besparen van het besef hoe tragisch Sara's ongeluk in werkelijkheid was, maar ik kan de pijn niet langer verdragen, helemaal in mijn eentje. Als we een intieme relatie aangaan, moeten we allebei de waarheid kennen. Daarna zal ik haar troosten en voorgoed bij haar blijven.

Ik moet van Laura zien af te komen, zodat ik vrij ben om terug te gaan naar Henrietta. Ik probeer te verzinnen hoe ik dit voor elkaar kan krijgen. Achter het masker beraam ik plannen. Uiteindelijk neem ik een beslissing. Ik ga haar verdrinken.

Dat ga ik nu doen, nu meteen. Het is een prachtige middag. Ik ga een wandeling met haar maken – we liggen vandaag in de haven – en dan verdrink ik haar. Ik vraag of ze zin heeft in een wandeling; ze reageert enthousiast. Voor we gaan, geef ik haar een pen en een vel papier.

'Pak aan,' zeg ik, 'en schrijf je testament zoals je het hebben wilt: iemand die eeuwig aan je graf staat te applaudisseren, als je dat nog steeds wilt.' Want ik vind dat ze in de gelegenheid gesteld moet worden om haar testament op te maken voor ze verdrinkt. Dat is niet meer dan fatsoenlijk.

Ze kijkt me verbaasd aan en vraagt: 'Waarom nu?'

'Omdat het door jou geschreven en ondertekend moet zijn. Ik denk niet dat ze me zouden geloven als ik het hen gewoon vertelde, zonder je handtekening.'

'Maar waarom nú?'

'Omdat je gelijk had. Je kunt er beter niet mee wachten,' zeg ik van achter het masker. 'Je zult je meer op je gemak voelen als dit van je hart is. Je zult je ontspannener voelen, onze wandeling zal zorgelozer zijn.'

Dus zet ze haar wens op papier en geeft het aan mij. Er staat: 'Ik wil dat mijn kapitaal besteed wordt aan alles wat in de *National Enquirer* heeft gestaan: iemand bij mijn graf die eeuwig applaudisseert, of tot het geld op is, ploegendienst toegestaan, etc.' Haar handtekening staat eronder.

Ik vouw het papier op, steek het in mijn zak, en dan beginnen we onze wandeling. Ik moet een plek zien te vinden om haar te verdrinken. Een plek met een heleboel mensen. Een of andere manifestatie. Een voorstelling die een grote mensenmenigte trekt. Een concert zou perfect zijn.

Uiteindelijk komen we bij een openluchtcircus. Dat lijkt me geschikt. Het is er heel druk. De mensen staan te kijken en applaudisseren voor de voorstelling. Ik breng Laura tot vlak bij de applaudisserende menigte, en zie haar wegzinken, omsloten worden door een zee van applaus. In verwarring kijkt ze me aan, maar ze wordt al snel ingesloten door mensen. Ze probeert zich aan mij, aan mijn kleren, vast te klampen, maar ik help haar niet. De menigte applaudisseert voor het circus, niet voor haar. Ze zinkt weg in een zee van anoniem applaus. Ze wordt ondergedompeld in het succes van iemand anders. Ik kijk naar haar door de ooggaten van het Mickey Mouse-masker, en het stelt me gerust dat ze mijn uitdrukkingsloze gezicht niet kan zien terwijl ik toekijk hoe ze wegzinkt.

Op de terugweg naar New York voel ik me veel beter en normaler. Mijn geest is bevrijd.

Ik weet dat ik mensen onder ogen moet komen als ik terug ben. Daar zie ik tegen op. Ze zullen nog steeds voor Laura klappen. Ze zullen applaudisseren voor haar dood. Ze zullen me vragen: 'Hoe heeft ze die sterftruc gedaan? Is er een kans dat u ooit uit de doeken zult doen hoe ze die sterftruc heeft gedaan? Wat geraffineerd. O, die ongekunstelde eenvoud ervan, die verraderlijke eenvoud! Het repertoire is zo rijk, en het taalgebruik, grote goedheid, wat is het taalgebruik subliem. Ze is een genie, haar keuze van trucs is onovertroffen, briljant. Ik ben dól op de manier waarop ze sterfgevallen doet. Ik bedoel de manier waarop ze doodgaat.'

Als het vliegtuig is geland, ga ik naar het huis van Lady Henrietta. Zoals ik verwacht had, is ze dolblij me te zien.

Ze zegt: 'Toen je weg was, realiseerde ik me waarom het zo belangrijk voor me was om bij je te zijn. Als we samen zijn, kunnen we Sara's nagedachtenis beter levend houden. Ik kan niet met iemand anders samen zijn, dan zou het net zijn of ik Sara in de steek laat. Maar tussen ons tweeën zal ze blijven leven.'

Ik sla mijn armen om haar heen.

'Waar is Laura?' vraagt ze.

'Ze hebben haar gesmoord in liefde. Ze is verdronken in succes.' Ik laat na te vermelden dat het niet haar eigen succes was.

Ik zeg tegen Henrietta dat ik met haar uit eten wil gaan. Ze antwoordt dat ze even nodig heeft om zich te verkleden en gaat naar haar kamer.

Terwijl ik zit te wachten, valt mijn oog op een tijdschrift dat op een laag tafeltje naast de bank ligt, met een volledig zwart omslag en in witte letters de titel: *Zelfmoord*. Onder de titel staat: 'Een opbeurend tijdschrift voor iedere man of vrouw die dit wel eens heeft overwogen.'

Ik sla het tijdschrift open en lees een willekeurige advertentie:

Komt u depressief uit Disneyland?
Zin om uit de achtbaan te springen?
Of die reuzemuis voor zijn ballen te schoppen?
Heeft u er zelfs moeite mee van de eenvoudigste genoegens
van het leven te genieten?
Tijd om orde op zaken te stellen in uw leven. Wij kunnen
dat voor u doen. Bezoek ons in DOODSLAND, *waar we lijden*
van hoog niveau bieden. Uw kleine problemen zijn binnen
seconden vervlogen. Uw grotere problemen verdwijnen bin-
nen enkele uren. De dood van een naaste is binnen een dag
vergeten.
(We garanderen dat onze nabootsingen even effectief zijn
als de werkelijkheid; niet goed, geld terug!)
Bel voor een gratis brochure en een maaltijdproefset:
*1-800-570-*HELL

BEL NU! WIJ STELLEN ORDE OP ZAKEN IN UW LEVEN

De wereld is niet zoals ik dacht dat zij was.

Terwijl ik nog steeds wacht tot Henrietta klaar is, kijk ik met een afwezige blik de kamer rond, en ik ben verbaasd in een hoek, naast het gehate schilderij van Sara en mij, een groot portret van een naakte Tommy te zien.

Als Henrietta te voorschijn komt en me naar het schilderij ziet staren, zegt ze: 'O, ja. Tommy heeft via jouw moeder contact met me opgenomen, omdat hij zo van streek was dat hij indirect de oorzaak was van Sara's dood. Hij wilde met me praten en hulp aanbieden als ik die nodig had.'

'Waarom heb je hem geschilderd?' vraag ik.

Ze pakt het zelfmoordtijdschrift uit mijn handen, bladert erdoor en zegt: 'Omdat ik hierin een artikel heb gelezen waarin staat dat het, als je over een tragedie wilt heenkomen, bevorderlijk kan zijn om een portret te maken van de verant- woordelijke persoon, en dat dan te verscheuren, of door te krassen, of te verbranden, of kapot te steken, of op een andere manier te beschadigen. Dat wilde ik proberen en daarom stemde Tommy ermee in voor me te poseren.' Ze geeft me het tijdschrift, opengeslagen op een bladzij met een artikel dat als titel heeft: 'Een gezonde mengvorm van voodoo en kunstzinnige therapie maakt korte metten met sombere zelfmoordgedachten.'

Ik kijk naar het portret van Tommy. Het is op geen enkele manier beschadigd, maar er ligt wél een groot keukenmes naast op de vloer.

'Wanneer ga je het beschadigen?' vraag ik.

'Ik weet het niet. Ik ben er niet meer zo in geïnteresseerd. Nu lijkt het zinloos en banaal. Ik betwijfel of ik me er beter door zou gaan voelen, vooral omdat er toch geen hoop was dat Sara van haar ziekte zou herstellen. Ze zou toch zijn doodgegaan, dus maakte het auto-ongeluk niet zoveel uit, vind je wel?'

Ik pak het mes op en aarzel even voor ik het haar in de hand leg. Ik sluit haar vingers om het heft.

'Er was wel hoop.'